FIDEL, MON PÈRE

ALINA FERNÁNDEZ

FIDEL, MON PÈRE

Confessions de la fille de Castro

Traduit de l'espagnol
par Pierre Gautier

PLON

Titre original

Alina. Memorias de la hija rebelde
de Fidel Castro

ISBN Plon : 2-259-18776-5
ISBN édition originale : Plaza & Janés Editores, Barcelone, 84-01-37585-1.

A tous ceux qui furent, sont et seront cubains.

ARBRE GYNÉCOLOGIQUE

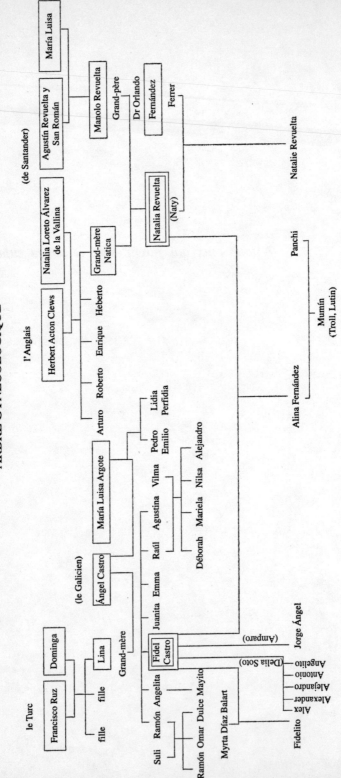

L'ARBRE GYNÉCOLOGIQUE

Il était une fois un petit Anglais du village de Newcastle-under-Lyme, dans le nord-ouest de l'Angleterre. Il s'appelait Herbert Acton Clews.

Il était une fois Angel Castro, un garçon de la province galicienne de Lugo, en Espagne. Enfin, il était une fois un gamin qui survivait à Istanbul en volant les aveugles, lui l'enfant d'un si glorieux empire, dont la famille de juifs renégats avait effacé une voyelle de son nom, le réduisant à Ruz.

Tous étaient démangés du désir d'une nouvelle vie.

Ce qui allait arriver également à un adolescent de Santander, Agustín Revuelta y San Román, descendant d'un homme qui avait eu, à la cour d'Espagne, le rang de « chevalier couvert devant la reine ». Qu'un homme soit « couvert » signifie, dans certains pays de langue espagnole, qu'il a gardé son prépuce intact. Ici, cela veut simplement dire qu'il n'avait pas à ôter son couvre-chef en présence de Sa Majesté.

Pour des raisons les plus diverses, ces mâles décidèrent de tenter leur chance de par le vaste monde. C'étaient tous des aventuriers qui n'attachaient pas grande importance à leurs racines. Le pouvoir s'est toujours appelé bonne fortune et la bonne fortune argent.

Un beau jour, à la fin du siècle dernier, ils montèrent à bord de leurs bateaux respectifs et fendirent les eaux de la mer océane, ouverte à la liberté de tous les destins.

L'un suivant le sillage d'écume de l'autre, ils arrivèrent quasiment à la queue leu leu à La Havane.

Herbert, le petit Anglais, possédait un appendice olfactif remarquable, mais il n'avait pas de flair pour la fortune.

L'un des Espagnols, le Galicien Angel, débarqua comme soldat de l'armée espagnole, victime d'un enrôlement forcé auquel il n'avait pas pu échapper.

Le Turc trouva l'arrivée décevante et profita de l'immense pétaudière de la guerre coloniale pour prendre le prénom typique de Francisco.

L'adolescent de Santander avait une lettre de recommandation. Il ouvrit un commerce de tissus et épousa María. Peu après naissait Manolo Revuelta.

A Cuba, les attendaient les femmes avec lesquelles ils allaient amorcer leur descendance. Il en était de magnifiques, issues d'un métissage de lignées et de races, filles mulâtres d'Espagnols et de Négresses sculpturales, au nez arrogant et au port paisible; filles de Chinois et de mulâtresses, ou de riches Français et de noires Haïtiennes, dont le sang blanchissait peu à peu.

Il ne se passa guère de longues d'années avant que les destinées des familles Clews, Castro, Ruz et Revuelta se croisent.

Un seul de ces aventuriers dut retourner tête basse dans son pays. C'était Angel. La guerre d'indépendance de Cuba avait fait de lui un vaincu. Guerre héroïque qui dura trois ans, de 1895 à 1898, et qui laissa les esclaves libres et les provinces orientales dévastées, car dans leur geste libertaire, les insurgés brûlèrent les champs de canne à sucre, et les *mambisas*[1] les maisons.

Quand le gouvernement espagnol démobilisa les troupes coloniales, Angel reçut un petit pécule grâce auquel il retourna à Cuba, qu'il aimait beaucoup. Il avait une irrépressible vocation pour l'astuce et savait exactement comment en tirer profit.

Il acheta un lopin de terre au fin fond de la province orientale et commença par bâtir une ferme en un lieu-dit nommé Birán. Peu à peu, à force de clôtures repoussées et

1. Femmes des insurgés cubains, appelés *mambís*.

replantées avec la complicité de la nuit, il devint un cacique. Il épousa María Luisa Argote dont il eut deux enfants, Pedro Emilio et Lidia.

Il s'assura une main-d'œuvre docile et bon marché en recrutant des compatriotes de son lointain village galicien pour des périodes de quatre ans. Il leur promettait de faire fructifier leurs économies et les faisait payer avec des bons dans sa propre boutique. Les quatre ans écoulés, il les conduisait sous un prétexte quelconque dans un endroit à l'abri des regards et les tuait.

L'Anglais n'avait rien à voir avec la guerre d'indépendance, mais il y fut impliqué par pur hasard. Ingénieur naval, il avait découvert au cours de ses voyages la valeur des bois précieux. Il possédait une scierie et s'était lancé dans le trafic d'armes qu'il vendait aux insurgés cubains en lutte contre l'Espagne, les fameux *mambís*. Après avoir été dénoncé aux autorités espagnoles, qui le pourchassèrent, il dut prendre le maquis et termina la guerre avec le grade de colonel.

Un vieux daguerréotype le montre nu comme un ver en train de se baigner dans une rivière.

Auréolé de son prestige de *mambí*, il fut chargé, avec d'autres ingénieurs, de construire le premier tronçon du Malecón de La Havane, le boulevard de front de mer qui part du port où le pirate Morgan n'avait pas voulu enterrer son trésor. Puis ses pas le conduisirent à Artemisa, dans la province de Pinar del Río, à l'extrémité ouest de l'île, à l'opposé de Birán où Angel avait son domaine. Il y installa une centrale électrique et épousa Natalia Loreto Alvarez de la Vallina. Ils eurent quatre garçons et une fille, qu'ils baptisèrent Natica ; elle était parfaite. Ce fut une beauté fatale qui vint au monde avec la nouvelle ère.

Francisco Ruz, en revanche, connaissait un destin contraire. D'une apathie désespérante, il s'avouait d'emblée vaincu et il ne fallut pas moins que le vent de l'échec, les coquillages et les morceaux de noix de coco magiques ainsi que les os et les coups de bâton de Dominga, sa perle noire de femme, pour le mettre en mouvement et lui faire traverser l'île d'un bout à l'autre, poursuivi par la misère.

Un beau matin, il installa sa femme et ses trois filles sur

une charrette tirée par une paire de bœufs, et, laissant la ville d'Artemisa derrière eux, la petite famille parcourut plus de mille deux cents kilomètres avant de s'arrêter à Birán. La benjamine des trois filles s'appelait Lina.

Revuelta n'était pas un nom illustre, bien qu'il eût été celui d'un chevalier « couvert devant la reine ». A Santander, toutefois, ce nom porté par des générations de commerçants était synonyme de prospérité. Mais Manolo, le fils, désormais insulaire et créole, ne se sentait pas tenu de faire fortune. C'était un homme devant lequel les femmes se pourléchaient, et il les séduisait par ses yeux mi-clos, comme endormis, de ces yeux qui semblent voir sous les vêtements.

Il était d'une beauté lumineuse et vulnérable, et d'un tempérament dominateur. Il se promenait dans la vie avec une guitare et sa voix de troubadour.

Mais, à vrai dire, Manolo ne voyait pas plus loin que le bout de son nez. Il avait pris goût à un cocktail de rhum cubain, de feuilles de menthe et de sucre, ce délicieux poison connu sous le nom de *mojito*. Il se saoulait dès qu'il le pouvait.

Le XXe siècle faisait ses premiers pas. Lénine, inspiré par Marx et sa cour d'Engels célestes, était assis à l'ombre des châtaigniers de la fontaine Médicis, au fond du jardin du Luxembourg, à Paris, et se posait la question : « Que faire ? »

Il avait goûté à tous les plaisirs qu'offrent les lupanars et avait même l'honneur d'être atteint d'une maladie qualifiée de honteuse. Il était à l'abri sous l'aile protectrice du gouvernement français qui lui versait courtoisement une pension d'exilé. « Que faire de plus ? », se demandait-il. Le murmure universel de la fontaine Médicis lui souffla une réponse. Il se mit à écrire comme un possédé, puis se reposa avec la conscience tranquille de celui qui se sait capable de tordre le destin. Peu après il retourna en Russie.

Francisco Ruz et Dominga avaient traversé l'île entière juchés sur leur charrette d'infortune.

Arrivés à Birán, il ne leur restait plus qu'à se jeter à l'eau avec toute la famille.

Dominga s'entoura le cœur de barbelés et partit à la rencontre de son dernier espoir :

– Don Angel, tout ce que nous avons, c'est mes pouvoirs de sorcière et mes filles. Choisissez une des trois et laissez-nous vivre dans la cabane d'en haut...

Don Angel appréciait la vivacité de la plus petite, qui avait l'âge de sa fille Lidia. C'était une fillette sans scrupules, mais elle débordait d'une énergie joyeuse et rebelle qui n'était pas celle de ces paysannes soumises et lasses qu'il avait tant de fois engrossées sans peine ni gloire.

– Je prends Lina.

Lina, fille d'un Turc et d'une sorcière cubaine métissée de sang mandingue, congo ou carabali, allait bientôt connaître ses premières règles et pleurer de désarroi à la vue de sa petite culotte maculée de sang frais qu'elle confondrait avec celui qui avait accompagné la perte de son innocence.

Pendant ce temps, l'Anglais *mambí*, installé avec sa famille dans la capitale cubaine, tentait de convaincre cette merveille incongrue que se révélait être sa fille Natica, dont la seule présence interrompait les représentations théâtrales et la circulation des tramways, de ne pas se marier avec un inspecteur des travaux publics alcoolique. Ornant son espagnol de fraîcheurs anglo-saxonnes, il lui prédisait : « Ceci sera le malheur de ta vie. »

Natica, une des femmes les plus belles et les plus courtisées de La Havane, muse des couturiers et proie des satyres, épousa Manolo Revuelta, le doux poivrot fauché, qui laissait d'innombrables cœurs brisés. Peu après naquit une fille à moitié Sagittaire.

Don Angel, cacique galicien d'un coin perdu de l'île de Cuba, qui avait arraché d'un tendre coup de griffe la robe d'une fillette, s'éprit lentement d'elle et continua de lui faire des enfants avec amour. Le troisième naquit un matin, sous le signe du Lion. Après avoir observé les étoiles, Dominga s'agenouilla, embrassa la terre et dit à Lina : « Celui-ci est le seul de tes enfants qui sera un grand. »

Les enfants de Natica et de Lina s'appelèrent Natalia et Fidel. Ils étaient nés aux extrémités de ce caïman échoué sur le sable qu'est l'île de Cuba. Quatre mois les séparaient, et la vaste succursale de la vie qui décide des avatars et des destins.

La petite Naty fut baptisée dans les formes. Pour Fidel, ce fut impossible, car c'était un enfant naturel ; il naquit donc bâtard.

Mais Angel possédait une noblesse cachée dans un recoin de son orgueil. Il parla avec sa femme, María Luisa, et lui dit qu'il n'était pas juste avec ces enfants que Lina continuait à mettre au monde par grappes. Il n'en était pas pour autant disposé à partager son fief. « Que faire ? », se demanda à son tour le Galicien, animé d'un souci plus terre à terre que philosophique.

Avant de recourir au tribunal qui se chargeait d'établir les torts des couples en mauvais termes, don Angel céda à son vieux compère, Fidel Pino, la totalité de ses propriétés. Quand il divorça, il était légalement ruiné.

María Luisa se retrouva, ainsi qu'en décida la loi, avec une pension réduite ; le cacique galicien, avec un des deux enfants : Pedro Emilio.

Après un prudent laps de temps, Fidel Pino, le compère, remit dans les coffres d'Angel tout ce que celui-ci lui avait donné avant le divorce. Il n'y a rien de tel qu'un bon ami.

Lidia se convertit à la perfidie dès l'instant où elle dut abandonner les espaces infrangibles du domaine paternel, pour vivre aux côtés de sa mère dans une maison délabrée, abandonnée par la maîtresse de son ex-mari.

La petite Naty grandit seule dans un foyer étrangement divisé entre la conduite matriarcale de sa mère, Natica, et le désespoir existentiel de Manolo. Elle avait des yeux verts qui lui mangeaient le visage et un regard triste de petite vieille. Mais c'était une force de la nature : à l'âge de deux ans, elle survécut à un fléau qui fauchait les enfants par centaines, l'acidose. Natica fit le voyage aller et retour au bout du désespoir en voyant la petite se consumer en vomissements répétés. Un matin, elle la crut morte et s'assit dans le salon pour pleurer sa peine, lorsqu'elle vit passer un ange noir. C'était Naty barbouillée de purée de haricots qu'elle avait mangée à même la casserole, dans la cuisine. Elle avait interrompu la diète liquide à laquelle elle était condamnée depuis des jours. Ce fut le premier cas de guérison et il révolutionna les traitements en pédiatrie.

14

Elle renouvela l'exploit à l'âge de quinze ans quand elle attrapa la brucellose et délira de fièvre pendant des mois, plongée dans une baignoire remplie de glace.

Elle survécut à la leptospirose, à l'hépatite et à un chien enragé qui la mordit au palais.

Elle se transforma en une belle adolescente et bientôt en une femme à la mode, invitée partout à La Havane pour son rire joyeux, sa taille de danseuse blonde à la peau foncée et son corps de créole.

Le petit Fidel et ses frères aînés vécurent leurs premiers crépuscules dans la cabane au toit de chaume, au nord de la ferme où leur grand-mère Dominga et leur mère Lina invoquaient les esprits tutélaires une bougie dans une main et un verre d'eau dans l'autre en psalmodiant d'interminables cantilènes.

Sans le moindre symptôme de mauvaise santé, il survécut à ses nombreuses tentatives de voler dans les airs qu'il effectua avant l'âge de cinq ans.

Son éducation commença dans une petite école en bois située à plusieurs kilomètres de la ferme. Les enfants devaient tous les matins se frayer un chemin dans l'herbe de Guinée, le petit Fidel en queue, car il avait l'étrange manie de marcher en faisant trois pas en avant et un en arrière.

Il aimait bien aussi défier le soleil qu'il se mettait à regarder fixement pour voir qui des deux tiendrait le plus longtemps, jusqu'à ce qu'il ait les pupilles brûlées, entrant alors dans une rage aveugle, tant il détestait perdre.

Quand Lina les punissait de leurs bêtises à coups de ceinture, les gamins s'égaillaient dans la nature pour éviter le fouet ; Fidel était le seul à baisser son pantalon et tendre ses fesses en disant : « Frappe-moi, maman », ce qui avait pour effet de désarmer son bras.

Sa première humiliation fut de voir son demi-frère, Pedro Emilio, caracoler à cheval au côté de son père, tandis qu'eux devaient rester à l'écart comme des ombres.

Il ne tarda pas à découvrir comment don Angel s'y prenait pour rendre ses employés à la terre. Ce fut un soulagement quand Lina prit la place de María Luisa, les enfants purent abandonner la petite école rurale pour entrer, sous le nom de Castro, dans les meilleures écoles de Santiago de Cuba, la capitale de la province d'Oriente. Ce fut encore mieux quand Fidel fut envoyé à La Havane : tout cela resta derrière lui, au fin fond d'un passé honteux et caché.

La chance poursuivait Naty avec acharnement. Si elle prenait une raquette de tennis, elle gagnait la partie. Si elle plongeait dans une piscine, elle repartait une médaille autour du cou. Si elle regardait un homme, elle le retrouvait peu après à genoux devant elle.

Il ne passa guère de temps avant qu'une maladie foudroyante la terrasse et que, grâce à son appendice perforé et gangréné, elle fasse la connaissance du docteur Orlando Fernández-Ferrer, lequel, épris de ces perles d'entrailles d'une perfection jamais vue, la demanda en mariage.

Elle eut de lui une fille appelée Natalie.

Lassée de tant de chance sans partage, elle tourna ses yeux vers les malheureux et les victimes d'une république corrompue. Elle rejoignit les rangs de la Ligue des femmes José Marti, qui se consacrait, avec une profonde conviction anti-impérialiste, à maintenir vivants les préceptes de cet incurable romantique, combattant et apôtre qu'avait été José Marti. Elle découvrit une voix méritoire en la personne d'Eduardo Chibás, leader du Parti orthodoxe. Elle s'engagea. Chibás accusa un ministre du gouvernement de puiser dans les caisses de l'Etat. Mais en août 1951, au cours d'une émission radiophonique, il avoua être incapable d'apporter les preuves de ses accusations et se tira une balle dans la tête. Naty mouilla ses mains du sang de cet homme qui n'avait pas supporté le déshonneur d'être taxé de menteur.

A cette même époque où le docteur Orlando avait succombé à la beauté profonde de Naty, Fidel avait ébloui une adorable jeune fille nommée Myrta Díaz Balart, liée par sa famille aux politiciens de l'île. Un de ses oncles était ministre de l'Intérieur.

Ils se marièrent et eurent un fils, appelé Fidelito.

Ses études de droit inachevées, et sans aucun métier, Fidel se lança dans toutes sortes d'entreprises commerciales : depuis l'élevage de poulets sur le toit de son

16

immeuble, jusqu'à la vente de fritures au coin d'une rue de la vieille ville. Entreprises qui échouèrent toutes.

Ce fut alors qu'il décida de mettre son astuce au service de la politique. Il sut se débarrasser de rivaux encombrants et au bout d'une ascension jalonnée d'accidents opportuns, il accéda au statut de leader des étudiants, puis fut candidat au poste de représentant du Parti orthodoxe que convoitait un frère de Chibás. Il avait une allure irréprochable et le charme de l'insolence.

La rumeur accusant Fidel d'être mêlé au suicide d'Eduardo Chibás, dont il était l'un des successeurs potentiels à la tête du Parti orthodoxe, ne parvint pas jusqu'aux oreilles de Naty, n'entamant pas son inébranlable confiance en la probité de l'être humain.

Une clé arriva à Fidel dans une enveloppe en papier vergé embaumant le mystérieux parfum d'Arpège, de Lanvin. C'était une clé de la porte d'entrée d'un appartement du quartier du Vedado, proposé gracieusement et avec cœur pour le triomphe de la cause orthodoxe. La lettre était signée Naty Revuelta, laquelle, sans faire la moindre distinction, avait fait trois copies de la clé, envoyant les autres à deux dirigeants du parti.

Naty oubliait toujours que son visage, sa silhouette et sa classe poussaient le cœur des hommes au bord de l'infarctus. Elle se considérait comme une militante anonyme.

Il ne se passa guère de jours avant que Fidel ne se présente chez Naty, le pli du pantalon impeccablement repassé, vêtu de sa meilleure *guayabera* [1] amidonnée, sous laquelle il dissimulait l'amulette « ouvre-chemin » de sa grand-mère.

Après qu'il fut passé au crible d'une servante extralucide et d'une mère inquisitoriale, la propriétaire de la clé fut appelée.

A peine Naty apparut-elle dans le vestibule, le *coup de foudre* [2] les rendit sourds et aveugles.

Ils se lièrent immédiatement et le monde disparut de leur vue. Elle, parce qu'elle se lançait dans sa première action politique et rebelle d'adulte, et lui parce parce qu'il accédait à un temple gardé. Naty l'invita à son club de

1. Veste-chemise en toile légère.
2. En français dans le texte.

tennis et lui l'invita à une manifestation estudiantine sur le perron de l'université de La Havane.

Lui, bien sûr, ne se rendit pas au club, car les clubs ne s'accordaient pas avec l'idée qu'il se faisait d'une société juste. Sa présence lui aurait paru aussi déplacée que celle de son ancien associé Cucaracha, plus noir qu'un tison, qui le secondait dans le négoce des fritures.

Elle n'avait, en revanche, rien à craindre d'une manifestation d'étudiants ; elle était aussi jeune et belle que la plupart des filles, et bien mieux habillée.

C'est ainsi qu'au milieu d'une foule de jeunes gens déchaînés qui protestaient contre une exécution survenue plus d'un demi-siècle auparavant, et par cette magie qui se déguise parfois en coïncidence, ils se retrouvèrent, et Fidel l'entraîna à travers cette marée humaine jusqu'à une tribune improvisée où il prononça le premier et le meilleur de ses discours, bientôt interrompu par des policiers énervés par un embouteillage monstre et des automobilistes qui protestaient en klaxonnant.

Naty rentra chez elle dans la nuit, mais n'eut pas à fournir d'explications. Orlando était en train d'effectuer un de ses interminables services de garde à l'hôpital, et la petite Natalie dormait d'un sommeil paisible veillée par une servante. La seule à découvrir dans son regard une lueur de détermination qui effaçait sa douceur habituelle fut Chucha, la cuisinière, mais elle ne fit aucun commentaire.

Fulgencio Batista était sténographe dans l'armée avec le rang de sergent. Il commença à faire parler de lui au milieu des années trente. Il échauffa les esprits de la caste militaire et prit rapidement du galon. En 1940, il fut élu président et gouverna jusqu'en 1944. Il était général d'armée et avait élagué dans le sang le pouvoir civil, fauchant des vies sans compter, lorsqu'en mars 1952 il s'autoproclama, à la suite d'un coup d'Etat, président de la République de Cuba. L'île tout entière se sentit outragée.

Pour Myrta, la nuit, comme la plupart des précédentes, fut pleine d'inquiétudes. Son couche-tard de mari administrait les médicaments au petit Fidelito et cette nuit-là eut des allures de tragédie : l'enfant, de constitution chétive et qui était né avec un poids inférieur à la moyenne, s'en allait entre ses mains, emporté par des vomissements et des diarrhées. Fidel et le pédiatre se retrouvèrent en bas de l'immeuble. Le médecin ne fut pas long à constater que l'enfant souffrait d'une intoxication due à une surdose de vitamines qui, selon son père, étaient censées accélérer le processus de normalisation de son poids.

Le lendemain, le médecin fit une entorse au secret professionnel en se plaignant à la famille de Myrta, mais il n'eut pas assez de force de conviction pour vaincre l'orgueil effaré derrière lequel ces gens s'étaient toujours réfugiés face à la conduite irrationnelle de Fidel. Et ni les oncles ni les frères de Myrta ne purent la convaincre qu'elle vivait dans une situation de danger permanent.

Après la mort de l'illustre Chibás, Fidel récemment nommé leader d'un parti d'idées, décida de passer à l'action. Ainsi fut organisée une vie clandestine strictement cloisonnée en cellules. Il choisit la ville de Santiago comme théâtre de son premier coup d'éclat, car il ne connaissait pas aussi bien La Havane. Prétextant un entraînement de fin de semaine, il allait conduire un groupe de militants, qui ignoraient tout de leur destination, à l'assaut de la plus grosse caserne de province.

Naty, au courant de ce plan d'attaque, qui avait quasiment été élaboré chez elle, et auquel elle contribua en vendant tous ses bijoux afin d'acheter des armes, était chargée de distribuer, à l'heure précise de l'attaque, des tracts dans les rues de La Havane.

Elle avait quelque peu perdu le sens de la réalité. Plus encore qu'amoureuse, véritablement ensorcelée, elle était capable, pour Fidel, de se fourrer dans des ennuis sans fin. Décidée à le suivre partout où il l'entraînerait, elle écrivit une lettre à son mari, Orlando, dans laquelle elle lui avouait cet amour coupable. Et la vie de tous les siens se transforma peu à peu en un petit enfer.

Voici ce qui arriva à Santiago : Fidel oubliait, comme toujours, le facteur humain et presque aucun des soixante-dix et quelques hommes, croyant participer à un entraînement militaire, ne prenait cette attaque au sérieux. Les Havanais se perdirent dans les rues tortueuses de Santiago, obéissant à un plan tellement approximatif qu'ils attaquèrent la caserne au moment même où la moitié de la soldatesque revenait des fêtes du carnaval, de sorte qu'ils se retrouvèrent pris entre deux feux. L'affaire s'acheva par une débandade et un massacre tel qu'on ne sut jamais bien distinguer les héros des victimes malchanceuses. Et comme la défaite n'était pas prévue dans le plan, tous furent pourchassés comme des rats.

C'est à la faveur de ce bruyant désordre que Fidel accéda soudain à la célébrité. Pour d'obscures raisons – à rechercher peut-être dans l'intervention des *santos* de Lina et des fétiches africains de Dominga, lesquelles sacrifièrent à tour de bras chèvres et poules dès qu'elles apprirent la nouvelle – si de nombreux hommes moururent ou furent torturés, Fidel, lui, ne reçut pas le moindre coup.

Après tout, il était marié avec la nièce du ministre de l'Intérieur. Il fut condamné à un emprisonnement bienveillant au pénitencier de l'île des Pins.

Naty vécut un véritable clivage pendant les deux années où Fidel fut détenu. Elle se divisa, pour ainsi dire, afin de pouvoir partager la vie du prisonnier. Grâce à ses lettres, elle le conduisit, ligne après ligne, jusqu'à la liberté, lui décrivant minutieusement les faits du jour, de l'heure, la lumière des lieux, les odeurs, les gens... Tout cela baignant dans un idéalisme romantique et édifiant quant à la justice, la société et l'homme.

Elle le comblait d'attentions, de livres, de friandises.

Elle écrivit une lettre à Lina qui alla droit à son cœur de mère. Elle écrivit à Raúl, le frère cadet, qui répondit à cette attention par de tendres lettres adressées à sa « petite sœur ». Et elle vint même en aide à Myrta et à l'enfant.

Elle était la Princesse des rebelles. Elle devint omnisciente.

Fidel lui répondait de manière passionnée. Il lisait les livres qu'elle lui envoyait et en extrayait la quintessence qu'il commentait et élevait à de surprenantes hauteurs d'esprit. D'une écriture minuscule, à peine lisible, il noircissait des pages blanches jusque dans les marges et quand il avait terminé, il se mettait à rêver à la seule entrée secrète de Naty qu'il ne connaissait pas et se laissait emporter par l'onanisme.

Ils s'écrivaient régulièrement, poursuivant une sorte de conversation sans fin, si bien qu'on pouvait les imaginer tous les deux seuls dans l'île, l'un endoctrinant, l'autre écoutant. Et l'île pouvait même brusquement larguer les amarres et partir pour un périple hasardeux, les emportant allongés sur l'herbe, lui, déclamant à l'infini, elle, subjuguée par les accents mystiques de Sa parole.

Tout en racontant à Naty qu'il faisait bon usage de son bloc de papier à lettres, Fidel écrivait aussi à son épouse Myrta, et parfois à bout d'imagination, dupliquait ses manuscrits. Un soir, le censeur de la prison, excédé de devoir se servir d'une loupe pour déchiffrer ces lettres en double exemplaire, confondit, peut-être à dessein, les deux adresses, ainsi Myrta sut que Fidel avait une maîtresse ou aimait une femme qui n'était pas elle. Elle en souffrit et se considéra comme offensée.

En revanche, Naty rendit la lettre de Myrta sans l'ouvrir.

Le divorce et la liberté conditionnelle arrivèrent au prisonnier en même temps.

De son côté, Naty restait mariée avec Orlando qui ne voyait pas dans cet amour idéologique et platonique motif à divorcer.

Après des mois de fureur épistolaire et amoureuse, sans autre lieu d'accueil que les bras de Naty, Fidel trouva refuge dans l'étreinte de cette femme ardente et dévouée, et promit à cette étoile aux yeux verts qui s'était faufilée dans son cœur toutes les gloires de ce bout de terre où ils vivaient.

Ce fut dans un appartement, loué par un tiers, où ils se retrouvaient en cachette, qu'un après-midi Alina fut conçue.

Quelques mois plus tard, Fidel en exil à Mexico apprit cette grossesse que Naty lui attribuait avec douceur. Il eut des doutes et lui demanda de le rejoindre à New York, en un voyage éclair, sans songer un instant qu'une femme enceinte n'est pas un ballon qui peut larguer du lest pour s'envoler.

Naty ne vint pas et il se sentit déçu. Mais comment ne pas croire Naty quand on connaissait son sens du sacrifice ? Nul doute qu'elle serait venue si elle n'avait pas été condamnée à un repos prénatal absolu ?

Elle était en effet réduite à l'inertie. Aucun fœtus, si rétif soit-il au futur qui le guette, n'est plus fort que les lois de la pesanteur. Grâce à une immobilité de pierre et de nombreux coussins, il vint au monde en temps voulu et en bonne forme. Un afflux de sang plus violent qu'un tremblement de terre, plus ravageant et terrorisant, les laissa toutes deux, mère et fille, à bout de forces, le 19 mars 1956.

Pendant ses mois d'immobilité, Naty avait écrit chaque jour à Fidel d'innombrables lettres accompagnées de coupures de toute la presse cubaine.

Pouvait-il douter à ce point de sa bonne foi ? Mais Fidel voulait une autre preuve. Il envoya Lidia, dite Perfidia, sa demi-sœur, qui avait opportunément épousé la cause des rebelles, afin qu'elle scrute les marques du nouveau-né. Lidia, avec son aspect hommasse de sang mêlé, n'était pas une visiteuse amicale, mais Naty la reçut comme une envoyée du ciel.

— Comment vous avez appelé la petite ? demanda Perfidia.

— Alina. A Lina, pour sa grand-mère...

— Je peux la voir ? Fidel m'a demandé de bien la regarder.

— Bien sûr. Bien sûr que oui. Tata Mercedes, amenez l'enfant !

Lidia Perfidia remonta la manche gauche de la chemise en fil du bébé.

— Au moins, il y a ici les trois grains de beauté en triangle. Elle retourna l'enfant sur le ventre pour inspecter sa jambe gauche. Voilà la tache, derrière le genou. Cette petite est une Castro, déclara-t-elle sentencieusement.

Solitude, faiblesse ? Au lieu de se sentir insultée, Naty se sentit reconnaissante.

— Tiens, c'est un cadeau que t'envoie Fidel.

Pour la mère, des espèces d'anneaux de cirque et un bracelet en argent mexicain. Pour l'enfant, des boucles d'oreilles en platine terminées par une perle à peine brillante.

Comme si elle venait de recevoir l'approbation de l'Olympe, Naty put enfin se reposer en paix.

Quand Fidel débarqua à Cuba à bord d'un tout petit

yacht et qu'on le donna pour mort et exécuté, Lina, sa mère, était devenue la meilleure complice de Naty.

Elle s'était rendue à La Havane pour faire la connaissance de sa nouvelle petite-fille. Elle serra la main de Naty en lui disant : « N'aie pas peur, ma fille. Cette nuit, l'apôtre Jacques m'est apparu sur un cheval blanc et il m'a dit que mon fils était vivant. Ne te tracasse pas. Je ne vais pas quitter cette vie sans laisser quelque chose à ma petite-fille. J'ai engagé des diamants chez le caissier du domaine de Birán. Ils y sont encore. Ils seront pour elle. »

Naty se remit sans problème de sa période puerpérale, comme après chacune de ses maladies catastrophiques.

Elle envoya à Fidel toutes sortes de douceurs, afin d'adoucir son séjour de rebelle dans les montagnes de la Sierra Maestra, concurrençant ainsi le magazine *Life*. Natica, sa mère, servit parfois de messagère. Malgré son mépris pour cette racaille à cheveux longs, elle soutenait sa fille dans son désir de voir confirmer la paternité de son ultime rejeton, bien qu'Orlando, connaissant les dessous de l'affaire, eût chevaleresquement offert son patronyme afin que la petite ne restât pas sans nom. Au péril de sa vie, Natica porta de l'argent et des montagnes de chocolat au pied de la Sierra Maestra. La pauvre femme fut toujours fataliste et résignée.

Fidel adorait les friandises françaises de Potin, la pâtisserie la plus célèbre du Vedado, le chocolat et la littérature. Naty recevait en retour des douilles de balle en guise de souvenir. Il lui avait fallu s'évader de la vie réelle pour supporter les rumeurs insultantes sur son ventre gravide, les incertitudes du futur, et toute la tristesse que son amour provoquait autour d'elle. Elle surmonta l'épreuve grâce à cet amour.

Presque trois ans plus tard, quand Fidel fit une entrée triomphale dans La Havane, victoire qui balaya en lui toute considération pour les êtres humains, il croyait cette histoire dépassée depuis belle lurette.

L'enfant cessa d'avoir une dimension symbolique et devint pour lui une gêne, un complexe de culpabilité et l'antithèse de cette clé qui lui avait ouvert le pays des merveilles.

Etant comme je le suis une âme voyageuse, on peut se demander pourquoi je suis restée si longtemps à La Havane. C'est que La Havane était une ville où l'on avait envie de vivre toute la vie...

De toutes parts arrivait la mer, et la mer arrivait partout avec son ferment de salpêtre, c'est pour cela que La Havane était une ville perpétuellement nouvelle, aux boiseries récentes et aux peintures fraîches.

Air de soleil et de sel. La Havane était une magicienne. Ses odeurs, ses humeurs et ses nuits blanches rendaient fou d'amour. Je ne connais pas au monde une ville plus femme.

Dans le vieux quartier de La Havane – à la pierre patinée par la fumée et le temps, aux vitraux en demi-lune couronnant les énormes fenêtres et aux grilles arquées de la multitude des balcons, les « garde-voisins » –, la virilité castillane se cache sous une exubérance de courbes.

Dans ce vieux quartier, nombril de la ville, les tuiles, les boiseries, et les colonnes, les ombres et les étroites rues pavées vous transportaient dans un havre de sieste aux couleurs pastel, qui vous accueillait entre ses colonnes, sous ses arcades.

L'air abandonnait son extravagante chaleur avant de s'infiltrer dans les entrailles des maisons, et les Cubains prenaient alors le chemin de la nuit en jouant aux dominos. Arcades de la fraîcheur et des conversations. Coins de rue où on achetait des huîtres. Odeur de tous les fruits de la création. Cafés en plein air. Il flottait un air de dissipation austère. N'importe quel mulâtre sortait d'un roman du XIXe siècle. D'un banc du Prado vous pouviez voir défiler l'Histoire.

C'était une ville cosmopolite. Il y avait une vie nocturne et joyeuse. Même les quartiers des « nouveaux riches » avaient l'élégance du bon goût. Aisance, espace, lumière.

Dès que Fidel arriva à La Havane, la ville commença à reculer dans le temps, comme ces femmes en pleine splendeur qui anticipent la ruine de leur beauté en obéissant à leurs futures rides.

On comprend que beaucoup de gens se soient laissé emporter par l'excitation : certains politiciens avaient bien besoin de secouer leur cendre de cigare sur leur pantalon. Mais comme c'était triste de voir des chars sur le Malecón ! Le pire, ce fut les gens. Du jour au lendemain, ils troquèrent le rire contre une fureur destructrice, et Fidel les rendit hystériques : en moins de deux jours, il ne resta plus un hôtel en bon état, plus un mur de propriété, plus de vitres, plus de voitures : des « symboles de la tyrannie », lançait-il dans ses harangues.

Les révolutions se ressemblent toutes.

PREMIÈRE PARTIE

On me baptisa Alina María José, comme si Alina n'était pas suffisant.

Il n'y eut pas un seul signe de ma naissance. Aucun prodrome particulier.

J'étais un doux bébé, pas un cauchemar braillard. Et depuis lors, chaque fois que j'ouvre un œil je reçois un crachat. J'ai toujours provoqué des réactions extrêmes chez les gens.

Dans mon berceau, assaisonnée à l'eau du Portugal dans des langes de piqué blanc, j'ai empoisonné les nuits de Tata Mercedes, ma statue de cannelle et de vanille qui me consolait pour la vie en me chantant une berceuse triste et bleue.

Tata ne connaissait pas d'histoires et n'aimait pas les gens.

Elle me fit grandir, électrisant avec tendresse le lait calme des biberons.

Ma mère était une fée. Les fées sont lointaines et mystérieuses. Quand elles disparaissent, les miracles s'en vont. Elles sont capricieuses.

Ma fée était tombée amoureuse d'une brebis galeuse. Pour les gens des années cinquante et de la bonne société cubaine, il n'y avait à cela ni pardon ni rédemption.

Je me consolais de ses absences en déchirant les dentelles de mes blouses de fil et en suçant furieusement la tétine. Et quand elle s'approchait de moi et qu'elle me regardait avec ses yeux d'émeraude qui lui mangeaient le visage comme une forte fièvre, je toussais doucement.

A cette époque, mon papa était docteur Orlando. Il portait une blouse blanche comme celle de Tata, mais sans plis. Il était magicien des cœurs. Cardio quelque chose. Il avait un front proéminent de dauphin.

Quand il arrivait en fin d'après-midi, il se penchait pour m'embrasser et le soleil qui filtrait par la vitre auréolait sa tête.

Il avait sa « consultation » au rez-de-chaussée de la maison et c'est là qu'il rafistolait les cœurs.

C'est à cause de lui que je suis tombée amoureuse de Déesse Médecine. Il me montrait la magie palpitante de la vie à travers les lampes fluorescentes et la fragile broderie des côtes ; il connaissait les secrets du Créateur.

Ma sœur Natalie était sa préférée. Elle était bizarre. Elle pleurait en dormant et n'était même pas contente le dimanche quand on s'asseyait à table sous la grande lampe qui ressemblait à une araignée en baccarat pleurant mille larmes de cristal.

La seule chose qui la rendait heureuse était d'aller à l'hôpital avec lui les nuits où il était de garde. « Toi, tu ne peux pas venir parce qu'on ne laisse pas entrer les enfants ni les chiens. »

Chucha était ma cuisinière en laque noire enrubannée. Elle se couvrait la tête de petits nœuds enveloppés de résille et expliquait que ce n'était pas des cheveux qu'elle avait mais de la mousse de négresse conga. Elle avait plein de petites verrues. Elle me berçait dans le fauteuil bleu triste, me pressait contre sa généreuse sueur aigre-douce, de cigare et d'oignon. Chucha adorait les contes. Des « patakines », disait-elle, où elle mélangeait le Divin Enfant d'Atocha avec le Petit Chaperon rouge et Elegguá, l'enfant orisha des Noirs de Cuba. Elle ponctuait ces « patakines » de rires contagieux qui explosaient comme une traînée de poudre.

– Dans la forêt, Elegguá ouvre le chemin au Petit Chaperon rouge. La grand-mère s'appelle Yansa, elle est vêtue de mort et Oggún est le guerrier qui tue le loup, me racontait-elle.

Elle me pressait contre la soie sauvage d'une robe

blanche et noire en criant : « Lala ! Lala ! » sans que personne comprenne pourquoi.

C'était la robe que portait grand-mère Natica, la fée jardinière qui donnait à boire aux fleurs.

Elle arrivait tous les jours, ponctuelle comme la lune, dispensait quelques ordres, déjeunait et s'autorisait un petit somme, interrompu par une horloge intérieure qui la faisait bondir de son fauteuil et, dans son uniforme blanc parsemé de fleurs noires, elle allait au jardin où elle inventait des greffages et plantait des graines et des pousses en dépit du bon sens et des saisons, et bientôt tout cela s'affolait et germait dans un désordre incontrôlable, parce que Lala avait, comme on dit, les mains vertes.

Elle aimait bien les gens, mais moi, pas beaucoup.

Grand-mère Natica avait, semble-t-il, fait une gaffe, un après-midi, des années avant cette histoire, quand elle avait laissé entrer un homme à la maison.

Vers les cinq heures, la sonnette avait retenti et Chucha avait regardé par le judas :

– Madame Natica, ne m'obligez pas à ouvrir ! N'ouvrez pas ! C'est le diable !

Mais la Fée Natica n'était pas extra-lucide et n'aimait pas recevoir d'ordre des domestiques. Elle ouvrit la porte et fit entrer un homme vêtu de blanc des pieds à la tête, la guayabera amidonnée et d'une blancheur immaculée. Le seul détail qui la chiffonna fut un menton lourd et mou. Un de ces doubles mentons que tripotent les pervers. Elle croyait que le Christ portait la barbe pour cacher un double menton semblable.

– Je cherche Naty Revuelta. C'est ici ?

– Et vous ? Vous n'avez pas de nom et de prénom. La jeunesse a de ces manières aujourd'hui !

Exactement ce qu'elle dira à mes amis des années plus tard.

Tout. J'avais tout. Les fées et leurs absences, les lévriers dans le jardin, la maison immense, l'escalier fatigant pour mes petites jambes, les chambres, les terrasses, le jardin fleuri, Tata et Chucha.

Je n'avais guère de soucis, bien que l'atmosphère de la maison me gênât parfois, quand les yeux des gens se faisaient petits et perçants et qu'ils criaient contre la plus belle des fées, laquelle s'enfuyait et ne se laissait pas facilement attraper. Elle était mêlée à des affaires de « révolutionnaires », il paraît.

Tout se gâta un matin, je m'en souviens très bien. J'étais assise avec ma casquette de la Légion étrangère en train de mordre un os en plastique du chien, grâce auquel je n'eus pas mal aux dents quand les marionnettes disparurent de l'écran de télévision. Un « Viva Cuba libre ! » retentit dans la pièce et l'écran se remplit d'hommes pleins de poils, des grappes de bonshommes barbus accrochés à de grosses voitures qui faisaient peur et qui écrabouillaient tout dans la rue. Chars Sherman, ainsi s'appelaient les voitures, et les barbus, les rebelles.

Ils tenaient des bâtons dans leurs mains et portaient un uniforme couleur vert brûlé et des colliers de graines, comme ceux que Chucha sortait du tiroir quand l'envie lui prenait de cracher de l'eau-de-vie sur un cigare, de le fumer à l'envers et de prier le saint.

Les femmes les couvraient de fleurs.

On était en janvier 1959 et c'était le triomphe de la Révolution. Et elle triompha ainsi pendant des jours et des jours, jusqu'à ce que le plus important des bonshommes barbus se mette à parler. Et à parler vraiment longtemps. A en perdre la voix.

Donald, ses neveux et la souris Mikito disparurent pour toujours de l'écran et on a eu des barbus à la télévision pendant presque quarante ans.

Cette année-là, il n'y eut pas de Noël, parce que la Fée s'interdit toute fête, par « solidarité politique », dit-elle. Ni de fête des Rois. Rien d'autre que des barbus, comme ceux qui vinrent à la maison un soir.

C'est la Fée et non Tata qui me sortit du berceau cette fois et m'amena à la salle de séjour avec ses meubles en rotin increvables qui continuent à soutenir les fesses des visiteurs.

La Fée me posa par terre en pleine tabagie. Là-haut, perdu dans un nuage bleu puant, se tenait le chef des barbus. Il s'accroupit, comme le faisait papa Orlando et m'examina.

– On dirait un petit mouton. Viens ici, petit mouton,

dit-il en me tendant une boîte. A l'intérieur il y avait une poupée déguisée comme lui, avec barbe et tout, et des petites étoiles rouges et noires sur les épaules, une casquette et des grosses chaussures.

Je n'avais pas envie de donner un baiser sur cette quantité de poils piquants, je n'avais jamais vu un truc pareil d'aussi près.

Le poilu important s'appelait Fidel Viva Fidel, c'était comme ça que criaient les femmes et tout un tas de gens quand il passait dans ces chars si moches. C'était la première fois qu'un cadeau ne me plaisait pas, aussi j'ai attrapé la poupée barbue et j'ai commencé à lui arracher les poils pour la faire redevenir bébé.

Quelqu'un cria « Sacrilège ! », peut-être lui. Tata me nettoya avec un chiffon imbibé d'eau du Portugal pour exorciser la bave de tabac, puis me berça afin que je retrouve la paix du sommeil. Et ce fut aussi Tata qui dit :

– Un fétiche ! Un fétiche de vous-même ! Vous n'avez rien trouvé de mieux pour offrir à une enfant ?

C'est ce qu'elle répéta à Chucha le lendemain matin, et Chucha lui répondit :

– Voilà des années que je dis à madame Natica de ne pas le laisser entrer à la maison, c'est le diable.

Pendant des jours, la télévision se mit à crier « Au poteau ! Au poteau ! ». Les gens étaient en colère. Un homme debout contre un mur, les yeux bandés et les mains attachées, eut sa chemise blanche aspergée de petites taches et tomba par terre lentement, tué par ces bâtons que portaient les barbus quand ils étaient entrés à La Havane et qui faisaient ta-ta-ta. C'était une exécution et c'était triste.

Deux messieurs, un qui fronçait les sourcils, qu'on appelait le Che, et l'autre, Raúl, un petit Chinois pareil au vendeur de chemises ou à celui de l'épicerie, commandaient les exécutions. Tous les deux n'étaient pas très grands et Raúl était le frère du barbu en chef.

Papa docteur Orlando commença à s'effacer. A tellement s'effacer que je ne me rappelle que son sourire, comme si c'était la seule chose qu'il m'ait laissée avant de disparaître, comme le chat de Cheshire avec Alice.

Et Déesse Médecine se vit fermer son temple des consultations, parce que les barbus firent aussitôt une « intervention » et les docteurs ne purent pas continuer à réparer les cœurs chez eux. Cela s'appelait « commerce privé » et c'était interdit. Et on interdit aussi le vendeur de chemises que les nouveaux policiers arrêtèrent un jour devant chez moi. Et je n'ai jamais plus acheté avec Tata des poussins en sucre sous les arcades de la vieille ville, ni des fruits frais, ni des glaces, parce que tout cela était devenu du commerce privé. C'est à ce moment-là que les mains de docteur Orlando commencèrent à trembler : il n'avait plus rien, il n'avait même plus le cœur de la Fée.

Et les yeux de Natalie s'agrandissaient parce que sa maman tuait d'amour et d'angoisse papa Orlando.

La dernière fois que je le vis, il me donna une clé.

– Prends et ne pleure plus. C'est la clé de la pièce des lampes, là où dort madame Médecine. Prends soin d'elle et peut-être qu'un jour tu pourras la rouvrir.

Pendant ce temps, Fidel passait d'agréables moments à la maison. Toujours de bon matin, précédé du freinage des jeeps dans la rue et d'un bruit de pas. Parfois il venait seul, d'autres fois avec Barbe Triste ou Barbe Rousse.

Tata faisait grève pour ne pas répondre au coup de sonnette et elle se mettait à ronchonner quand elle devait me porter du berceau au salon aller et retour.

Et Fidel se conduira très mal avec Chucha, avec la Fée Natica et avec Tata, mais c'est lui tout seul qui avait gagné la bagarre contre le tyran Batista, un grand démon. Comme saint Georges et le dragon.

Batista avait le visage plein de cloques et sa femme devait avoir des enfants tout le temps sinon il paraît qu'elle devenait géante.

– Maintenant que Batista s'est enfui, ses sbires ont disparu. Ces sales types ne viendront plus la nuit pour fouiller la maison, disait Natalie.

Moi, ils me plaisaient bien les sbires. Ils aimaient ma casquette de la Légion et si je leur demandais de parler moins fort, ils m'obéissaient. Ils ne brûlaient pas la housse des meubles et ils n'enfumaient pas le salon en laissant des tonnes de cendres.

Les nouveaux visiteurs m'embêtaient davantage que les

anciens, parce qu'ils venaient presque tous les matins. Dans la cuisine on disait que les sbires sont tous les mêmes, et moi, il me faudrait attendre près de trente ans pour avoir peur de voir arriver une autre police secrète.

La seule en état d'heureuse lévitation était la Fée Naty. Tout d'un coup, elle devint loquace et le resta toute sa vie.

Une fièvre d'activités s'était emparée d'elle, et bien qu'on n'entendît pas encore les mots « émulation » et « avant-garde », elle, comme devinant leur prochaine apparition, commença à les appliquer au quotidien.

Il semble que la Fée Naty et le barbu Fidel se voyaient aussi en dehors de la maison, parce qu'elle revenait le visage irradié par un sourire intérieur, les yeux pleins de mystère et comme aveugle et sourde au mécontentement qui envahissait la maison et la famille.

Les chants épiques de grand-mère Natica s'éteignirent et ses yeux d'Anglaise se voilèrent à force de pleurer sur le sort de son frère Bebo auquel on avait retiré son poste de consul de Cuba ainsi que son titre d'« homme le mieux habillé de l'année en Jamaïque » et qui avait été condamné à ne pouvoir retourner à Cuba, bref à l'exil perpétuel.

– Mais, Naty, bon Dieu, parle-lui à cet homme. Tu sais combien de rebelles, Bebo a accueillis en Jamaïque et tous ces médicaments qu'il a envoyés à la Sierra !

– Ça suffit, maman ! Je ne demande rien à Fidel ni ne lui demanderai jamais rien !

– Oui, mais lui il n'a pas hésité à vider ta boîte à bijoux et ton compte en banque pour que tu lui achètes ses maudites armes qui ont servi à cette stupide attaque de la caserne Moncada.

Un après-midi, elle raconta à son amie Piedad :

– Ah ! Piedad. Ce sale type ! Il est infect. Naty ne lui suffit pas. Il a couché avec plein d'autres filles de bonne famille. Les traînées ! Et quand je lui ai demandé l'autre jour de respecter ma fille, tu sais ce qu'il m'a répondu ? De ne pas m'en faire, qu'il couchait avec les autres sans enlever ses chaussures. Avec le pantalon aussi, non ?

Ah ! mon Dieu ! je pensais. Pourvu qu'il ne se blesse pas la quéquette avec la fermeture Eclair !

J'aurais bien voulu consoler Lala Natica, mais elle me

regardait de travers, je ne savais pas pourquoi, comme si je devenais laide.

– Lala, pourquoi tu es triste ? L'oncle Bebo, il n'a pas été fusillé à la télévision, comme l'oncle des sœurs Mora et...

Elle est devenue furieuse, et c'est sûrement à ce moment-là qu'elle a eu l'idée des piqûres, avant que mes fesses de lutin ne deviennent trop dures.

J'étais tourneboulée. Les gens pouvaient brusquement passer de la joie, en cassant des choses capitalistes dans la rue, à la rage et hurler « Au poteau ! Au poteau ! ». A la maison tout le monde était en colère ou triste, sauf la Fée Naty, élégante, lumineuse, brillante. Elle était comme sur un petit nuage.

– Maman, c'est quoi les « humbles » ?

– Les pauvres. Ceux qui se tuent à travailler pour vivre et qui vivent très mal.

– Mais toi, tu travailles à la Satandaroil et tu as une jolie maison et une voiture neuve. Cette révolution, Fidel il l'a faite pour toi aussi ?

– Et pour toi aussi, mon amour.

– Tata elle est pauvre. Et Chucha aussi. Fidel, il est venu pour qu'elles deviennent riches ?

– Riches non. Mais pour qu'elles aient une vie meilleure et plus juste.

Je courus vers la cuisine où Tata et Chucha avaient éteint la radio parce qu'elles avaient raté les nouvelles.

– Tata ! Chucha ! Le grand barbu va vous donner une grande maison à chacune ! Vous allez voir ! Il est venu pour que vous ne soyez plus pauvres.

Toutes deux me regardèrent avec une infinie patience.

– Qui lui fourre ces idées dans la tête à la petite ?

– Qui lui fourre ces idées dans la tête ? demanda Fidel à la Fée quelques jours plus tard, quand je lui dis très poliment qu'il devait mettre Tata et Chucha premières sur la liste des gens qui allaient cesser d'être pauvres sans devenir riches.

Certains soirs, Fidel venait simplement pour jouer. On me sortait du lit et j'étais soulagée de la torture de la toux.

Quand on jouait par terre et que le nuage de fumée se dissipait là-haut, il sentait bon le propre et l'homme, Fidel, il ne se parfumait pas. C'était bien.

Quand il ne venait pas, il envoyait Tita Tétons me chercher, une jolie fille amie de la Fée, qui travaillait à l'INRA, l'Institut de la réforme agraire, je crois. Si Tita ne pouvait pas, c'était Llanes, le chef d'escorte du commandant.

Mais moi, je préférais Tita Tétons, parce qu'elle avait une paire de beaux melons tout frais sous sa robe et qu'elle m'emmenait à l'INRA dans une Buick rouge, et là elle me hissait jusqu'aux melons pour pouvoir presser sur le bouton du septième. Devant la porte, il y avait un soldat qui ne rigolait pas, et je ne pouvais pas porter ma casquette de la Légion parce qu'on me l'avait cachée.

Dans le bureau, il y avait le Che, les sourcils froncés, avec un front de babouin plein de bosses et un petit sifflement qui lui sortait de la poitrine.

– Tu sais, j'ai une petite fille comme toi. Et il me montra la photo d'une fillette. Il l'appelait Hildita. La maman qui était à côté d'elle ressemblait à une grosse grenouille.

Fidel disait à Tita :

– Viens reprendre la petite dans une heure.

Ils ne me parlaient pas beaucoup. Le Che était docteur, il disait qu'il allait falloir dorer la pilule aux paysans, sinon ils n'avaleraient pas cette histoire de coopérative.

– Regarde ce qui s'est passé en Union soviétique...

Et ils continuaient comme ça.

Une heure, c'est beaucoup de temps, mais moins que celui que nous passâmes ensemble la seule fois où Fidel m'emmena en promenade et me fit monter sur un tracteur puis sur un petit cheval.

Il y avait là beaucoup de gens en train de balayer la cour de la Quinta de los Molinos [1].

– Pourquoi ils sont tous en train de balayer ?

– Ils font un travail volontaire.

– Qu'est-ce que c'est ?

– Un travail que les gens font sans qu'on les paie. Ils le font parce qu'ils le veulent bien.

– Toi aussi tu vas balayer la cour ?

---

1. Ancienne résidence des capitaines généraux du temps de la colonie.

Non, lui ce qu'il balayait c'était les gens de la haute.

– Qui c'est cette jolie petite, Commandant?

– C'est une parente... Tiens, voilà Tita qui vient te chercher...

Moi, Fidel me plaisait pas mal, mais les humbles avaient l'air très gênés. S'il ne venait pas, il ne me manquait pas vraiment, parce qu'il était tout le temps à la télévision en train de parler sans relâche devant plein de gens humbles.

Il n'arrêtait pas de leur répéter que la Révolution avait été faite pour eux, et comme ils lui criaient « Viva! Viva Fidel! », il continuait et vas-y que je te cause. C'est comme cela que j'ai commencé à confondre la vérité avec l'écran de télévision.

Un jour je lui ai demandé:

– Fidel, pourquoi tu parles tant?

– Pour qu'ils arrêtent un moment de crier et de m'applaudir.

A la maison, la table de la salle à manger ne fut jamais utilisée. Ni dans le reste de l'île, je crois bien. Tout le monde était très occupé. Si les gens n'étaient pas place de la Révolution à crier « Viva! Viva Fidel! » pendant des heures et des heures, ils étaient au travail volontaire. Il n'y avait plus de temps pour les habitudes bourgeoises. Et les habitudes bourgeoises étaient tout ce que je trouvais agréable et bon.

C'est ainsi que je perdis ma prééminence à table, où je régnais sur ma chaise haute pour lutins. Et rien ne fut plus comme avant, à l'exception de l'apparition de grand-mère Natica au déjeuner, auquel elle assistait plus sèche qu'une figue, sans décoller ses lèvres qui n'étaient plus qu'un mince trait, sauf pour dire:

– Qu'on ne me dérange pas, je vais faire la sieste.

A cette époque, elle n'était pas encore méchante au point de me faire faire des piqûres de vitamines.

Mais elle l'est vraiment devenue quand moi et les autres gosses, on s'est retrouvés privés de pâtes en forme d'étoiles ou de lettres dans la soupe, et sans cela, plus aucun ne voulait avaler cette invention morbide.

J'ai fait mon premier déménagement quand je me suis installée entre la cour de derrière et la cuisine, parce que la vie dans le reste de la maison était toute chamboulée.

Dans la cuisine régnait une douce petite chaleur tempérée par l'odeur de Chucha.

J'ai même cessé d'avoir peur des lévriers et je me mettais à laver du linge avec Tata dans le lavoir de la cour. On jouait à quatre mains dans l'eau et on parlait beaucoup.

Quand le soleil était sur le point de tomber du ciel, je courais jusqu'à la porte de la rue pour voir si docteur Orlando revenait, mais il ne revint jamais, et cela m'a fait un peu pleurer, mais pas trop quand même.

L'atmosphère était de plus en plus difficile à respirer à la maison et un beau jour ce qui devait arriver arriva : la Fée devint « prolétaire ».

On commençait à entendre le mot un peu partout, surtout quand les gens se mirent à célébrer la fin des discours sur la place de la Révolution en se prenant les mains et en chantant *L'Internationale*. Ils se dandinaient d'un côté à l'autre, comme un marathon d'ivrognes, tout comme grand-père Manolo quand il revenait imbibé de mojitos [1], jusqu'à ce qu'une foudroyante crise cardiaque l'emporte.

La Fée décida un matin qu'elle ne porterait plus ses jupes ni ses perles, elle enfila un uniforme bleu et vert de milicienne, se coiffa d'un béret pareil à celui de l'épicier galicien, décréta que ce n'était pas bien d'avoir cette maison et l'offrit à la Révolution avec tout ce qu'il y avait à l'intérieur.

J'ai pensé que Fidel nous avait enfin donné un château plus grand. Tu parles ! Avec ce que nous avions sur le dos et quelques casseroles, nous nous sommes installées dans un appartement de Miramar, à l'angle de la Première Avenue et de la 16e rue. Face à la mer.

Les protestations de Lala Natica devant tant de stupidité résonnent encore en moi comme un écho, dans l'atmosphère de cette famille de « matriarches ».

La pauvre femme parvint à sauver le lustre aux milliers de larmes de cristal, mais on ne put le suspendre dans le nouveau logement dont le plafond n'aurait pas résisté au poids.

Je crois que je me suis sentie très seule, parce qu'à trois ans j'abusais encore de mes tétines.

Je m'éveillais les yeux collés comme les valves d'une

1. Voir page 12.

huître, j'avais des tiraillements violents au ventre et je toussais comme une possédée.

La mer me servait de consolation, ainsi que ma première copine qui vivait dans l'immeuble à côté et qui ne m'aimait pas autant que moi je l'aimais. J'adorais dormir chez elle parce que sa mère nous racontait des histoires quand nous étions au lit. On mangeait aussi des œufs frais, parce qu'ils avaient des parents à la campagne, et elle avait un frère insupportable, encore plus pénible que Natalie. Pauvre Natalie. On ne pouvait plus dormir avec elle. Elle criait « Papa! Papa! » en pleurant et elle ne se réveillait même pas...

Je ne sais pas si c'est à cause de la Révolution, de Castro, de Guevara, de Pérez où de Tartempion, mais le fait est que beaucoup de choses commencèrent à marcher toutes seules, comme des lapins sortant d'un chapeau de magicien :
 – L'électricité est partie.
 – L'eau est partie.
 – Le carnet de rationnement est arrivé [1]!
Et on disait de même des gens : « Un tel est parti, tel autre a trouvé la porte de sortie. »

La viande, les œufs, le sucre et le beurre s'en allèrent eux aussi, ou trouvèrent une porte de sortie, et il fallait aller au magasin avec le carnet, sinon on ne vous donnait pas « ce à quoi vous aviez droit ». Pas grand-chose à vrai dire, parce que Tata avait beau passer des heures à faire la queue, la nourriture avait toujours la même couleur et pendant des semaines il fallait manger une bouillie verte qui s'appelait purée d'épinards sans lait, et quand les épinards s'en allèrent à leur tour, la nourriture devint marron et s'appela « lentilles sans sel ». Cela, même Popeye n'en mangeait pas, alors moi non plus.

Les gens humbles s'en tiraient mieux que nous parce qu'ils avaient une mystérieuse valise appelée « marché noir », où il y avait de tout : compotes, chocolat et il paraît même que les Rois Mages avaient des trucs planqués dedans.

1. Carte de rationnement de nourriture, vêtements, chaussures et autres produits de base. Instauré en 1962, il est encore en vigueur.

La seule qui ne voulut pas mettre les pieds dans ce marché, c'était la Fée, parce que ce n'étaient pas des révolutionnaires, disait-elle.

— Regarde, ma chérie, je t'ai apporté des biscuits qu'on m'a donnés comme goûter au travail volontaire de l'INRA.

— Je peux les manger avec du beurre ?

— Demande à Tata, mais je crois que ce mois-ci le beurre n'est pas arrivé.

On ne pouvait donc pas dire « on va acheter ceci ou cela » puisque les produits allaient et venaient tout seuls, « ils ne sont pas arrivés » ou « cela fait des mois qu'il n'en vient plus ». Et à ce jour personne n'a pu dire : « Aujourd'hui on va acheter des œufs pour faire une omelette », parce que les œufs arrivaient seuls une fois par mois et parfois se perdaient en chemin. Tout comme les tomates et les pommes de terre.

De même qu'on n'a jamais pu dire : « Je vais à la pharmacie acheter de l'alcool », parce que l'alcool n'est jamais revenu depuis son départ, quand j'étais un petit lutin qui allait devenir un elfe. Et que dire du coton et des serviettes hygiéniques... Mais, de quoi suis-je en train de parler ?

Ce fut encore plus dur quand la nourriture devint jaune et s'appela farine, mais le pire fut le *gofio* [1] :

— Ça, dit Tata, c'est de la nourriture pour les cochons.

Mais pour la Fée, le gofio, c'était l'ambroisie.

Ce fut ainsi que la présence de Chucha à la maison perdit sa raison d'être et, avec elle, je perdis son monde mystérieux de dieux noirs, de reines vierges et chrétiennes, et d'enfants mauvais, fils du bien et du mal.

Les explosions de rire étaient finies et pour les entendre encore, il nous fallait, Tata et moi, endurer le calvaire des rares autobus, bourrés le dimanche, pour arriver dans un petit réduit de la vieille ville, où elle vivait avec sa mère aveugle et ridée comme un raisin sec.

Elle vint très peu nous rendre visite, chaque fois pour cracher de l'eau-de-vie dans les coins et souffler de la fumée à travers le cigare à l'envers en agitant dans l'air

1. Sorte de pain d'épice à base de farine de maïs grillé.

une poignée de broussailles. Elle appelait cela un *despojo* [1].

– Pour que s'en aillent les morts méchants de cette maison.

Je lui demandais qu'elle reste parce que sans elle c'était triste. Mais elle ne voulait pas.

– Je ne suis pas Nitza Villapol, cette Blanche insolente qui continue à la télévision comme avant, mais avec des recettes de farine ou de lentilles bouillies. Appeler « polenta italienne » de la farine bouillie sans sel ni ail ! Moi, fillette, je ne sais pas cuisiner sans nourriture. Et moins encore pour des gens qui ont oublié d'aimer la vie. Madame Natica me regrettera peut-être, mais madame Naty a oublié de manger depuis longtemps.

Ce qui n'était pas très vrai, parce qu'en fin de semaine la Fée dévorait de la farine bouillie, avec ou sans œuf, et Lala Natica tous les jours. Manger des lentilles sans sel présentées sur un plateau d'argent et des assiettes de porcelaine peintes à la main, avec ma grand-mère m'apprenant à me servir à la russe ou à la française était quelque chose qui ne se voyait nulle part. Je préférais mourir plutôt que d'inviter mes amis à la maison.

Je ne pouvais pas avaler cette pitance insipide, mais cela n'avait pas beaucoup d'importance car, nous les lutins, nous n'avons jamais faim.

Le responsable de ma dénutrition, c'était ce barbu sans cœur. Tata et Lala firent pression sur la Fée. Mais ce fut Fidel qui s'empara de l'affaire :

– Qu'est-ce qu'elle a cette gosse ? Elle est pâle comme un mort et maigre comme un clou ! Je vais appeler Vallejo pour qu'il la voie.

– Je ne crois pas qu'elle ait besoin du docteur Vallejo. Vallejo était le druide personnel de Fidel.

– Elle a sûrement quelque chose. Elle doit être malade.

– Je ne crois pas qu'elle soit malade.

– Ah, non ? Alors, explique-moi, bon Dieu !

– Ce qu'elle a, c'est qu'elle ne mange pas.

– Elle ne mange pas ? Et pourquoi diable elle ne mange pas ?

1. Littéralement, dépouillement.

42

– Parce que... C'est-à-dire... Je...

– Parce qu'il n'y a rien à manger ! intervint Tata comme une furie sans laisser une seconde de plus la Fée se perdre dans des explications byzantines. Je ne sais pas dans quel monde vous vivez, mais il faut être aveugle et sourd pour ne pas savoir que la moitié du peuple a faim !

La Fée et Tata faisaient grimper son taux d'adrénaline et c'était mauvais pour lui qui en avait déjà bien assez avec dix millions de personnes qui criaient et l'applaudissaient tout le temps. Pour moi, c'est à partir de là qu'il décida de ne plus se laisser enquiquiner par des détails.

– Comment se fait-il qu'il n'y ait pas de quoi manger dans cette maison ?

Et la Fée, morte de honte :

– Eh bien, tout ce qu'on nous a donné ce mois-ci, avec le carnet, ce sont des lentilles. Pas de lait ni de...

Le lendemain, un petit soldat à la mine réjouie nous apporta un bidon de lait de la « fermette du Commandant ».

Les choses en étaient là quand je vécus ma première tragédie transcendantale : on m'envoya dans une maudite école où je ne fis que vomir et m'uriner dessus toute l'année. Margot Parraga elle s'appelait, l'école, et je devais mettre un uniforme blanc plein de nœuds et de boucles emmêlés, et des chaussures bicolores qui me faisaient pleurer de rage.

La vie sociale ne me réussissait pas. Je devins auto-destructrice et un matin, poussée par la honte, je jetai ma tétine par la fenêtre de la salle de bains.

– Plus de tétine ! déclarai-je.

Et j'abandonnai ainsi d'un geste cataclysmique la plus douce satisfaction orale de mon enfance.

Ma tendre et toute nouvelle volonté supporta à grand-peine les huit heures de torture éducative, si bien que je descendis du tacot de l'école, mouillée, puante et totalement désespérée, pour fouiller, tel un chien, le gazon sous la fenêtre de mon malheur.

Plus de tétine.

La Fée me dit :

– Tu as décidé de la jeter. Quand on décide quelque chose, il faut s'y tenir quoi qu'il en coûte.

Pour ma Fée, le caprice était une idéologie bourgeoise. Je décidai d'être indécise pour le reste de mes jours et de plus, je devins maniaque.

Martin Fox était un homme très riche, ignorant tout de l'humilité, propriétaire de quatre immeubles situés devant la petite plage où je vivais. Mais c'était aussi un homme bon puisqu'il avait fait creuser dans la roche une piscine naturelle pour les enfants et installer des balançoires. Il avait un lion et un singe attachés au mur de sa maison.

Cette année-là, la fête des Rois fut formidable. Bien qu'on ait changé le petit sapin contre un palmier artificiel, les Rois ne s'étaient pas perdus en route, et avaient déposé des tas de jolies choses pour Natalie et pour moi.

Tout n'allait donc pas si mal, lorsqu'une nuit je fus réveillée par des coups de feu et des cris terribles : « Assassin ! Assassin ! »

Et la nuit suivante Fidel ne vint pas jouer avec moi mais cria, suffocant de colère, contre la Fée :

— Llanes a organisé un attentat contre moi et toi tu lui ouvres la porte et tu le laisses entrer dans cette maison !

— Mais je n'ai ouvert à personne !

— Ce n'est pas vrai ! Il s'est enfui du cantonnement et il est venu directement ici. Ce que tu as fait est impardonnable !

La Fée dut se défendre.

— C'est faux ! J'ai été réveillée par des tirs et des cris. D'après ce que tu racontes, je pense que c'était peut-être lui. Maintenant je vais te dire autre chose : si Llanes vient et frappe, comme il l'a fait mille fois, je vais bien sûr lui ouvrir la porte. C'est la coutume que tu as toi-même imposée, et puis, comment savoir qu'il est en fuite ?

— C'est impardonnable que tu accueilles quelqu'un qui a voulu me tuer, qu'il soit libre ou non !

Llanes était le chef d'escorte et son bras droit. Du jour au lendemain, il fut accusé d'avoir voulu tuer le Commandant.

Fidel était tout rouge, terrible, il repartit avec la même colère et disparut pour longtemps, très longtemps.

La Fée était désespérée.

— Ah ! mon Dieu ! s'écria-t-elle en ouvrant les bras, et ce fut la dernière fois que je l'entendis parler à Dieu.

Mais Dieu ne lui répondit pas. Pour moi, il avait déjà quitté le pays avec tous les petits curés que Fidel lui-même avait renvoyés de Cuba dans un bateau. Lala Natica se plaignait d'avoir du mal à prier à la maison : on avait fermé toutes les églises depuis que les humbles avaient couvert les portes de mots abominables et de dessins moches représentant une paire de boules avec une grosse batte au milieu, et autre chose qui ressemblait à un mamey[1] tout gonflé.

La vérité c'est que le Commandant emporta tout : Llanes, qui était gentil et qui m'apportait ce que je voulais, le petit soldat avec le bidon de lait, et même ma sœur Natalie s'en alla.

Un matin, elle n'était plus dans sa chambre.

– Où est ma sœur ?

– Orlando est venu la chercher tôt ce matin. Ils n'ont pas voulu te réveiller.

– Et papa ne m'a pas donné un baiser ? Où ils sont allés ?

– Ils ont quitté le pays...

Bonne mère ! J'étais terrifiée. Fidel n'arrêtait pas de répéter à la radio et à la télévision : « Tous ceux qui quittent le pays sont des *gusanos*, des vers de terre. » Tous, tous ceux qui s'en allaient se transformaient en vers dans l'avion, même les enfants et les petits vieux, j'en étais archisûre. Mon papa docteur et Natalie transformés en bestioles répugnantes !

Tata dut me secouer un peu pour me sortir de cette crise d'épouvante et faire cesser mes pleurs.

– C'est encore un mensonge, ma chérie. Comme celui de la bonne vie pour les pauvres...

Quelle histoire ! Quand Fidel partit, il resta comme une traînée de méchanceté dans la maison. La Fée eut une hépatite ; elle me regardait avec des yeux jaunes et vert olive et je pensais qu'elle allait mourir. Lala Natica se transforma en Mémé Cauchemar. Elle me poursuivait, dans mes rêves, armée de vieilles seringues. Elle mettait à bouillir un truc sombre où elle stérilisait des instruments de torture. Et, seringue brandie, elle me hissait sur ses genoux et me clouait une dose de vitamine B_{12}.

1. Fruit tropical.

Les Rois Mages à leur tour se perdirent en route. Ils furent remplacés par « un jouet basique » et « deux jouets non basiques » qui étaient exposés dans les vitrines dépeuplées des quincailleries, parmi les marteaux, le fil de fer et les flotteurs de chasse d'eau.

Destinés aux moins de onze ans, ils étaient ainsi proposés sur les coupons du carnet de rationnement industriel. Les « basiques » étaient bien : une poupée, des patins à roulettes ou une bicyclette chinoise, mais comme ils furent vite épuisés, il fallait les trouver au marché noir, et cela, la Fée ne voulait pas en entendre parler. Les « non basiques » étaient invariablement des petites poupées en plastique : petite fille rose, petit garçon bleu. Personne n'en voulait. Pour certains enfants les Rois continuaient à venir, mais leurs papas devaient être des amis de Fidel ou travailler avec lui. On les appelait les « dirigeants » et ils étaient tous ministres. Tata disait que c'étaient les « nouveaux bourgeois ». Ces nouveaux bourgeois parlaient et s'habillaient vraiment très mal, et leurs épouses portaient des rouleaux sur la tête et avaient les ongles des pieds peints dans leurs babouches.

Un beau jour, Tita Tétons vint nous dire adieu avant de se transformer elle aussi en ver de terre : il n'y eut plus personne pour m'emmener voir Fidel à l'INRA. J'avais pourtant besoin de le voir de toute urgence pour le convaincre de revenir à la maison, où tout allait mal depuis qu'il était parti.

Mais comme il ne sortait pas de la télévision, je décidai de voler à Chucha l'eau-de-vie de ses prières.

– Avec la permission de tous mes morts, Serafina Martin, Cundo Canán, Lisardo Aguado, *Elegguá Laroye, aguro tente onu, ibba ebba ien tonu, aguapitico, ti ako chairo...*

Je connaissais la cantilène par cœur. Je bus une gorgée et la crachai sur la télévision.

Cela marcha ! Fidel revint et arrangea tout en grand et nous emménageâmes dans une vraie maison.

La nouvelle maison était à Miramar. Elle avait un petit mur rose qui protégeait le jardin de devant avec son palmier africain tout hérissé et ses massifs de fleurs parfumées et douces où vivaient les plus beaux vers du monde avec des raies jaunes et noires et une tête rouge.

La maison avait deux étages et la seule chose qui ne me

plaisait pas, c'était le sol aux carreaux beiges et noirs. Ce fut pire quand j'appris à compter, car mes manies se multiplièrent : si en huit pas je n'arrivais pas au bout des vingt-quatre carreaux, Dieu n'y pourrait rien, c'était le malheur assuré : maman allait mourir. Et si je ne marchais pas quatre fois sur quarante carreaux... ma Tata ?

J'avais une grande chambre et une salle de bains pour moi toute seule.

J'étais folle de joie, parce que, dès que j'entrais dans cette salle de bains, l'eau se mettait à couler normalement et je me lavais les mains en faisant des petits sauts. Me laver ici était un vrai plaisir, parce que les gants changeaient de couleur tout seuls quand je les savonnais et me frottais le corps : vert, violet, bleu et je devais les rincer longtemps pour qu'ils redeviennent blancs ; mais dès que Tata s'en rendit compte, elle me fit jurer de ne le raconter à personne parce que la magie, disait-elle, « c'est l'affaire des Noirs ».

Pourtant, la véritable magie était dans le jardin. Un jardin immense où n'importe quel lutin pouvait s'inventer une forêt enchantée avec ses elfes, ses gnomes, ses trolls et une cour de fées parmi les flamboyants, les jacarandas, les bananiers, les crotons et les malangas [1] qui adoucirent l'amertume de ma grand-mère jardinière, au point qu'elle remit sa robe de soie sauvage pour ensorceler la terre. Il ne lui fallut pas plus d'un an pour transformer le jardin en un bois enchanté.

Etre un peu moins prolétaire fit du bien à la Fée qui avait passé des moments difficiles parce que le bruit courait que le Commandant avait brusquement et violemment quitté la maison, et la pauvre petite ne trouvait de travail nulle part, comme si elle était devenue une intouchable hindoue ou une « vache sacrée ».

La maison se trouvait dans une « zone gelée », ainsi appelait-on les quartiers où vivaient les gens bien. La chef de la zone était surnommée la Chinoise. Elle était méchante. Elle expulsait des belles maisons les derniers propriétaires qui n'avaient pas quitté le pays, les vidait de tout ce qu'elles contenaient et les attribuait aux dirigeants. On disait que c'était Fidel qui lui avait donné le poste.

1. Malanga : plante typique de Cuba.

La nôtre se trouvait à la 22e rue, numéro 3704, entre la 37e et la 41e rue, et le téléphone était le 2 5906. Il y avait une cuisine, une buanderie, un cellier, deux garages avec une chambre de chauffeur et une de domestique où défila une collection de femmes de toutes les couleurs, « camarades employées », qui avaient pour mission d'aider Tata à s'occuper de cette inconfortable immensité.

En face, il y avait le parc des Pendus, peuplé d'arbres très vénérables aux longues barbes flottantes, bossus, noueux et tordus d'artrite.

On y retrouvait des pendus, il paraît. Mais bientôt, les pendus commencèrent à s'appeler suicidés.

J'eus enfin quatre ans et comme on venait d'ouvrir la première école publique du quartier de Miramar, on m'y envoya « pour que tu deviennes une pionnière », dit la Fée, qui continuait à être très prolétaire même si elle n'était pas aussi humble.

C'est là que commença à se teinter de tragédie l'humiliante situation d'être différente des autres. Parce que mes petits camarades de classe vivaient dans la vieille maison délabrée derrière le jardin, ou dans de petites maisons de poupée qui se trouvaient en lisière du quartier de Marianao, qui n'était pas un quartier « gelé ».

Je suppliai donc la Fée de ne plus m'emmener à l'école dans la Mercedes Benz, parce que là-bas personne n'arrivait en voiture, sauf une autre « petite chérie » qui s'appelait Ivette et un autre « petit chéri » appelé Masetti, et moi aussi, j'étais sûre qu'on m'appelait « petite chérie ». Et puis les mamans des autres étaient blanchisseuses ou femmes au foyer, Dieu sait ce que cela voulait dire, mais aucune n'avait de boucles d'oreilles, ni de montre en or, ni le nez comme le sien, sans parler des yeux verts.

Tata commença à m'accompagner à l'école. Mais elle refusait d'abandonner son uniforme amidonné de coton blanc tout raccommodé.

– Je n'ai pas beaucoup plus de vêtements que cette gosse ! disait-elle.

C'était vrai ; j'avais fouillé dans son armoire.

– Maman, s'il te plaît, donne à Tata des habits neufs, allez !

– Ecoute, Alina. Tu vois ce que je porte ? C'était une

jupe il y a dix ans. Juana l'a décousue et transformée en robe. Moi non plus il ne me reste pas beaucoup de vêtements.

Eh, oui ! Mais sans bas et avec des habits rapiécés, elle avait pourtant l'air d'une reine.

Le pire c'est que les blouses en organdi de ma sœur ver de terre m'allaient bien, mais que Tata les amidonnait et les repassait méchamment, jusqu'à les transformer en meringue : j'arrivais aux fêtes de l'école et aux anniversaires chez les voisins accoutrée dans une tenue d'une autre époque.

J'avais aussi hérité un habit dessiné par le meilleur costumier de théâtre de l'île, confectionné naguère pour ma sœur, en satin vert pailleté de noir, chaussures de bal et coiffe avec antennes qui s'ajustait au crâne : c'était un habit de grillon. De sorte que quand je n'étais pas différente, je me rendais ridicule.

Cette différence, à ma grande humiliation, ne s'arrangea pas quand on commença à m'appeler la Gauchère. J'écrivais les lettres et les chiffres à l'envers et la camarade institutrice devait mettre mes cahiers devant un miroir pour pouvoir les lire.

Cela, on me l'a enlevé, mais je suis restée gauchère.

Quand Fidel est revenu, les Rois Mages, qui étaient pourtant un mensonge, sont revenus avec lui, ainsi que la nourriture, qui, elle, était tout ce qu'il y a de plus vrai. Bien qu'il ne vînt pas tous les soirs, comme avant ses accusations contre la Fée, on pouvait sentir sa présence, une sorte de manteau tiède qui réchauffait un peu la maison.

Grand-mère Lala en perdit sa seringue.

Le petit soldat revint avec son bidon de lait et en plus du beurre rance, une boîte de yaourts à la noix de coco abominables, de la viande, du maïs et de la malanga [1] de « la petite ferme du Commandant », qui trouvait le temps, entre deux applaudissements, d'aller s'occuper de ses plantations.

A Noël, le petit soldat apporta même du touron sur ordre du nouveau chef d'escorte, José Abrantes, qui fut

1. Une variété de malanga est cultivée pour ses tubercules comestibles.

49

aussitôt rebaptisé oncle Pepe, un gentil mulâtre qui aimait me faire sauter sur ses genoux.

Mais la curiosité gastronomique m'était passée, comme il arrive à tous les lutins qui font des études pour devenir elfes.

Les cadeaux des Rois et l'abondance de nourriture créa des problèmes, car je ne pouvais pas inviter mes copains d'école à la maison. Leurs parents savaient où était caché le marché noir, mais le touron, le beurre et les yaourts n'y étaient pas encore arrivés, et on m'imposa la loi du silence pour ces choses-là et bien d'autres encore. Je ne pouvais pas dire que j'avais un tourne-disques afin qu'on ne me le demande pas tout le temps à l'école, ni utiliser la nouvelle bicyclette chinoise des Rois Mages d'oncle Pepe, qui resta cachée dans le garage.

La vérité est que je ne me sentais pas très à l'aise à la maison et j'aimais bien émigrer chez Ivette, qui avait une mère aussi belle que la Fée mais qui était femme au foyer et donc toujours présente.

Je pris mes quartiers là-bas et je passais ainsi des fins de semaine en famille, avec père, mère, grands-parents, chienne et même grande sœur. Nous allions à Santa María del Mar, cette plage bénie à moins de vingt minutes de La Havane. On mettait nos maillots chez le parrain d'Ivette et on restait dans l'eau jusqu'à ce qu'on soit toutes ridées.

C'est là aussi que Fidel allait parfois se baigner le dimanche et une partie de la plage était donc « gelée », si on peut dire.

On remarquait son arrivée à la présence de sbires mal embouchés qui fouillaient les maisons alentour, puis un moment plus tard l'un d'eux venait me chercher et m'emmenait à la maison de Fidel qui était vide. Il n'y avait pas d'autres enfants. Ni de photos sur les murs. Rien que des types durs. Cela me faisait de la peine et je commençais à cajoler le Commandant, qui se laissait faire un moment puis me faisait raccompagner.

La maman d'Ivette était toujours très soulagée quand elle me voyait revenir.

— Au moins il ne s'est rien passé ! s'exclamait-elle en soupirant. Elle avait peur qu'un attentat soit commis pendant que je me trouvais avec lui.

Ce fut alors que survint l'histoire de la bombe atomique. Fidel passait son temps entre Nikita Khrouchtchev, un petit vieux aux airs de phoque blanc qui voulait tout le temps l'embrasser sur la bouche, et Kennedy aux yeux de crapaud, le patron de l'impérialisme.

Les foules hurlantes étaient toujours aussi nombreuses, mais au lieu de « Viva ! Viva Fidel ! » ou « Au poteau ! Au poteau ! », les gens se mirent à crier « A bas l'impérialisme ! ».

On appela cela la crise d'Octobre et il semble que le type aux yeux de crapaud était obsédé par l'idée de bombarder l'île. La Fée aménagea un des garages en abri, parce que, disait-elle : « Ils peuvent attaquer à tout moment. » C'était excitant.

Le plus drôle, c'est que les humbles furent affublés d'uniformes, durent marcher au pas avec des fusils en bois, chanter des hymnes et monter des gardes nocturnes. Ceux qui avaient de vraies armes se les virent confisquées par la police.

Follement angoissés, les gens s'attendaient à recevoir cette fameuse bombe et chantaient :

Que vengan ! Que vengan ! Que nadie los detenga !
Fidel, Fidel,
qué tiene Fidel
que los americanos
no pueden con él [1] *!*

Mais moi, il me semblait qu'il était triste. Je ne sais pas. Il ne venait plus à la maison ni à la plage et brusquement il apparut à la télévision déguisé avec une casquette pleine de poils et l'air épouvanté par les baisers du phoque Nikita.

Il était en Union soviétique avec des types bizarres : ils parlaient un drôle de charabia et les hommes aimaient se bécoter.

Ce fut à ce moment-là que les Russes commencèrent à apparaître à La Havane. Ils étaient très blonds, avaient des

---

1. Qu'ils viennent, qu'ils viennent, que nul ne les arrête ! / Fidel, Fidel / Fidel a quelque chose / contre quoi les Américains ne peuvent rien !

dents en or et sentaient mauvais à un point inimaginable. Ils regardaient les Cubains comme des diapos. Et bientôt il y eut au marché noir des boîtes de viande russe et des bouteilles de vodka, et c'est là qu'ils achetaient l'or pour leurs dents. Au moins, ils apportaient de nouvelles poupées, grand-mère Baba Yaga et le Vieux Tovaritch qui s'arrachait un poil de la barbe et... faisait un miracle. Quand ils allaient dans leurs clubs, ils aimaient se déplacer en bande, et les petits Russes n'allaient pas avec nous à l'école publique.

Le miracle fut que Fidel arriva à la maison en plein jour, comme s'il ne voulait plus se cacher.

Il venait tout droit de l'aéroport :

– J'apporte à la petite deux valises pleines de choses.

Il portait aussi les ongles très sales, j'en profitai pour les lui nettoyer et je lui reboutonnai la chemise. Mais les valises pleines de choses n'arrivèrent pas à la maison. Comme Fidel n'aime pas demander pardon, il attribua la faute à Celia Sánchez, son chef de bureau et sorcière personnelle, qui était déjà coupable d'autres affaires moches comme l'après-midi où la Fée me conduisit au bunker de la 11ᵉ rue pour voir Fidel qui était malade et que Celia donna l'ordre de ne pas nous laisser entrer, nous laissant plantées sur le trottoir, humiliées.

– Celia s'est trompée et a distribué tes cadeaux aux enfants des hommes de mon escorte. C'est tout ce que j'ai pu récupérer.

Et il me donna un baigneur, deux bloomers et une paire de chaussures tchèques bicolores... mais il y avait aussi un petit ours vivant. Il s'appelait Baïkal et grand-mère Lala ne voulut pas qu'il vive dans le jardin, alors j'ai dû aller le voir au Laguito, une autre zone « gelée ». Pas un seul enfant ne crut que j'avais un ours en vrai.

Après les Russes aux dents en or, un autre fléau débarqua à La Havane : les Makarenko et les Ana Betancourt [1].

1. Référence aux boursières de deux contingents pédagogiques créés par le gouvernement révolutionnaire pour des jeunes filles d'origine paysanne et ouvrière. L'un porte le nom de l'éducateur soviétique Anton Semionovich Makarenko, et l'autre celui de la militante indépendantiste et féministe cubaine du XIXᵉ, Ana Betancourt.

C'étaient des filles de la campagne et elles furent installées dans les maisons des beaux quartiers restées vides.

On leur donna un uniforme marron et des godillots noirs pareils aux nôtres, archidurs, et que beaucoup d'entre elles abandonnaient dans tous les coins, préférant marcher pieds nus comme avant.

On les voyait se déplacer en pelotons et crier leurs slogans, « La Patrie ou la Mort! Fidel Viva Fidel! » et d'autres du même style.

Les maisons furent baptisées « auberges », l'immeuble Foxa et le majestueux hôtel Nacional devinrent également des auberges.

Ainsi changèrent le paysage, les odeurs et les bruits de la ville.

Des cuvettes de w-c cassées commencèrent à orner les jardins de la Cinquième Avenue et de tout Miramar, ainsi que les bidets qu'elles arrachaient parce qu'elles ne savaient pas à quoi ils servaient et qu'ils les gênaient dans les salles de bains, qu'elles avaient transformées en lavoirs.

Dans les jardins en façade vinrent bientôt atterrir des machines à laver, des cuisinières électriques et des frigos, qui ouvraient leurs bouches rouillées comme des plantes carnivores. Le jardin de derrière était réservé à d'autres fins : cuisiner au feu de bois et accueillir une cahute en bois : les latrines. « L'endroit pour faire leurs besoins qu'utilisent les paysans, parce qu'ils n'ont ni électricité ni eau courante », m'expliqua la Fée.

La vérité, c'est qu'à ce moment-là personne n'en avait beaucoup : l'eau et l'électricité disparaissaient fréquemment et revenaient quand cela leur chantait. La Fée était ravie :

– Ces filles sont ici pour recevoir une bonne éducation. Les paysans ont été opprimés pendant des siècles.

– Ah!

J'étais bouleversée. Bouleversée et dégoûtée. Se promener dans les jardins de l'hôtel Nacional était dangereux, car elles jetaient de tout par les fenêtres, même des linges pleins de sang, ce qui rendait Tata furieuse.

Ce fut Fidel qui donna la meilleure explication, un soir où je lui demandai pourquoi il laissait La Havane devenir si moche.

– Quand elles retourneront à la campagne, elles seront les meilleurs défenseurs de la Révolution.

Le problème c'est que beaucoup restèrent et devinrent institutrices.

Il semble que la Révolution n'avait pas encore assez de défenseurs à la campagne, parce qu'on continua à faire venir des gens à La Havane. Comme on ne savait plus où les loger, on demanda aux Havanais d'offrir leurs maisons. Le gamin qui vint chez nous avait des oreilles translucides et les yeux les plus tristes que j'aie jamais vus. Il avait quatorze ans.

Il me raconta qu'il venait des montagnes de la Sierra Escambray, dans la province des Villas, qu'il était l'aîné de cinq enfants et que son père avait été un « insurgé », un de ces paysans qui s'étaient opposés à Fidel dès le début. D'abord, je ne l'ai pas cru, parce qu'à Cuba il n'y a qu'une seule montagne importante, la Sierra Maestra, et puis parce que personne ne s'était jamais insurgé contre Fidel, au contraire.

Mais il me décrivit les grottes où se cachaient les « insurgés » et où il leur portait de la nourriture dissimulée sous sa chemise et son chapeau. Il me raconta comment son oncle avait été tué quand on l'avait arrêté, et que lui et sa famille allaient être envoyés dans un village prison. Mais il avait perdu ses papiers et un couple l'avait protégé, jurant qu'ils étaient ses parents ; ils l'avaient ainsi sauvé de la prison et envoyé à La Havane avec le plan d'éducation.

Il me demanda de parler à Fidel : « S'il te plaît, qu'il fasse sortir ma mère et mes sœurs du village prison où on les tabasse ». Lui-même avait vu les soldats frapper sa petite sœur Evangelina sur la bouche quand ils l'avaient arrêtée.

J'ai donc demandé à Fidel de faire sortir cette famille du village prison. Je ne sais pas ce qui s'est passé, mais le lendemain matin Panchito n'était plus à la maison.

Ce n'est pas la seule chose que j'ai demandée à Fidel ces jours-là.

Les gens avaient beaucoup de problèmes et un bon flair pour trouver Fidel. Ils le guettaient en bas de l'hôtel Hilton, car ils savaient qu'il aimait le vingt-quatrième étage, mais il s'échappait par le parking souterrain. Ils le guettaient aussi à la 11e rue, mais une escorte armée gardait toute la rue. Ils ne tardèrent pas à le guetter à l'aube devant chez moi, et bientôt ils étaient là tous les matins.

Ils attendaient que je sorte jouer au jardin pour s'approcher à tour de rôle en formant une queue bien disciplinée.

– Petite, s'il te plaît, donne cette lettre à Fidel.

– Et celle-là.

– Et celle-là.

Je lui remis donc un paquet de lettres qu'il enfouit dans sa poche. Puis il commença à les laisser sur la table à côté du fauteuil inclinable qu'il s'était fait installer dans le salon de l'appartement de la Fée, et ce fut elle qui me dit d'arrêter avec ces bêtises, que Fidel ne pouvait pas tout résoudre, débordé comme il l'était.

Je savais bien qu'il était très occupé et que tout le monde était très occupé à l'Emulation socialiste, au Travail volontaire, aux meetings de la place de la Révolution, mais je commençai à trouver que Fidel était méchant. Mon cœur se serrait de chagrin pour ces gens, et bien que je continue à leur vendre de la limonade afin d'avoir quelques pièces pour mon goûter et parce qu'ils avaient soif à rester debout si longtemps, je me mis à cacher leurs misères dans ma chambre, sous le matelas, entre les draps propres et dans tous les coins sombres et oubliés des armoires.

C'étaient des lettres qui parlaient de pères, de fils et de frères fusillés par Raúl ou par le Che. De gens dépossédés de tout ce qu'ils avaient eu : une pharmacie, une quincaillerie, des maisons. D'épouses qui n'arrivaient pas à quitter le pays pour rejoindre leurs maris en exil, et de fils, de mères et de pères qui attendaient en exil l'arrivée des leurs qu'ils savaient malades. Un chapelet de tragédies.

Quand Tata me disait bonsoir et que la Fée tombait de fatigue, je lisais ces lettres pleines de soupirs à fendre l'âme jusqu'à épuisement, accablée par le poids de tant de tristesse.

Ce furent mes premières lectures dès que je sus lire, ainsi que les *Mémoires* du comte de Romanones, deux ou trois vieux livres laissés par ma sœur et le journal hebdomadaire *Pionnier,* qui était une horreur. Et j'ai continué à lire comme une malade, pour voir si je trouvais quelque chose qui me fasse du bien. Mais rien.

Celia Sánchez Manduley, *la Venimeuse*, exerçait sur la Fée une fascination insolente. Connue comme chef de bureau du Commandant et pour avoir lutté « au côté de Fidel dans la Sierra », mais moins connue comme sa sorcière officielle, chargée autant de ses sous-vêtements que de ses petits secrets, cette sorcière avait un style bien à elle.

Elle tenait sa tignasse très serrée dans une queue de cheval, retombant sur un côté de sa tête pointue. Un bout de dentelle dépassait toujours de ses robes et ses jambes maigres se terminaient par des escarpins montés en talons aiguilles. Son sens esthétique se manifestait dans certaines institutions telle que la police féminine des transports, surnommée les Perruches à cause d'un uniforme carnavalesque mêlant toutes les couleurs criardes que son mauvais goût avait choisies.

Beaucoup de gens lui devaient une ascension météorique ou une chute sismique. Elle passait à la centrifugeuse quiconque tentait de lui voler un morceau du Commandant. La Fée et moi étions pour elle une gêne. Et je n'ai pas été étonnée quand nous parvint l'oukase de partir à Paris, que la Fée commenta ainsi :

– C'est du Celia tout craché !

Elle se sentit condamnée sans appel.

Fidel lui expliqua sa mission, lui remit généreusement cinq cents dollars pour les vêtements et autres frais d'installation, puis il m'embrassa et s'évanouit dans la nuit, la laissant assise avec une expression d'anéantissement inoubliable, bien compréhensible, puisque sous le masque de première secrétaire de l'ambassade de Cuba, elle devait se livrer à une enquête approfondie sur les secrets de l'industrie chimique française. Elle en savait autant en chimie que moi en trigonométrie. Mais pour la Fée, l'idéologie passait avant tout.

– Maman, les Français, parlent comme nous ?

– Non. C'est une autre langue, répondit-elle en émettant un bruit de gorge qui ressemblait à une bronchite.

L'éducatrice Lilia me donna des cours particuliers pour accélérer ma scolarité et grand-mère Lala m'emmena chez Juana la couturière.

Ce fut épuisant.

– Pas comme ça, Juana ! Tu ne vois pas que ça fait des plis et que ça ne tombe pas comme il faut.

La pauvre Juana la regardait pétrifiée et hochait la tête, la bouche pleine d'aiguilles que ma grand-mère piquait dans les ourlets et les pinces comme un général de brigade place ses hommes sur une carte d'état-major.

La Fée et moi fîmes nos adieux à des sœurs de Fidel qui étaient ses amies : Agustina, qui au lieu de meubles avait des pianos à queue parce que son mari était concertiste, et qui était très malheureuse ; Angelita, qui vivait dans une immense ferme à Capdevilla avec son fils Mayito, et Juanita qui peu après se transforma à son tour en ver de terre.

Je passai un après-midi entier avec l'oncle Pedro Emilio, qui était poète et aimait que je l'aide le dimanche à compléter ses rimes.

Puis je m'arrachai du cœur de Tata et de mes meilleures amies, Ivette et Tota la grosse.

Je montai dans l'avion résignée, mais avec entrain, puisque je m'envolais pour le pays des cigognes avec leurs bébés suspendus par les couches et des châteaux énormes où vivaient les princesses et les rois oppresseurs pour lesquels on avait inventé la guillotine.

Dans cet avion, la Fée n'était pas la seule à partir en France pour y voler des secrets. Une fournée de mulâtres se rendaient également à Paris pour percer les mystères de la fermentation des yaourts et des fromages, que Fidel avait besoin de connaître impérativement.

Tout le monde allait faire quelque chose de précis, sauf moi, qui faisais ce voyage pour obéir à l'ordre secret de mon karma. Lequel ne tarda pas à se manifester :

– Tu veux quelque chose ? Une boisson ? C'était le steward, jeune et beau, et moi j'allais de plus en plus mal.

– Non, merci. J'ai une boule ici au cou et ça me fait archimal.

– Mais on dirait les oreillons ! Moi, je ne m'approche plus d'ici.

Ce pauvre garçon gaspillait son sens clinique en servant des sandwichs dans un avion, car il avait raison. Le lendemain, j'étais à Madrid couchée, le visage difforme, avec une fièvre de cheval, et c'était la première fois que je tombais malade sans Tata. Debout devant mon lit, la Fée ne savait pas trop quoi faire.

Mais il y eut pire ! Voilà qu'on voulait me mettre le thermomètre dans le derrière ! Et des suppositoires ! Les porcs ! Je n'avais jamais vu cela !

Heureusement que Tata n'était pas là, parce qu'elle ne s'en serait pas laissé conter. Je cachai l'arsenal de suppositoires sous l'oreiller et j'eus des oreillons monumentaux.

Paris était une belle ville, mais ce grand truc de fer en plein milieu gâchait tout. Il valait mieux ne pas le dire aux Français, qui ne sont pas des gens patients. Il paraît que c'est en mangeant des escargots qu'ils ont réussi à imposer leurs menus et leurs manières insurpassables dans le monde entier.

Nous sommes allées à l'hôtel des Acacias, rue des Acacias. Il n'y avait pas de douche dans la chambre, ni même un bidet, si bien que pour pouvoir nous laver, la Fée acheta un appareil de lavements intestinaux qui, suspendu au mur, projetait de l'eau.

Elle dut aussi m'acheter des vêtements. Elle voulait toujours que je sois élégante avec un rien, et elle décida que toutes les couleurs pouvait se marier. Marron, vert, bleu et gris foncé vont certes bien ensemble, mais cela fait triste, opaque, sombre. Et elle remit cela avec les chaussures bicolores !

Après avoir choisi mes vêtements, elle choisit un logement. C'était avenue Foch, près de l'ambassade. La propriétaire était une marquise probablement passionnée d'hygiène corporelle, car la salle de bains était la pièce la plus grande.

Quand nous fûmes installées, la Fée me choisit un hobby, disant qu'il faut s'occuper l'esprit.

— Qu'est-ce que c'est un hobby ?

— C'est ce à quoi on passe ses loisirs. Tu devrais collectionner des timbres, c'est très intéressant. Commence par les fleurs et les drapeaux.

Quelle horreur ! Et elle qui critiquait Lala Natica pour sa manie de lui choisir ses chaussures et ses sacs à main quand elle était jeune !

Peu après, elle choisit mon école.

– Elle s'appelle pension Clair Matin et elle se trouve à vingt-cinq kilomètres de Paris. Demain je t'y emmène.

Je n'osai pas lui demander comment j'allais aller et revenir tous les jours de si loin.

Le train ! Ultra-rapide. Nous arrivâmes à Saint-Germain-en-Laye un dimanche en fin d'après-midi. Elle portait une mallette en osier de la taille d'un grand sac à main.

La pension se trouvait devant un mur gris avec un panneau *Danger*.

– Qu'est-ce que ça veut dire ?

– Que c'est dangereux.

Mon aura devint plus grise que le mur et un signal de catastrophe imminente me raidit le dos.

Les directives de la pension attendaient la Fée : une petite grosse, potelée et rubiconde et une femme sèche et dure comme un sarment.

Ma mère tendit la mallette à une fille mal élevée qui me parla avec ces bruits de gargarisme que font les Français.

– Je ne vais pas dormir ici, hein ? Dis-moi, maman. Maman, s'il te plaît !

– Va avec Michèle, ma chérie. Il n'y pas d'autre solution...

Bien sûr que si, il y avait une solution ! Elle n'allait pas me faire avaler qu'il n'y avait pas une école près de la salle de bains où nous vivions !

La seule chose que j'obtins fut la promesse qu'elle viendrait me chercher le samedi suivant et que je passerais le week-end avec elle.

Cette Michèle me traîna dans une pièce où il y avait trois lits. Comme je n'arrêtais pas de trépigner de rage, elle perdit patience et me colla la première gifle que j'aie reçue dans ma vie.

Je braillai jusqu'à ce que mon cœur soit sec.

Quand la Fée vint me chercher à la fin de la semaine, j'avais fait le voyage aller et retour du bien au mal et je lui avais pardonné. Une bonne routine vient à bout de toutes les peines. J'allais chaque jour à l'école voisine, ce qui faisait beaucoup de kilomètres, et comme il n'y avait pas classe le jeudi – bénie soit la France ! – c'était le jour où je me baignais avec Tamara dans la baignoire que nous laissions toute collante d'une pâte grisâtre de savon et de crasse. Mais je dus m'y habituer parce que les fois où je fus surprise à prendre seule un bain en cachette, je me retrouvai les fesses en feu.

J'écrivais tous les jours à la Fée, embourbant de larmes l'encre de mes supliques. Elle répondait sur des enveloppes portant des timbres de fleurs et de drapeaux pour ma collection philatélique. Il n'y avait place dans son cœur que pour l'industrie chimique.

Un jour, de Gaulle vint au village et les enfants l'accueillirent et lui lancèrent des fleurs. Quand il passa en serrant les mains, je lui pris la main gauche et je me sentis une héroïne. J'arrivai en faisant la fière à la pension, où on se moqua de moi :

– Une communiste qui serre la main à de Gaulle ?

Et alors ? D'ailleurs je lui avais pris la main gauche.

Mais défendre le communisme et le pauvre Fidel faisait aussi partie de la routine.

Les gamins rivalisaient de jeux de mots avec son nom et se moquaient de son sempiternel uniforme.

On arrêtait parfois la Fée dans la rue pour lui demander si j'étais la fille de Chaplin. Je ressemblais à Géraldine, disait-on. Chaplin avait eu des enfants avec de belles Américaines. Mais la Fée répondait que mon père était un clown plus important que Chaplin. A ma grande confusion parce que je n'avais jamais vu papa Orlando habillé en clown.

A la pension, on me faisait manger des artichauts et de la confiture de rhubarbe bien que cela me fasse vomir, et peu importait si mon cœur, mon identité et ma confiance étaient tourmentés, parce que je ne vivais que pour les fins de semaine avec la Fée, laquelle brisait les cœurs à Paris, poursuivie par une horde de prétendants de tous âges et de toutes nationalités. Ce dont je sus profiter astucieusement avec le prétendant italien, un industriel de Milan qui lui envoyait des douzaines de roses et me donnait en douce de gros billets de cent francs dans des porte-monnaie en soie, afin que je lui passe la Fée au téléphone ou que je lui ouvre la porte quand elle feignait de ne pas être là. J'insistai même un peu pour qu'elle se laisse aimer, mais elle ne voulut rien savoir :

60

– Chaque fois qu'il me prend la taille avec sa main trem-blotante, je meurs de dégoût.

Grâce à la prodigalité d'Egidio, je commençai à stocker des petits trucs intéressants pour ramener à Cuba : une pis-cine en plastique géante pour le jardin, une tente rayée bleu et blanc pour aller à Santa María del Mar les fins de semaine, un coffret de petit chimiste avec éprouvettes et lampe à alcool, et un autre de petit biologiste avec micro-scope et plaques.

La fin de l'année fut magnifique : Lala Natica apparut un beau jour à la pension et la Fée nous emmena – dans une Mercedes Benz qui venait tout droit de Cuba et arbo-rait une rutilante plaque diplomatique – en Normandie où elle devait embobiner André Voisin, le scientifique qui avait inventé le pâturage intensif des brebis, afin qu'il vienne à Cuba invité par Fidel et essaie sa méthode sur les vaches cubaines.

Et puis soudain, la Fée fut pressée de me faire rentrer à La Havane.

Une nouvelle menace de bombardement planait sur l'île et une rumeur pernicieuse lui était parvenue selon laquelle elle, sa mère et sa fille étaient sur le point de demander l'asile politique en France. C'en était trop pour la probité de la Fée, d'autant que beaucoup de diplomates cubains en poste à l'étranger demandaient l'asile politique, tel Cabrera Infante à Londres. Elle ne voulait pas être compa-rée, fût-ce en pensée, aux traîtres. Comme elle ne pouvait pas revenir avant d'avoir terminé sa mission d'espionnage chimique, il ne lui restait plus, pour faire taire les mau-vaises langues, qu'à faire rentrer sa mère et sa fille. Du jour au lendemain, le cauchemar se termina et je commen-çai à croire aux miracles.

Quel bonheur d'embrasser ma Tata *chérie*[1] ! Et de retrouver sa douce habitude de me chausser dans le lit afin de m'extraire lentement du monde enchanté des rêves.

Fidel vint chercher ses petits cadeaux le premier soir : deux pistolets de verre remplis de whisky, des papiers et une valise de fromages, car la première que lui avait envoyée la Fée avait fini dans le jardin de l'historien Le

---

1. En français dans le texte.

Rivérend, ouverte à coups de feu par la police secrète que le pauvre avait prévenu quand la valise avait commencé à gonfler et à dégager une odeur épouvantable. Et une horde de vers français s'éparpillèrent dans le jardin et ouvrirent leurs ombrelles quand ils se virent sous le soleil brûlant de l'île.

Je lui appris à jouer au osselets. Nous jouâmes par terre jusqu'à ce que je me lasse et que j'aille chercher le microscope, les éprouvettes et tous mes instruments de futur médecin. Il voulut savoir immédiatement d'où j'avais sorti l'argent. Il adora cette histoire de faire payer cher à l'Italien sa passion pour la Fée.

– Tu vas faire des études de chimie industrielle. Rappelle-toi !

L'idée ne me plaisait pas, mais j'étais prête à tout plutôt que de le contrarier. Je pensais même qu'il nous avait envoyées en France pour nous punir, à cause de mes lettres et de mes plaintes contre la méchante Chinoise qui chassait les gens de chez eux, et aussi de mes histoires d'enfants paysans prisonniers.

Tu parles ! Il fallait simplement que je le traite avec douceur, comme la Fée, ou comme les courtisans qui se conduisaient avec les rois de France, tout sourire, sans jamais faire allusion aux affaires de l'Etat. Quand il voulut un peu de tendresse, il s'installa sur le canapé et me demanda de lui faire les ongles. Et comme il n'aimait pas boire le café au lait dans une tasse, je lui portai un gros et grand verre. Il déboutonna son uniforme et se reposa tranquillement en suçotant son cigare.

J'aimais bien être sur ses genoux. Les amis de la Fée n'aimaient pas, eux, que je grimpe sur leurs genoux. Cela les embêtait, mais lui, non.

Nous passâmes ainsi de bonnes soirées pendant les cinq mois qui restaient avant le retour de la Fée et la fin de sa mission française. J'adorais l'attendre la nuit, mais Lala Natica détestait les visites nocturnes. Fidel est un être de la nuit.

– Cet homme n'a pas une seule bonne habitude.

Dur, mon retour à l'école, toute bien polie, pédante, levant la main pour demander la permission, et la maîtresse ne sachant pas si j'étais épileptique ou quoi, et les enfants me demandant tout le temps si j'étais enrhumée et pourquoi j'avais cet accent français coincé dans la gorge.

Cela dura des semaines. Je ne tardai pas à me rendre compte que j'étais revenue différente et qu'un peu de moi était resté pour toujours à des milliers de kilomètres, comme si là-bas, un petit génie me fredonnait des chansons de Jacques Brel et de Brassens ou des fables de La Fontaine, alors que j'aurais dû chanter en chœur et avec enthousiasme les hymnes et les refrains des pionniers cubains.

J'étais en cinquième année, on m'avait fait sauter la quatrième. Je n'apprenais rien. Sauf l'histoire et la géographie de Cuba qui étaient des plus simples depuis qu'elles avaient été récrites. L'historien Le Rivérend faisait un saut prodigieux des Indiens Taínos et Guanajatabeyes, empalés et brûlés vifs par les sauvages chrétiens, jusqu'aux succès de Fidel et de la Révolution, mettant l'accent sur la mauvaise influence de l'impérialisme. L'Histoire commençait depuis peu, très précisément à l'attaque de la caserne Moncada.

Moi, je ne pouvais pas prendre au sérieux un monsieur qui avait fait fusiller une valise pleine de fromages.

Nuñez Jimenez, lui, ne se tua pas à la tâche en récrivant la géographie de Cuba, car c'était en tous points la même que celle du vieux manuel qu'avait laissé ma sœur. Les seules nouveautés étaient qu'il fallait apprendre, sur les cartes, les lieux où avaient combattu Fidel et les rebelles. Nuñez prétendait avoir découvert, tout seul, comme un grand, l'origine de l'île : un monticule de fientes d'oiseaux et de déchets en tout genre que les marées et le courant du Golfe avaient accumulé sur ce nombril entre deux continents. Comme toujours, Fidel passait son temps à la télévision mais pour l'heure il se contentait de parler « d'insémination artificielle ». Un truc bizarre.

La Fée avait convaincu André Voisin de venir à Cuba, mais en se voyant aussi chaleureusement accueilli par Fidel, le pauvre Vieux mourut d'un infarctus foudroyant. Sa veuve se rend tous les ans sur sa tombe au cimetière

Colomb, invitée par le gouvernement, qui tua son mari de joie.

Fidel provoquait d'étranges réactions et il en profitait avec les vaches afin qu'elles mettent bas de nouvelles espèces. Il voulait créer la vache nationale cubaine. Il disait que l'Holstein canadienne accouplée à un zébu indien donnerait beaucoup de viande et résisterait bien au climat. Il parlait de génétique pendant des heures, plongeant l'assistance dans un silence religieux devant le génie qui avait créé les races F1, F2 et F3 (F comme Fidel), dans lesquelles se trouvait la future viande du peuple. On s'asseyait tranquillement à attendre les poupées russes du Vieux Tovaritch et voilà qu'arrivait une vache « inséminée par des techniciens cubains formés en Union soviétique ». Ils lui soulevaient la queue et lui enfonçaient dans le derrière, jusqu'à l'épaule, un bras ganté. La bête poussait un mugissement d'effroi jusqu'à ce que le bras ensanglanté ressorte.

Et moi qui me plaignais du thermomètre français...

Avec mes copains, c'était difficile de tout partager, parce qu'il n'était pas question que je leur prête mes poupées Barbie, tellement j'avais honte qu'elles soient capitalistes. Pas plus que je ne pouvais leur prêter les *Tintin* et les *Club des Cinq* que j'avais rapportés puisqu'ils étaient dans une autre langue.

C'est dur d'être bizarre quand on est gosse. Grâce à Dieu j'avais mes trucs à moi. Je montai un *laboratoire* dans la pièce du *chauffeur* au-dessus du *garage* [1]. C'est là que je me réfugiais, avec le livre de physiologie en compagnie des *Syrenomelus Simpus Dipus*, des phytophages et des céphalophages, ainsi que du premier homme, dans l'histoire de la médecine, qui ait eu une montée de lait – cela s'appelle gynécomastie –, et d'une bonne centaine d'autres affections qui, elles, ne donnaient pas de lait.

La Fée tarda cinq mois à revenir de France avec le sentiment du devoir accompli et quasiment un doctorat en chimie industrielle. Elle s'était également occupée des fromagers cubains et même de l'orchestre de Pello el

---

1. Les trois mots sont en français dans le texte.

Afrocán, afin qu'il ne fût pas traité comme de la gno-gnotte musicale communiste. Elle avait arraché André Voisin à sa Normandie profonde, à la satisfaction de Fidel et des vaches cubaines qui se livraient à de véritables orgies d'herbe grâce à la théorie du pâturage intensif. Si bien que je ne savais pas pourquoi Fidel ne venait toujours pas à la maison. Et il n'y avait plus d'eau-de-vie pour faire des invocations magiques. Je dus brûler trois poils de sa barbe, que j'avais pieusement conservés, pour voir s'ils faisaient des miracles comme ceux du Vieux Tovaritch, mais rien. Plus de huit mois passèrent avant qu'il daigne revenir pour se faire couvrir de guirlandes par la Fée. Des nouveaux fromages à trous de France, d'Italie, qu'elle avait envoyés à Cuba dans sa troisième et dernière valise, il ne lui restait même pas la mémoire olfactive.

Ce soir-là, je les laissai seuls, car ce n'était pas un mais mille discours qu'elle lui avait tenus toutes ces nuits où elle était restée éveillée en attendant sa venue, angoissée parce qu'elle n'avait pas de travail et qu'il n'y avait, dans l'île, pas un seul être humain capable de faire appel à elle sans l'intervention de Fidel.

Le lendemain matin, elle annonça deux nouvelles :

– Premièrement, Fidel m'a nommée responsable de la documentation et de l'information du Centre national des recherches scientifiques. Deuxièmement, je vais refaire ma vie, dit-elle à Tata.

C'est plus facile de refaire sa vie avec un mari. Elle en trouva rapidement un. Elle épousa un très brave type, mais qui avait toujours l'air accablé. Tel un bon caméléon mâle, il se confondait avec la couleur des meubles du salon. Dans mon souvenir, c'est là que je le revois, un après-midi, en train de manger un quartier de pastèque qui le rendait visible.

Un an plus tard, ils divorçaient et elle put se consacrer à son travail. Elle allait de réunion en réunion, la Fée. Elle s'était mis en tête de s'opposer à une obscure conspiration que Celia Sánchez avait ourdie afin qu'elle ne fût pas élue membre du Parti communiste. Pour la voir, je devais aller à son bureau.

Quand on y entrait, on voyait d'abord une négresse

enceinte, sa secrétaire, endormie sur un canapé les jambes en l'air, puis ma mère allant de sa table à celle de la secrétaire, s'asseyant alternativement à l'une et à l'autre pour faire le travail des deux, avec un doigt sur les lèvres pour demander un silence respectueux du sommeil de la pauvre femme.

J'aimais bien le laboratoire de génétique, surnommé le Cirque « car comment appeler autrement un bossu, un boiteux et une naine », disaient d'eux-mêmes les membres de l'équipe scientifique.

Il y avait un énorme bocal rempli de fœtus et ils me laissaient choisir et emporter ceux qui me plaisaient pour mon labo au-dessus du garage, où je les enfermais, baignant dans des liquides de mon invention, dans de gros bocaux scellés à la cire. C'étaient mes homoncules, mes succubes et mes incubes.

Le meilleur ami du Che, le docteur Granados, fit de moi son assistante. Il avait une idée pour faire grossir les lapins comme des chiens. Il leur faisait une anesthésie générale, les attachait sur une petite table et, avec une électrode, leur détruisait le siège de la satiété dans le cerveau.

Mais on lui fit savoir que la méthode était trop chère. Et la plupart des lapins, au lieu de grossir, restaient endormis à jamais. Heureusement, pensais-je, que le docteur ami du Che travaillait sur des lapins et non sur des gens.

Un matin, arriva en classe un avis de concours pour l'Ecole provinciale de ballet.

Quand je fus acceptée commença la meilleure époque de ma vie.

On étudiait les langues et la musique, et en fin de semaine, nous allions au ballet d'Alicia Alonso.

On n'y marchait pas en cadence, on n'y apprenait pas des slogans et l'uniforme n'était pas à la Mao, mais composé d'une jupe noire et d'une blouse blanche.

Je devins maigre et longue, la tête couverte de petites tresses serrées et je marchais les pieds ouverts comme Charlie Chaplin. Je devins aussi complètement idiote, comme tous les enfants enflammés par une vocation précoce.

J'étais au pays des merveilles ; à midi, malgré la torture des trajets en bus, Tata m'apportait le déjeuner, refusant que je mange des plats froids préparés le matin.

A côté, il y avait le marchand de glace Coppelia, un autre complot de Celia Sánchez. Il fallait faire des heures de queue, car c'était le seul glacier de l'île et les gens venaient de très loin pour manger une glace, mais cela valait la peine, parce que ses glaces aux cinquante-quatre parfums... Il y en avait même à l'avocat et à la tomate.

Ce fut alors que mon cœur se mit à jouer les poètes, et comme la réalité est imprévisible, je ne fus pas la première surprise : la Fée faillit en tomber à la renverse. C'était la faute de quelques néologismes ramenés de France et de toute cette tristesse enfouie au fond de moi.

Il était temps qu'il nous arrive quelque chose de bien. J'allai la voir et je lui tendis ma première œuvre.

– Je l'ai écrit pour toi.

Elle fut impressionnée. Si bien qu'elle montra le poème à des amis peintres psychédéliques qui avaient profané, dans un élan de pointillisme abstrait, presque tous les murs de la maison, ainsi que de nombreux meubles, et qui semblaient considérer la Fée comme un mécène. Ils firent jouer leurs influences et mon poème fut publié dans l'hebdomadaire *Pionnier,* cette horreur qui sortait tous les dimanches.

Et c'est en effet un dimanche que je fus brutalement réveillée par mon amie Tota la grosse, qui bondissait en hurlant dans l'escalier comme un ouragan déchaîné.

– Alina ! Alina ! Lève-toi ! Tu es dans *Pionnier,* avec photo et tout ! Ah ! ma chérie ! ma maigrichonne ! Tu es ma copine, hein ?

Et elle se jeta sur moi.

Un frisson me parcourut des pieds à la tête en passant par le ventre et me submergea. J'explosai en un mélange de rire et de pleurs, et bien que cela ressemble à la description d'un orgasme, ce fut plutôt une apogée d'angoisse.

La joie et la tristesse ont des points de convergence et ce matin-là je faillis mourir de pudeur, car mes pensées les plus intimes s'étalaient au grand jour. La Fée m'avait trahie.

La photo avait été prise par Alberto Korda au pied de la Tribune, un de ces affreux après-midi où Fidel envoyait des invitations pour qu'on aille écouter de près ses discours. J'avais l'air stupide et fatiguée.

Mais le pire était la note biographique : « Alina parle français et aime jouer avec ses poupées... » La tarée parfaite ! La petite bourge, quoi !

Quand je pus me libérer de Tota et retrouver mon souffle, une froide détermination s'était emparée de moi : je ne retourne plus à l'école, je le dis à la Fée et voilà.

– Tata, Tata, regarde ce que m'a fait ma mère ! Regarde !

Tata jeta un coup d'œil à la revue.

– Bon, et alors ?

Ma tragédie ne troublait en rien son impassibilité coutumière.

La Fée arriva en milieu d'après-midi, dans une blouse de coton à petits carreaux blancs et rouges, qui mettait ses seins en valeur, et une jupe cloche serrée par un ceinturon blanc : un vrai mannequin des années cinquante. Elle semblait sortir d'un magazine.

Elle descendit de la Mercedes et me trouva là, avec Guarapo, le chien, dont les aboiements divinatoires coïncidaient toujours avec ma joyeuse prémonition du retour de ma mère...

La roublarde ! Elle avait gardé tout cela pour elle depuis un mois. Je la conduisis protocolairement au salon, mis une musique de fond et l'installai dans le fauteuil inclinable de Fidel, où elle ne s'asseyait que lorsqu'elle voulait entrer en communication ésotérique avec lui.

– Je voudrais te parler, lui dis-je.

Phrase taboue ! La pauvre, tout ce qui lui manquait, c'était d'arriver chez elle et de s'asseoir pour écouter sa charmante petite fille, ma chérie, mais je suis très fatiguée, tu sais...

– Pourquoi, Pourquoi tu m'as joué un tour aussi terrible. Pourquoi tu ne m'as rien dit ?

– Ah ! Alina, tu as raison... J'aurais dû te le dire avant, mon bébé, mais je ne voulais pas que ce soit moi qui t'apprenne la nouvelle.

– Pas toi? Il fallait que ce soit Tota la grosse? Qui d'autre était au courant?

– Je ne sais plus. Pas mal de gens, je suppose.

– Et voilà! Le monde entier était au courant, sauf moi!

– Essaie de comprendre, Alina. J'espérais que Fidel te le dirait. Cela fait si longtemps qu'il ne vient plus à la maison... Je pensais qu'il te le dirait...

Et allez! Même le Commandant était au courant de mes divagations poétiques! Pour un peu, je gagnais le prix Casa de las Américas!

– Je ne te le pardonnerai jamais.

– Ne dis pas ça à ta maman s'il te plaît. Ne bouge pas avant que je t'aie tout raconté.

Voici donc ce que la Fée me raconta :

« Tu te souviens encore de la première maison? On avait de tout. On vivait bien, sans soucis. Natalie grandissait, elle était en bonne santé et jolie... Je travaillais chez Esso Standard Oil. Pourtant, j'aurais pu rester à la maison et passer mes après-midi à jouer au bridge et au tennis, et à boire des cocktails comme la plupart de mes amies, qui ne savaient pas faire autre chose et ne s'intéressaient à rien. Mais, tu le sais, j'ai besoin de me sentir utile. A l'école, tu as entendu parler de Batista, ce sergent qui a gravi les échelons et qui est devenu président contre la volonté des Cubains. Eh bien, il n'était pas encore arrivé au pouvoir qu'il y avait déjà des morts dans les rues.

« Il a mis fin au pouvoir civil par la force militaire et les grèves se terminaient dans le sang.

« Un matin on a trouvé un garçon mort presque en face de la maison. Il avait été assassiné par les sbires de Batista. Ils l'avaient mutilé.

« Cela m'a ouvert les yeux, j'ai commencé à voir clairement que tous les gens vivaient sans rêve et que des milliers d'enfants grandissaient sans le moindre espoir de sortir de la pauvreté.

« A cette époque, on entendait beaucoup parler d'Eduardo Chibás, qui était un homme d'honneur et qui avait une belle devise : " Honte à l'argent. " Il disait que les gouvernants ne doivent pas s'enrichir en abusant du peuple et en le volant. Il dirigeait un parti qui s'appelait le Parti orthodoxe. Il aurait fait un bon président. Il mettait en garde contre le pouvoir croissant de Batista.

« Eddie Chibás avait une émission de radio. Un soir, il a accusé publiquement un ministre de puiser dans les fonds publics et il a promis d'en apporter la preuve. Mais pour quelque raison il n'a pas pu le faire et, par fidélité à son sens de l'honneur, il s'est suicidé. C'était en août 1951. J'écoutais l'émission quand il s'est tiré une balle.

« Cette nuit-là, je n'ai pas pu dormir et au lever du jour je me suis habillée de noir et je suis allée au siège de cette radio. Il y avait du sang partout, le sang de la honte de Chibás. Je l'ai touché. J'ai regardé mes mains pleines de sang et j'ai su que si je ne faisais pas quelque chose contre cette injustice, je me sentirais coupable toute ma vie.

« Je devais me rendre à mon travail. En chemin, je me suis arrêtée chez un serrurier et je lui ai demandé de faire trois doubles des clés de la maison. C'était pour les trois dirigeants les plus prometteurs du Parti orthodoxe. L'une était destinée au candidat au poste de porte-parole, un jeune homme qui remplaçait Chibás à la radio. C'était Fidel. Je ne les connaissais pas encore. Mais je voulais qu'ils sachent que ma maison leur était ouverte et moi à leur disposition et à celle de leurs familles.

« Fidel m'a remerciée de ce geste. Pas personnellement, mais par l'intermédiaire de quelqu'un. Il m'a fait savoir sur quelles fréquences et à quelles heures je pouvais l'écouter à la radio. Je me souviens que je suis restée longtemps à chercher la fréquence sans pouvoir la trouver. En mars 1952, le 10, Batista a fait un coup d'Etat et est devenu président de Cuba. C'était un usurpateur et un assassin, et les Cubains ont senti qu'ils avaient le devoir de lutter contre lui. J'ai commencé à militer dans le groupe clandestin des femmes José Marti, mais on ne pouvait pas faire grand-chose.

« Fidel s'affirmait comme le successeur de Chibás. Cette année-là, nous avons été présentés l'un à l'autre.

C'était un 27 novembre, lors d'un meeting de protestation contre l'exécution de huit étudiants en médecine accusés d'avoir profané la tombe d'un militaire espagnol, et en hommage à un autre militaire espagnol, le capitaine Federico Capdevilla, qui avait brisé son épée en apprenant qu'une telle atrocité avait été commise... La police a réprimé le meeting en coupant l'électricité. J'y étais allée avec les femmes du groupe José Martí et je ne savais pas que Fidel se trouverait sur le perron de l'université.

« Nous avons beaucoup ri lors de cette première rencontre et il m'a de nouveau remerciée pour les clés. J'étais pleine d'énergie et je l'ai trouvé très séduisant.

« J'ai eu de ses nouvelles en mars 1953. Je m'en souviens parce qu'à ce moment-là j'ai perdu l'enfant dont j'étais enceinte. Ce devait être un garçon. Ou peut-être toi qui voulais naître avant... J'étais triste et déprimée. Il faut être une femme pour comprendre cette sorte de tristesse, tu ne peux pas comprendre encore.

« Peu après, Fidel m'a fait savoir avec beaucoup d'humilité qu'il aimerait visiter la maison. Je lui ai répondu qu'Orlando rentrait après cinq heures.

« Il n'a pas tardé à arriver. Il avait l'air d'un visionnaire, parlant de chasser Batista du pouvoir par la violence, parce que c'était par la violence qu'il y était arrivé, et de la nécessité d'un mouvement révolutionnaire d'avant-garde. Il disait qu'il ne comprenait pas l'attentisme des dirigeants traditionnels qui ne représentaient pas la tradition de lutte des Cubains, ni de nos ancêtres mambís. Nous l'avons invité à manger.

« Chucha a préparé son premier menu de la maison : jambon à l'ananas sauté au beurre et au sucre brun, purée de pommes de terre et macédoine de légumes.

« Fidel est reparti avec tout l'argent que nous trouvâmes à la maison et Orlando considéra le chapitre clos. Pas moi. Pour moi, l'horizon s'ouvrait : j'avais trouvé une voie pour défendre mes convictions.

– Mais, maman, pourquoi tu me racontes tout cela ? Qu'est-ce que ça a à voir avec mon poème ?

– Quel poème ?

– Le poème qui était pour toi seule et que tu as fait publier dans le maudit *Pionnier* !

– Ah! mon bébé! J'ai l'impression qu'on ne parle pas de la même chose! Mais oui, bien sûr! Voilà ce qui arrive quand on a des idées fixes. Laisse-moi terminer mon histoire. Après, je te donnerai toutes les explications que tu voudras.

« Fidel a commencé à venir à la maison de plus en plus souvent. Les temps étaient très dangereux. Il venait avec des jeunes dont certains n'ont pas survécu à cette époque de conspirations. Je les recevais sans me mêler à leurs conversations mais, très vite, ils ont sollicité mon avis. Le Mouvement du 26 juillet s'est créé sous mes yeux. J'ai commencé à les accompagner dans des démarches, des contacts. Un beau jour, Fidel m'a demandé de choisir la musique qui donnerait le signal, sur Cadena Oriental de Radio, de l'attaque de la caserne Moncada. Il voulait une musique entraînante, révolutionnaire, parce qu'il y aurait peut-être des morts. J'ai passé des après-midi entiers à la phonothèque de Radio Centro. J'enregistrais Beethoven, Prokofiev, Malher, Kodaly, Dvorak, Berlioz et l'hymne national, l'hymne envahisseur et *Ultime avertissement*, la musique de l'émission de Chibás. Un soir, j'ai demandé à un des garçons de m'apprendre à plier le drapeau. C'était celui avec le crépon noir que j'avais accroché à la terrasse quand Chibás s'était suicidé.

« – "Pourquoi tu ne nous le donnes pas? Il flotterait à Santiago le jour de l'action. On l'emporte avec nous et ce sera comme si tu étais là..."

« J'avais fait aménager un grenier dans la maison. Les armes y étaient cachées.

« Fidel m'a appelée une dernière fois pour me demander les enregistrements et me remettre un manifeste à distribuer aux personnalités politiques et à la presse, au moment même de l'attaque contre la Moncada.

« – "Afin qu'ils connaissent les raisons de notre action", me dit-il, et il m'a recommandé de ne pas sortir avec les manifestes avant 5 h 15 du matin, le dimanche 26 juillet 1953, afin que les actions soient synchronisées.

« Personne, Alina, pas même les combattants, ne savait qu'ils allaient attaquer une caserne de la tyrannie. Fidel leur avait dit qu'ils allaient effectuer un entraînement militaire de fin de semaine. Seuls étaient au courant Raúl, son frère, qui allait attaquer en même temps une caserne à Bayamo, le lieutenant de Fidel, José Luis Tasende, qui est mort au combat, et moi.

« Ce matin-là, j'ai réveillé Orlando et je lui ai dit que je m'absentais pendant trois heures environ parce que j'avais une démarche à faire pour le Mouvement.

« Je me trouvais chez le directeur de *Prensa libre* quand la nouvelle de l'échec a été connue.

« J'étais désespérée. J'ai couru à l'église du Vedado. Je me suis confessée au père Hidalgo et j'ai communié au nom des morts.

« Orlando et moi, nous nous sommes retrouvés au club Biltmore, ainsi que nous étions convenus. Nous avons décidé d'y rester tout l'après-midi.

« Tu ne peux pas imaginer les jours qui ont suivi. L'impuissance et la peur. On savait que les survivants s'étaient réfugiés dans les montagnes d'Oriente, dans la Sierra Maestra. Mais qu'est-ce qui allait m'arriver ?

« Bien des hommes du Mouvement étaient venus à la maison. J'avais engagé mes bijoux pour payer les armes. Ce sont des choses qui ne passent pas inaperçues.

« Mon angoisse a redoublé avec Lala Natica. Elle est partie à Santiago. Dans un train qui l'a secouée pendant des jours. Elle voulait savoir si sa fille devait ou non se cacher. Elle avait entendu des rumeurs alarmantes et la pauvre avait gardé elle aussi des armes et des papiers pour m'aider. Elle est revenue quatre jours plus tard et, tu me croiras si tu veux, tous ses cheveux étaient tombés. Mais j'ai refusé de bouger tant que je ne recevrais pas d'instructions de Fidel.

« Orlando et moi, on a commencé à aller au cinéma simplement pour voir les nouvelles. On montrait des images sur les événements de Santiago : un soldat penché sur une valise en sortait un drapeau avec un crèpe noir qu'il jetait en l'air ; c'était le mien. Et j'ai su des années plus tard qu'un autre soldat avait emporté puis vendu deux livres sur lesquels étaient écrits mes nom, prénom et même l'adresse de la maison. C'est ce soldat qui m'a sauvé la vie sans le savoir, parce que l'acheteuse fut ni plus ni moins que la mère d'Abel Santamaría, le second de Fidel dans l'attaque de la Moncada, auquel les sbires de Batista avaient crevé les yeux avant de le tuer. De sorte que le drapeau et les livres ont échappé à l'enquête et que je n'ai pas été impliquée dans l'attaque. J'ai eu beaucoup de chance.

« Ceux qui n'avaient pas été assassinés ont été capturés les jours suivants et jugés. Tu as étudié à l'école *L'histoire m'acquittera*. C'était la géniale autodéfense de Fidel lors du procès.

« Il a été condamné à la prison et je suis restée sans nouvelles de lui pendant quatre mois, jusqu'en novembre. Il était au Pénitencier Modèle de l'île des Pins. Je lui ai fait parvenir le même repas de jambon à l'ananas, préparé par les mêmes mains. C'était une façon de lui dire que j'étais toujours à la maison.

« Puis j'ai eu une autre idée, peut-être parce que je me mettais à la place de cette femme : j'ai écrit une petite lettre anonyme à Lina, la mère de Fidel. C'est de là que vient ton nom : A Lina. Attends, je vais te la montrer.

Elle se leva et flotta jusqu'à sa chambre. Elle revint avec une boîte pleine de babioles d'où elle sortit trois paquets de lettres attachées avec des rubans de différentes couleurs.

– Celles-là sont mélangées. Celles-là sont de Raúl. Et voilà celles de Fidel.

Elles étaient liées par un ruban orange clair et, ce jour-là, j'ai su que l'amour est de cette couleur qui se fane au lever du jour.

Bien sagement assise et émerveillée par ce conte de fées héroïque j'aurais voulu que ce moment soit éternel. Je comprenais pourquoi elle était parfois déboussolée dans la vie. C'était sûrement très dur pour elle de se rappeler tous ces événements du passé.

La Fée se mit à lire : « Je prends la liberté de vous écrire ces quelques lignes parce que je sais que vous vivez des moments tristes et angoissants, et je pense que des mots d'encouragement vous aideront peut-être à vous sentir plus résignée mais aussi plus fière de votre Fidel. Je ne sais quelle aura été votre réaction à son égard, mais je suis sûre que fidèle à votre habitude vous ne lui aurez pas refusé l'appui moral et affectif que seule une mère peut offrir dans de si tristes circonstances. Bien que je ne vous connaisse pas, ni ne connaisse votre époux ni Myrta et les autres garçons, je ne vous oublie pas. »

– Début novembre, j'ai reçu une lettre de lui, censurée. Tu ne savais pas que les lettres des prisonniers sont lues avant d'être envoyées ? Je l'ai encore. La voilà :

Chère Naty,

Un tendre bonjour depuis ma prison. Je me souviens fidèlement de toi et je t'aime. Bien que je n'aie pas de nouvelles de toi depuis longtemps.

Je garde et garderai toujours l'affectueuse lettre que tu as envoyée à ma mère.

Si tu as eu à souffrir par ma faute de bien des manières, sache que je donnerais avec joie ma vie pour ton honneur et ton bien. Les apparences aux yeux du monde ne doivent pas nous importer, ce qui compte c'est ce qu'il y a dans nos consciences. Certaines choses sont éternelles, comme les souvenirs que j'ai de toi, ineffaçables, qui m'accompagneront jusqu'à la tombe.

A toi toujours.

Fidel

« Ainsi a commencé un échange de lettres magnifiques, Alina. C'étaient comme des colombes indociles qui apportaient joie et paix à l'un et à l'autre. Ecoute celle-là :

Je réponds immédiatement à ta dernière lettre bien que celle-ci ne puisse partir avant lundi, c'est mieux ainsi, je te dis ce que je ressens, sans réfléchir et sans mettre tout cela en ordre, spontanément, encore sous l'impression de tes idées heureuses et du charme toujours renouvelé de tes paroles... Aujourd'hui, j'ai envie de t'écrire librement et j'étouffe de ne pouvoir le faire. Ces lignes naissent prisonnières comme celui qui les écrit et elles rêvent de se libérer. Je ressens peut-être cette limitation avec plus de force que d'autres fois, parce que je me souviens de ces jours où triste, angoissé et mortifié par quelque chose, je me rendais chez toi où mes pas me conduisaient inconsciemment et j'y trouvais le calme, la joie, la paix intérieure...

Dans l'ambiance invariablement accueillante de ta maison [...] je troquais en moments joyeux et animés, en présence d'une âme pleine de vie et de noblesse, les heures d'abattement et de peine que nous font vivre si souvent les vilenies de l'espèce humaine [...] Naty, quelle formidable école que cette prison! Ici, j'achève de forger ma vision du monde et je complète le sens de ma vie. Je ne sais si elle sera longue ou brève, si elle sera fructueuse ou vaine. Mais je sens se renforcer mes convictions de sacrifice et de lutte. Je méprise une existence agrippée aux bagatelles misérables du confort et de l'intérêt. Je ne regrette pas mon sort, ni mes camarades, chacun d'eux a sacrifié le petit monde de sa vie personnelle pour le grand monde des idées. Un jour, nous nous rappellerons avec joie les heures d'angoisse : demain, quand les nuages se dissiperont et que le soleil se lèvera, les morts monteront à leur place d'honneur et on entendra, comme un coup de tonnerre dans le ciel de Cuba, le battement de leurs ailes. Tu vois comment finit le papier et comment ta lettre intéressante à chaque paragraphe, à chaque ligne, reste sans réponse? Je te promets de le faire rapidement dans une autre [...]Je ne voudrais pas que les lettres que tu m'envoies deviennent pour toi source de migraine, c'est pourtant l'impression que j'ai à en juger par les moments et les lieux où tu les écris.

Le censeur qui lit notre correspondance est un jeune homme aimable, distingué et instruit, telle est l'idée juste et désintéressée qu'il m'inspire.

Cette lettre arrivera-t-elle le jour de Noël? Si tu es vraiment fidèle, ne m'oublie pas pendant le dîner, bois un verre en pensant à moi et je t'accompagnerai, car celui qui aime n'oublie pas.

Fidel

« Je suis devenue ses yeux et ses oreilles hors de la prison. Je m'efforçais de lui faire parvenir toute la saveur de la vie : du sable d'une plage, un kaléidoscope pour introduire un peu de couleur dans cette ombre grise que doit être une cellule. Lui, il collait sur une lettre l'aile d'un papillon égaré. J'essayais de lui faire passer le temps. Je l'incitais à réfléchir et à s'ouvrir, comme fait

76

un maître avec un bon disciple ou une mère avec un fils immobilisé par une longue maladie. Je lui lançais des questions, lui envoyais une sélection de lectures choisies avec soin et le mettais au défi de les commenter. Tiens, voilà ce qu'il me répondait :

Tu me demandes si Rolland[1] *aurait été aussi grand s'il était né au XVII*ᵉ *siècle. Crois-tu que j'aurais écrit ces lettres si je ne t'avais pas connue ? [...] La pensée humaine est indéfectiblement conditionnée par les circonstances de l'époque. S'il s'agit d'un génie politique, je me risque à affirmer qu'il dépend exclusivement d'elle. A l'époque de Catilina, Lénine aurait été tout au plus un ardent défenseur de la bourgeoisie russe ; si Martí avait vécu lors de la prise de La Havane par les Anglais, il aurait défendu, avec son père, le pavillon espagnol ; qu'auraient été Napoléon, Mirabeau, Danton et Robespierre au temps de Charlemagne sinon d'humbles serfs de la glèbe ou des habitants ignorés de quelque obscur château féodal ? Le franchissement du Rubicon par Jules César n'aurait jamais eu lieu les premières années de la République, avant que ne s'accentue l'intense lutte des classes qui bouleversa Rome et que se développe un grand parti plébéien, rendant nécessaire et possible son accession au pouvoir [...] Sur ce sujet, j'ai toujours été curieux de savoir pourquoi les révolutionnaires français avaient tellement subi l'influence romaine, jusqu'au jour où lisant, pour toi, l'*Histoire de la Littérature française, *j'appris qu'Amyot, écrivain français du XVI*ᵉ*, avait traduit de l'anglais* La Vie des hommes illustres *et les* Œuvres morales *de Plutarque, dont les souvenirs des grands hommes et des grands événements de la Grèce et de Rome, deux siècles plus tard, servirent de référence aux protagonistes de la Grande Révolution. Mais ce qui paraît évident pour le génie politique ne l'est pas autant pour le génie artistique. Je m'en remets à l'opinion de Victor Hugo. L'infini vit dans le poète et dans l'artiste. Et c'est l'infini qui donne à ces génies leur grandeur irréductible. Cette part d'infini qu'il y a dans l'art est étrangère au progrès. L'art peut avoir, et a, des devoirs envers le progrès ; mais il ne dépend pas de*

1. Romain Rolland.

*lui. Il ne dépend d'aucun perfectionnement de l'avenir,
d'aucune transformation de la langue, de la mort ou de la
naissance des langues. Possédant en soi l'incommensu-
rable et l'innombrable, l'art ne peut être dominé par
aucun autre domaine et il est tout aussi pur, tout aussi
complet, tout aussi sidéral, tout aussi divin en pleine bar-
barie comme en pleine civilisation. C'est le beau, variable
selon le caractère des génies créateurs, mais toujours égal
à lui-même. Suprême !*

*Rolland aurait pu naître un demi-siècle avant et être
aussi brillant que Balzac et Victor Hugo ; et un demi-
siècle plus tôt stimuler le caractère de Voltaire, bien que
défendant des idées distinctes de celles de ce siècle, de la
même manière que je dirais d'autres choses si j'écrivais à
une autre femme...*

Seigneur... Quelle histoire ! Moi, à vrai dire, je n'avais
pas besoin d'une telle torture lyrique pour deviner
qu'elle insinuait qu'ils avaient été très amis, mais elle,
rien ne l'arrêtait à cette époque, si bien que je me mis à
dodeliner de la tête de sommeil et d'ennui, et depuis
cette nuit-là je ne peux plus lire les lettres de prison du
Commandant, et il y en a tout un tas. En plus, après tant
de fioritures poétiques insurpassables, comment la Fée
allait-elle prendre mes pleurnicheries à propos de mon
misérable petit poème ? Depuis, j'ai la poésie constipée.

Je regardais avec une espèce de *panicus cuncti* le tas
de lettres de Fidel qu'elle était prête à me lire, quand
elle changea de paquet et ouvrit celui des lettres mélangées. La meilleure poésie était donc à venir et cette fois
la création venait d'elle :

Cher Fidel,
*Je t'écris encore sous l'effet de la très agréable et douce
impression de tes quatre dernières lettres. Comme j'aimerais avoir plus de temps et l'esprit plus libre pour
répondre, comme tu le mérites à chacune d'entre elles ! Je
me sens vraiment très petite devant le cadre monumental
qui enferme ta pensée, tes idées, ta tendresse, tout ce que
tu sais, et surtout parce que plus monumentale encore est
la manière flatteuse et généreuse avec laquelle tu veux et*

*parviens à partager tout cela avec le plus grand naturel.
Tu me conduis par la main à travers l'Histoire (avec un
H majuscule, comme Homme et Humanité), la Philosophie, la Littérature; tu m'offres tout un trésor de sentiments et de principes; tu m'ouvres de nouveaux, inexplo-
rés et insoupçonnables horizons, et, surtout, tu veux me
faire voir que derrière tes idées et tes actes se trouvent un
homme et une conscience. Non, Fidel, toute cette richesse
est en toi et tu ne la dois à personne; tu es né avec elle et
elle mourra avec toi. Que tu veuilles et saches la partager,
cela est à part. Je ne serais pas sincère si je ne te disais
pas que cela me rend très heureuse que tu sois ainsi et
que ce serait pour moi un motif de fierté que tu ne
changes jamais.*

Toujours tienne,
Naty

Fin? Non. Jamais. Il manquait encore quelques détails.
Elle s'était occupée de Myrta, l'épouse, et du petit Fidelito afin qu'ils ne manquent de rien pendant que Fidel
était en prison. Sa surprise allait être de taille quand le
très censurant et très honnête *gentleman* Miguel Rives,
crevant d'ennui dans le pénitencier de l'île des Pins
(célèbre pour ses perruches criardes et ses pample-
mousses acides), et lassé de tant d'acidité, de prisonniers
et d'oiseaux bavards, imagina une façon de se distraire
en intervertissant les lettres censurées, de sorte que
Myrta reçut celle qui était destinée à la Fée et vice
versa. Myrta appela la Fée en l'insultant, réclamant sa
lettre, qui lui fut restituée par retour du courrier sans
être ouverte; mais les sentiments étalés dans ces pages
étaient tels que l'épouse en éprouva une immense tristesse et la fit lire à ses proches.

Et comme l'honneur de la Fée était en jeu, celle-ci
arrêta le flux épistolaire, l'envoi de livres et autres man-
dats, et prit sa plume pour écrire à papa Orlando, car les
choses sont plus faciles à dire par écrit, lui expliquant
que bien qu'il ne se fût encore rien passé, elle était raide
amoureuse de Fidel.

Elle continua à me raconter que Fidel fut amnistié et
qu'à peine sorti de prison il alla la chercher au bureau

parce qu'il ne restait que quelques jours à La Havane avant de partir en exil au Mexique. Qu'il l'emmena dans un appartement que la tante Lidia Perfidia avait loué au Vedado mais que, ne pouvant y être seuls, Perfidia leur loua l'appartement voisin, où ils se retrouvèrent fréquemment entre mai et juin.

Et c'est comme ça qu'elle fut enceinte de moi.

Elle resta, me dit-elle, sept mois couchée, parce qu'elle ne voulait pas me donner le jour avant terme. Pour se distraire elle dépouillait la presse pour Fidel et découpait des bestioles dans du papier japonais. Origami, je crois. Elle dit qu'elle avait vécu la meilleure époque de sa vie.

– Quelques jours après ta naissance, j'ai envoyé à Fidel, qui se trouvait déjà au Mexique, une photo de toi et un ruban de tes premiers vêtements. Il paraît que cela l'a rendu heureux et sentimental, et il t'a envoyé ces petites boucles d'oreilles que tu as perdues à Paris, et pour moi des babioles en argent avec un petit mot où il disait sa joie. Puis je suis retournée au travail et les messages de Fidel se sont espacés, tandis que courait la rumeur de sa liaison avec une certaine Isabel...

Et au rappel aigu de la trahison, les yeux verts de la Fée s'embuaient d'un désarroi aussi réel que celui qu'elle avait alors éprouvé.

– Je ne pouvais pas partir avec toi au Mexique et abandonner Natalie. Et lui ne pouvait pas s'occuper d'une femme et de son bébé, alors qu'il était sur le point de monter à bord de ce yacht déglingué avec lequel il voulait débarquer à Cuba. Je n'ai eu aucunes nouvelles jusqu'en février 1957. Quand il m'a envoyé en cadeau deux balles de calibre 75, il était déjà dans la Sierra Maestra.

Lorsque la Fée eut terminé son conte de fées, je dus remettre en place mes deux mâchoires qui s'étaient décrochées. Comment aurais-je pu la punir de ses dissimulations alors qu'elle venait d'un coup de baguette magique de me transformer en princesse ? Personne n'a reçu un tel cadeau à l'âge de dix ans !

– Maman, maman, appelle-le. Dis-lui qu'il vienne tout de suite. J'ai tant de choses à lui dire !

Oui, j'avais un tas de choses à lui dire, qu'il arrange

cette affaire de manque de vêtements et de tout, et qu'il y ait de nouveau de la viande avec le carnet. Et qu'il nous rende Noël. Et qu'il vienne vivre avec nous, parce qu'on avait besoin de lui.

– Je ne sais pas où le joindre, Alina.

– Alors, fais-lui dire que je suis très malade, que je vais mourir ou quelque chose comme ça.

– Je ne peux pas. Je lui ai déjà envoyé beaucoup de messages et c'est pareil. Il ne vient pas. Mais toi, si tu veux, tu peux lui envoyer un petit mot, et tu y joins ton poème. J'essaierai de le lui faire parvenir.

La Fée transcendait son espace sidéral pour se transformer en mère, et je ne sentis pas le poids de l'incompréhension avec laquelle j'allais la regarder plus tard. Elle avait l'air d'une petite fille fatiguée, assise là, les épaules courbées par le poids de ses confidences et de sa propre histoire, mais avec un moral haut et bien droit.

J'entamai sur-le-champ une carrière d'épistolière. Le lendemain, les confrontations commencèrent.

– Ivette, mon papa c'est Fidel.

– Je le savais, mais maman m'a fait jurer de ne pas te le dire.

Ah! Comme l'amitié est parfois douloureuse quand elle cache des choses.

– Grand-mère, maman m'a dit que Fidel est mon papa.

– Ah, bon? Ça c'est une nouvelle!

– Tata, mon papa c'est...

– Elle te l'a dit? Elle aurait mieux fait de garder ce maudit secret pour elle. Ça a fait bien du mal et maintenant c'est sur toi que ça retombe...

Quelle histoire en faisaient mes deux mères! Je me souviens encore du foin que fit Tata.

Qu'elle quittait la maison et tout!

Comme Fidel ne répondit pas à ma lettre avec le poème, je lui en envoyai une autre avec le chausson de satin vert du déguisement de grillon, qui m'était trop petit maintenant. Korda, le photographe, prétendit que Fidel avait été très ému, mais il n'envoya pas un mot, pas un seul « merci ». Je continuai à écrire : des lettres de petite fille douce, de bonne petite fille, de petite fille d'avant-garde à l'école, de petite fille courageuse et triste. Des lettres d'amante secrète et offensée, enchaînées de rubans.

Mais impossible de l'arracher aux vaches pour le rendre à ma mère.

L'unique signe du Commandant tarda plusieurs mois et arriva en la personne de Pedro Trigo. Pedro *Intrigo,* comme je l'appelais, était un héros de la geste de la Moncada et le directeur de Cubana de Aviación. Il était tout couturé comme si son corps avait été vidé et rempli de sciure.

Je devais appeler oncle ce père délégué.

Un soir, je fus vêtue de mes meilleurs habits et chaussée des seules chaussures que j'avais. Je devais aspirer à devenir impératrice du Japon, car depuis trois ans j'avais les mêmes chaussures aux pieds, le carnet ne permettant pas d'obtenir ma taille.

Pedro *Intrigo* exultait et maman avait le regard perdu dans un vieux rêve et un sourire dessiné par un peintre préraphaélite.

– Fidel vient te chercher pour que tu le voies jouer au basket.

La belle affaire !

Il était plus de dix heures du soir. Je n'avais pas pu voir les *Aventures du Corsaire noir* à cause de Fidel qui avait fait un discours jusqu'à neuf heures et demie. Il n'avait pas répondu à mes mille et une lettres et ignorait les messages de ma mère. Je n'aime pas le basket, Tata était partie et il n'y avait personne pour m'aider à me défendre, je montai donc dans l'Alfa Romeo.

Oncle Pedro me conduisit à travers les secrets fascinants des vestiaires de la Cité des Sports et me fit asseoir au premier rang de la tribune présidentielle. Les spectateurs pouvaient se compter sur les doigts d'une main, mais, cachés par les gradins, il y avait une quantité de gorilles, les policiers de la Sécurité d'Etat.

L'équipe du bureau politique allait jouer contre l'équipe nationale de Cuba.

Soudain, les projecteurs illuminèrent le terrain. Une

collection de statues d'ébène, de dieux bantous, noirs, rutilants et parfaits, en short et maillot, s'avancèrent en saluant le public inexistant. Ils se regroupèrent sur un banc et j'étais déjà exaltée lorsque commença un spectacle complètement différent : trottant en file indienne, Fidel en tête, firent irruption sur le terrain des types gras et pâles qui foulaient le sol avec la grâce des ours du Cirque de Moscou.

Heureusement, ils ne portaient pas de short mais un pantalon à l'exemple de leur commandant. Malheureusement ils ne portaient pas de maillots.

Ils se mirent à trottiner afin de s'échauffer, en faisant gigoter leurs chairs flasques.

Celui qui me fascinait le plus était le plus grand d'entre eux, plus grand encore que Fidel, à cause de ses gros seins pendants, proéminents et agressifs, terminés par deux mamelons énormes et foncés.

– Oncle Pedro, qui c'est le frisé grisonnant avec le nez pointu ?

– Llanusa, le ministre de l'Education. Le chef de toutes les écoles de Cuba.

– Oncle Pedro, on peut s'en aller ?

– Allons donc ! Le Commandant n'a pas encore réussi un panier, dit-il en me faisant un clin d'œil.

Je n'ai jamais vu un jeu aussi bizarre. Ceux de l'équipe nationale, au lieu de prendre la balle à ceux de l'équipe Gélatine, la leur mettait dans les mains. Quand c'était Fidel qui courait pour marquer un point, les Noirs s'écartaient comme les eaux devant Moïse. Et s'il réussissait le panier, ils l'applaudissaient et criaient « Viva ! Viva ! ».

Pour patienter, je me gavai de limonades et il devait être plus d'une heure du matin lorsque Pedro m'entraîna au pas de course et me fit asseoir sur le lit de camp d'une infirmerie où Fidel entra peu après et se conduisit comme si je faisais partie du mobilier. Trois heures à regarder tout cela, avec les pieds serrés dans des instruments de torture, et à retenir mon envie de faire pipi. J'étais indignée.

Il n'était pas le même que lorsqu'il venait de bon matin à la maison, et j'avais sommeil. Je n'avais pas l'intention de lui demander des explications pour ses deux années d'absence. Les grandes personnes disent beaucoup de mensonges.

– Comment tu vas ?

– Bien.

– Et comment va ta maman ?

– Bien.

– Dis-lui que l'affaire de ton nom a été réglée avec Yabur, mais que cela va prendre un peu de temps parce qu'il faut changer une loi *juris et de jure*.

Silence de part et d'autre. Je ne savais rien de cette histoire.

– Ta mère a un défaut. Elle est trop bonne. Ne sois jamais bonne avec un homme.

Le Commandant venait de me donner un conseil et je voulais lui faire part d'un diagnostic :

– Llanusa, le ministre de l'Education...

– Oui. Qu'est-ce qu'il a.

– Il a une gynécomastie.

– Il a quoi ?

– Une gynécomastie. Augmentation des glandes mammaires chez l'homme.

– Quoi ?

– Des seins lui ont poussé. Il faut qu'il aille voir le médecin !

Maman n'aimait pas que je sorte du laboratoire mes homoncules colorés, et comme ma poésie était toujours constipée, je cherchai une nouvelle distraction productive, susceptible de plaire à la Fée. Je pris donc une planchette et des pinceaux, et peignis pour elle une femme dans une longue tunique psychédélique, aux longs cheveux noirs et aux bras levés vers un soleil orangé qu'elle essayait de toucher.

– Que c'est beau, Alina. Comment se fait-il que tu peignes si bien ? C'est magnifique. Je vais l'accrocher dans le salon. Pourquoi l'as-tu peinte de dos ?

Quelle question idiote !

– Tu ne vois pas que le soleil est au fond du tableau ? Comment va-t-elle le toucher si je la peins de face ?

Le lendemain, à la première heure, nous étions à la consultation du docteur Elsa Praderes.

– Elsa, voici ma fille. Elle peint des femmes de dos. Regarde ! dit-elle en sortant la planchette d'une enveloppe.

J'expliquai de nouveau les lois de la perspective, les mêmes, que l'on ait dix ans ou à tout âge, et que de toute façon c'était une peinture psychédélique.

– Naty, ce n'est rien de plus qu'une femme de dos.

– Elsa, je connais ma fille et je sais ce que je dis. Occupe-toi d'elle, je t'en prie.

Et, la conscience tranquille, elle partit travailler.

Elsa s'occupa de moi. Elle me fit passer des tests en pagaille et convoqua ma mère pour lui faire part de ses conclusions.

– Cette gosse n'a pas de problème pour le moment. Mais, si tu veux faire quelque chose pour elle, il vaudrait mieux que tu l'emmènes hors du pays. Socialement, elle aura toujours des problèmes d'adaptation.

– Tu te rends compte de ce que tu dis ? M'en aller, moi ? Même les pieds devant, je ne partirai pas ! Depuis mon année à Paris, je me suis jurée que je ne quitterai plus Cuba. Ce serait comme si je perdais tout et que la Révolution continuait sans moi.

Sainte Vierge ! Quand mes tourments prendront-ils fin ? Je ne pouvais plus écrire, je ne pouvais plus peindre et voilà maintenant que j'étais inadaptée !

– Alors tu dois l'aider à être ce qu'elle veut être. Je lui ai fait passer quelques tests d'orientation et...

– Elle va faire des études de chimie. C'est ce que veut son père. Je vais la changer d'école cette année. Elle perd son temps à l'école de danse.

Ah ! miséricorde divine !

– Maman, mais pourquoi ? Pourquoi me faire quitter le ballet ? Je suis seconde en classe... Les mots s'étranglaient dans ma gorge comme si je venais d'avaler un grondin.

– Pour plusieurs raisons, d'abord parce que tu es trop intelligente pour gagner ta vie en agitant tes jambes et puis comme ça, tu seras plus près de mon travail.

Et pour me consoler de tant de mésaventures et de profonds déchirements, elle me promit de passer une semaine entière, toute seule avec moi. Nous partirions en voyage à l'intérieur de l'île.

Le voyage en question fut un périple épuisant qui nous conduisit – vous ne devinez pas ? – à la ferme de Birán où était né Fidel.

Mais on ne nous laissa pas entrer. C'était devenu un endroit réservé aux seules invitations officielles délivrées par Celia Sánchez.

Maman changea alors de cap et nous passâmes quelques jours dans la maison d'oncle Ramón, le frère aîné du Commandant, sa réplique en version *guajira* [1].

Lui et sa femme, Suli, se lançaient des regards de haine tandis que leurs trois rejetons déambulaient avec ce regard étrange des enfants privés d'amour. Il voulut néanmoins nous souhaiter la bienvenue en chantant et jouant de la guitare.

> *Por alto que esté el cielo en el mundo*
> *por hondo que sea el mar profundo*
> *no habrá una barrera en el mundo*
> *que mi amor profundo no rompa por ti...* [2]

C'est nous qui rompîmes la barrière du son en repartant à La Havane avec deux porcs et trois dindons, sur la banquette arrière de la voiture, qui clamèrent haut et fort leur mécontentement durant les vingt-quatre heures de voyage.

J'étais impatiente d'arriver à La Havane et d'arracher à l'oncle Pedro Emilio, mon terrible et tendre confident, la vérité honteuse que masquait le désamour de cette famille. Voici ce qu'il me raconta au cours d'un de ces après-midi endimanchés de poésie :

– Ramón, il a fallu le marier en quatrième vitesse avec Suli, parce qu'il était tombé amoureux à treize ans d'une Haïtienne dont l'ardente stéatopygie et les liens invisibles du vaudou étaient plus forts que les sortilèges et les rites de ton arrière-grand-mère Dominga. Contre Papa Legba et Baron Samedi, la conga *made in Cuba* reste sans effet.

---

1. Les guajiros sont les paysans blancs de Cuba.
2. Si haut que soit le ciel dans le monde / si profonde que soit la mer profonde / il n'est pas une barrière dans le monde / que mon amour profond pour toi ne puisse rompre...

Ramón s'échappait toutes les nuits pour courir derrière sa négresse. Il revenait le lendemain pâle et amaigri, *deslechaíto* [1], disait Dominga en roulant dans son patois des mots si doux qu'il n'était pas nécessaire de les comprendre pour savoir qu'elle parlait des odeurs de fruit perverti de sa femelle de chocolat.

Et si Ramón vivait à l'autre extrémité de l'île, puni par Fidel et condamné à s'occuper d'une base de camions, c'était parce qu'il n'avait jamais voulu aider son frère rebelle dans la Sierra, mais quand la Révolution triompha, il s'était quand même procuré un uniforme vert olive.

– Je ne l'accuse pas, poursuivit Pedro Emilio, parce qu'on sait bien que j'ai fait pareil. Et j'ai ajouté à l'uniforme quelques galons de capitaine... De toute façon, petite, j'avais demandé à être maire sous l'ancien régime, et comble de tout, j'écris des vers, ce que mon demi-frère considère comme une faiblesse de tapette. Ramón, il finira par lui pardonner, mais moi, il me méprisera toute la vie.

Il se peut que l'envoûtement de la Haïtienne répudiée ait poursuivie l'usurpatrice, car Suli fit plusieurs tentatives de suicide, et quand elle n'avait pas de quoi s'empoisonner, elle se tailladait les veines. Deux de ses enfants s'enfuirent de la maison fous à lier, et Ramón, enfin, lui échappa un beau jour.

Ils vivaient à présent dans une maison de Miramar et Ramón s'occupait des vaches F1, F2 et F3 engendrées par le génie génétique de son frère Fidel. Quand Suli se pendit à la rampe d'escalier, il n'y eut personne pour venir à son secours.

C'est à cause des dindons et des porcs que Ramón, via Mercedes Benz, envoyait à sa sœur Angelita, que mes hormones commencèrent à s'agiter.

Le cousin Mayito était devenu drôlement grand ! Je me passionnai pour ces oreilles décollées, cette longue silhouette élégante, ces yeux gris vert et cette tête aux cheveux ras. Fidel voulait faire de lui un artificier et bien qu'il ressemblât davantage à un personnage du Greco

---

1. Littéralement, pompé de tout son lait.

qu'à un gendarme, il était élève à l'Académie militaire de Belén.

Il était obsédé par sa santé et concoctait des remèdes à base d'iode tannique, d'huile de foie de morue et de composés vitaminiques qui vous laissaient la gorge en feu et l'estomac retourné.

Il utilisait une sorte de pyrotechnie pour nettoyer ses bottes de soldat : il les enduisait d'une espèce de poix qu'il faisait fondre à la flamme d'une chandelle. C'était un être solitaire et tendre, il cachait dans sa chambre l'autel que la grand-mère Lina avait légué à sa fille aînée.

J'assistais au rituel du cirage des bottes et je lui passais les boîtes, les chiffons et les brosses comme une infirmière tend les instruments au chirurgien dans une salle d'opérations. On avalait en duo ses immondes potions médicinales, puis il m'emmenait faire un tour dans une des voitures que lui prêtait sa mère. Nous n'avions pas d'amis ni beaucoup d'endroits où aller.

Ce fut devant l'autel, où étaient alignés en bon ordre et selon leur importance les saints catholiques et leurs cousins yorubas, manifestant leur solidarité syncrétique, que mon cousin Mayito me donna mon premier baiser et voulut m'enfoncer dans la bouche une langue dure comme un dard, tandis qu'un autre dard plus dur encore grandissait dans son pantalon. Mes téguments s'affolèrent, un chatouillement rosé s'insinua sous mon nombril et je mouillai ma petite culotte.

Une terreur atavique s'empara de moi, car tout ce que je savais sur le sexe était qu'Ivette et moi avions des poils hirsutes qui nous poussaient entre les jambes et que pour cette raison nous ne pouvions plus continuer à prendre nos bains ensemble.

Quand j'ai raconté tout cela à Tata, j'ai reçu la seule gifle retentissante dont elle m'ait jamais honorée.

– Si petite et déjà en chaleur ! J'espère vivre assez longtemps pour surveiller ton derrière !

J'avais onze ans, lui dix-huit. Mon premier amour.

Ciudad Libertad est une école tellement immense qu'on y perd son identité dès le premier jour.

1, 2, 3, 4.

1, 2.

Nous marchions le long des avenues interminables.

Le premier jour, une gamine au nez écrasé vint vers moi.

– Je m'appelle Roxana Yabur. Et toi ?

– Alina Fernández.

– Mon père est ministre de la Justice.

C'était la fille de l'homme chargé de me restituer un lignage.

– Ah, oui ? Eh bien, moi mon père c'est Fidel Castro et cela fait plus d'un an qu'il a demandé au tien de faire une loi pour que je puisse changer de nom.

– Fidel Castro, le vrai ?

– Non, idiote. Le faux ! Je m'appelle Fernández parce que ma mère était mariée avec papa Orlando et à cause d'une loi *juris et de jure,* quand il n'y a personne pour reconnaître un enfant adultérin. C'est pour ça que Fidel a dit à Yabur de changer le Code civil, d'en faire un révolutionnaire pour que je m'appelle comme je dois m'appeler et pas comme maintenant.

Roxana ne répondit pas un mot, mais le lendemain toute la classe était au courant, et une semaine après, toute l'école, comme si la nouvelle que Fidel avait une fille se propageait selon une progression géométrique. Les élèves affluaient de tous les coins de cette maudite école, même s'ils devaient marcher des kilomètres, pour venir me regarder dans la salle de classe :

– Eh, t'as vu, il paraît que c'est la fille de Fidel !

– Tu parles ! Une fille du Cheval [1] qui se déplace en bus, sans chauffeur ni escorte ? C'est des bobards !

– Eh, petite, viens par ici. C'est vrai que tu es la fille de Fidel ?

– Oui...

– Et pourquoi tu ne lui demandes pas une paire de chaussures au Cheval ? Tu ne vas plus avoir de semelles bientôt !

– Eh, ma vieille, si c'est vrai que t'es la fille de Fidel, dis-lui qu'il nous donne à bouffer, allez !

– Ta mère, elle est mariée avec Fidel ?

– Et pourquoi tu n'as pas le même nom que lui ?

– Ce qu'il y a, c'est que le Cheval a dû baiser la mère sans être marié avec elle.

---

1. Surnom de Fidel.

Je rentrais souvent très triste à la maison.

– Grand-mère, qu'est-ce que ça veut dire baiser?

– Où tu as entendu cela, petite? Tu vas voir, cette année les géraniums seront plus beaux. Il paraît qu'il faut les arroser avec de l'urine de femme enceinte. Pas besoin de chercher bien loin. Avec la moralité des domestiques d'aujourd'hui!

Lala Natica faisait toujours d'étranges associations d'idées.

– Maman, qu'est-ce que ça veut dire baiser? A l'école...

Il fallait lui parler à voix basse car la secrétaire était en train de rêver à sa troisième progéniture et dormait sur le canapé du bureau.

– Tu me raconteras plus tard, mon amour. Je dois sortir tout de suite pour aller à une réunion du Parti.

– Tata, qu'est-ce que c'est baiser?

Tata me regardait avec sa lucidité silencieuse. Je finis tout de même par savoir:

– Tota, tu sais ce que ça veut dire baiser?

– Idiote, va! C'est bon, c'est très bon! Du moins c'est ce que dit maman à papa quand au lieu de dormir ils se mettent à entrer et sortir la chose. C'est comme ça qu'on fait les enfants, grosse bête!

Chaque jour je me levais pour aller au calvaire, mais heureusement, les nouveautés ne durent jamais très longtemps, ou deviennent une habitude.

La fille de Yabur devint ma meilleure copine. On étudiait nos leçons ensemble, dans sa grande maison avec court de tennis dont bénéficiait son père pour son rang de ministre. Iccon, la grand-mère libanaise, fut ma maîtresse de danse du ventre. Elle nous apprenait des mots arabes tout en nous décousant les hanches au moyen de jongleries qui, disait-elle, nous serviraient à d'autres étapes de notre vie.

Cette année-là, le Che fut tué en Bolivie et une tristesse orchestrée plongea l'île entière dans un deuil militant, ponctué de veillées obligatoires et solennelles place de la Révolution, d'odes funèbres et de musiques de martyrologe.

La photo du Guérillero Héroïque, prise par Korda, fut

accrochée sur tous les murs de la planète et le Commandant s'arracha à ses méditations sur la génétique bovine pour diriger avec succès une des campagnes publicitaires les plus réussies du siècle.

Il annonça que les mains coupées du Che – et son masque mortuaire –, arrivées dans une glacière à La Havane, allaient être disséquées, embaumées et exposées au musée de la Révolution. L'idée était infâme, j'avalai mon orgueil et lui écrivis une mille et deuxième lettre, lui demandant d'enterrer les mains et de garder le masque.

La fureur bovine disparut subitement des écrans de télévision et fut remplacée par une autre fureur beaucoup plus futuriste : la formation de l'Homme Nouveau.

Cuba était le bouillon de culture de ce germe du progrès universel et l'école sa marmite.

Le succès de la mort du Che rendit à Fidel le bagout et l'énergie pour passer des heures sous le soleil et la pluie, place de la Révolution, à expliquer aux élèves des écoles cubaines qu'ils devaient poursuivre le rêve de l'Apôtre Martí qui était le même que celui du Che. Applaudissements.

Et que les nouvelles écoles avaient besoin d'un plan quinquennal, mais qu'avec la contribution du peuple, en heures de travail volontaire, se réaliseraient bientôt dans les champs de notre patrie les rêves de l'Apôtre et du Guérillero, et que les étudiants y vivraient et y travailleraient, afin d'apprendre dans leur chair ce qu'est le sacrifice des paysans et des pauvres de la terre entière...

Et les gens applaudissaient et criaient : « Viva ! Viva Fidel ! »

Tandis que le reste de la planète entrait dans l'ère du Verseau, se laissait pousser les cheveux, évasait ses bas de pantalons et réduisait le plus possible la longueur des jupes, fredonnait les chansons des Beatles, accrochait le portrait du Che sur les murs, et que les jeunes faisaient un effort sans précédent pour communier dans l'amour, nous, nous marchions au pas cadencé, tout ce qui était en anglais était interdit, les garçons devaient montrer qu'ils en avaient dans le pantalon, les policiers leur rasaient la tête s'ils osaient sortir avec les cheveux longs, pourtant bien moins longs que les tignasses des hommes du triomphe de la Révolution, et s'ils recommençaient, on les condamnait à une peine de travaux forcés dans les camps de la UMAP, les Unités militaires d'appui à la production, où étaient envoyés les homosexuels, les artistes et les curés. Et quand ils en sortaient, ils n'étaient plus les mêmes.

Un matin, le cours d'anglais de la *teacher* Ananda fut interrompu pour que nous inscrivions sur une liste nos tailles de chaussures et de pantalons.

La même semaine on nous remit une paire de brodequins de coupeur de canne, vêtements de rechange gris Mao et un chapeau.

Même taille pour tous, parce qu'on ne pouvait pas faire de distinctions stylistiques parmi tant d'élèves qui avaient le privilège de devenir des Hommes Nouveaux.

Nous rentrâmes chez nous avec une liste de recommandations et une convocation matinale : nous partions pour les travaux des champs : l'Ecole à la campagne.

Avec nos valises en bois renforcé et fermées par des cadenas, qui témoignaient de la créativité populaire, une couverture, des draps, des claquettes en bois et un seau métallique pour la toilette, nos chers parents nous accompagnèrent jusqu'au seuil de cette nouvelle expérience, et je me souviens encore avec émotion de mon seau d'aluminium, sur lequel maman avait fait graver mon nom, qui se détachait des autres par le brillant de son blason : personne ne put me le voler.

Entassés dans des bus scolaires antédiluviens, mutants sur le point de devenir une espèce baptisée « Avant-garde », nous partions stimuler les fécondes zones oniriques de notre Apôtre Martí et de l'Apôtre Guérillero.

Les garçons allaient couper la canne à sucre et les filles s'occuper de toutes sortes de tâches. Nos parents comme nous-mêmes ignorions notre destination. Deux générations entières se retrouvaient en pleine incertitude.

J'étais en train de faire un cauchemar apocalyptique quand je fus réveillée par le cri séculaire des voyageurs : « On est arrivés ! On est arrivés ! »

Nous étions devant un baraquement en bois et au toit de palmes. A droite, des cahutes semblables à celles que les Makarenko avaient dressées dans les jardins de Miramar : les latrines. Une clôture de barbelés et un portail en fer délimitait la grisaille sinistre de l'ensemble.

On nous fit mettre en rangs par ordre alphabétique avant de pénétrer dans cet antre lugubre et d'y occuper un lit : des litières avec de la toile de jute clouée sur des troncs, séparées de cinquante centimètres les unes des autres.

Quand je me rendis compte que dans ce dortoir allaient ronfler et puer plus de mille personnes alignées en dix rangées pendant deux mois et demi, j'en eus le vertige.

– Heureusement que le pauvre Martí est mort.

– Qu'est-ce que tu as dit ? demanda la secrétaire de la Jeunesse communiste.

– Heureusement que Martí est mort pour qu'on puisse connaître un jour cette merveille...

Moi, quand on m'obligeait à faire un voyage que je n'avais pas souhaité, j'attrapais cette maladie de l'inadaptation, et j'eus à peine vu le trou dans le sol où on faisait ses besoins, et les deux rondins sur lesquels on se tenait sur la pointe des pieds pour ne pas patauger dans la fange accumulée par des centaines d'individus, que je fus prise de ma petite toux familière qui ne tarda pas à se transformer en bruits rauques et sifflants bientôt accompagnés par une fièvre de cheval.

Et pour couronner le tout, le bruit courait qu'un monstre pervers rôdait la nuit et pinçait violemment les tétons des gamines qui se levaient pour aller uriner. Terrifiées à l'idée de rencontrer la Grande Gouine, nous vidions nos vessies comme des cruches dans tous les coins. Ah ! Les effluves de la puberté.

Avant le chant du coq, les lanternes étaient allumées et en moins de dix minutes nous étions rassemblées en rang d'oignons.

Un petit halo de buée froide nimbait nos bouches quand nous criions le slogan du jour.

J'avais troqué la Vierge Marie contre ma Fée, à laquelle je demandais chaque nuit une apparition miraculeuse. Elle avait le temps et une voiture pour faire, en fin de semaine, les dix-huit heures de route jusqu'au lieu de mon infortune mais, étant donné que les humbles ne pouvaient se déplacer qu'à pied, elle m'avait dit :

– Il vaut mieux que je ne vienne pas te voir dès le premier dimanche, sinon tes petites camarades vont se sentir mal et te considérer comme une privilégiée.

C'était juste. D'autant que les privilèges, je ne sais pas pourquoi, se remarquent davantage chez moi.

Si bien que j'attendis impatiemment sa visite en remplissant et portant sans compter tous les cageots de tomates qu'il fallait pour devenir un Homme Nouveau, et ce malgré mon cœur qui battait à tout rompre de façon menaçante et l'air qui envahissait mes poumons par rafales capricieuses.

Jusqu'à ce qu'un dimanche le miracle se produise et que ma star d'Hollywood descende de la Mercedes habillée en milicienne.

Quand je la vis sans Tata, mon courage s'effondra. Il n'y avait donc aucune force humaine capable de m'arracher à cet enfer de promiscuité.

– Maman, je t'en prie, au nom de tous ceux que tu aimes. Au nom de Dieu ! De Fidel ! De Lénine ! Sors-moi d'ici ! la suppliai-je en respirant avec un bruit de forge et une voix de boulanger bulgare.

– Non, mon amour. Tu sais trop bien que tu dois rester ici avec tes petites camarades. Et me faire plaisir en devenant un élément d'avant-garde. Regarde, Tata t'envoie un petit bifteck qu'elle a congelé pour toi la dernière fois qu'on a eu de la viande. Et je t'apporte deux pains grillés et une boîte de lait condensé qui te dureront une semaine. Et un paquet de gofio.

Mais je transformai sa visite en séance de prières.

– Si tu continues à te plaindre, je m'en vais tout de suite ! s'exclama-t-elle.

Et elle me laissa dans ce désespoir d'être abandonnée que seuls les enfants ressentent aussi intensément.

Je me consacrai donc à être un élément d'avant-garde, car je ne transige pas avec les promesses. Je finis par confondre le sommeil et la veille et j'allais de plus en plus mal. J'eus bientôt le cou et le visage couverts de cloques démoniaques.

On m'emmena voir le médecin de la polyclinique. Le jeune homme marqua peu d'intérêt pour mon érudition en matière médicale :

– Ecoutez, lui dis-je, j'ai un point de côté dans le vortex du poumon droit et de l'arythmie cardiaque accompagnée de tachycardie et de dyspnée.

Il me renvoya de toute urgence à La Havane, de peur que je contamine le contingent entier avec mes cloques faciales.

Le soleil déversait des bouillons de chaleur dans le ciel de la mi-journée lorsque mon accompagnatrice me remit dans les bras de Tata, le cœur battant la chamade et l'envie de vivre au plus bas.

J'eus aussitôt une rencontre passionnelle avec mes toilettes de porcelaine blanche, l'immaculée conception des besoins civilisés.

– Tata, j'urine du sang !

– Pas possible ! Tu n'aurais pas les Lunes ? Mais, non. Les Lunes ce n'était pas encore, du moins d'après la note écrite de sa main que j'avais découverte dans le tiroir du bureau et qui disait. « Le 11 novembre 1965, Alina est devenue une demoiselle. »

– Tata, je crois que je vais mourir.

Et Tata appela ma mère au numéro réservé en cas d'urgence et lui répéta ce que je venais de dire, mais maman arriva assez tard dans la soirée, car elle ne croyait pas à la mort, elle qui avait survécu à la gastroentérite, à la brucellose, à l'appendice perforé et gangréné, à une hépatite galopante, à la mononucléose en donnant son sang pour les humbles et même à la morsure à la bouche d'un chien suspect.

Un psychiatre qui était de garde cette nuit-là, dans ce même hôpital où on rafistolait les veines tailladées de la tante Suli, me trouva « nerveuse » et me plongea dans un coma de belladone.

Je sus que j'étais morte lorsque j'ouvris les yeux dans un état de fatigue extrême et vis au-dessus de ma tête le Vieux Tovaritch en personne flottant sur un nuage blanc. J'étais sur le point de m'agripper à sa barbe pour qu'il me fasse descendre des limbes et me ramène à la maison, quand une maman épuisée par l'angoisse m'arracha du lit en une folle étreinte qui faillit déconnecter les perfusions.

Tovaritch était Vallejo, le médecin de Fidel, en uniforme de capitaine de la Sierra sous la blouse, et j'étais vivante, dans une chambre de son service pour étrangers de l'Hôpital National.

– Elle a le poumon droit contracté comme un petit

poing, le foie congestionné, l'estomac dans les nuages, la rate énorme et les reins déglingués. Je vais lui injecter quatre-vingts millions d'unités de pénicilline. Ne t'en fais pas, Naty. Tant qu'il y a de la vie, il y a de l'espoir.

D'être aussi moche à l'intérieur me déplut vraiment beaucoup car, comme dit Lala Natica, « il faut toujours être élégant, même pour mourir », mais je dormis néanmoins paisiblement, convaincue de n'être pas née pour partir avant l'heure, Dieu sait où. Je me réveillai une semaine plus tard.

— Tu as été très mal, Alina. Tu es restée une semaine inconsciente.

— Et Fidel n'est pas venu me voir ?

— Non...

— Pourquoi ?

— Je ne sais pas. Tu n'as qu'à demander à Vallejo. J'ai toujours été bien conseillée.

— Docteur Vallejo, pourquoi Fidel n'est pas venu me voir ?

— Parce qu'il ne sait pas que tu es malade.

— Pourquoi il ne le sait pas ?

— Parce que je ne le lui ai pas dit pour ne pas le tracasser.

— Mais maintenant, tu peux lui dire que j'ai été malade.

— Maintenant moins que jamais, sinon il va me tuer de ne lui avoir rien dit.

Et, imperturbable, il sortit de la pièce.

Les autres revinrent des travaux des champs sans rien de particulier à signaler, à part une jambe manquante, celle de Mario, un camarade de classe, et la perte de phalanges supérieures sur quelques mains.

La jambe était restée sous une charrette renversée sur le chemin des champs de canne ; les phalanges avaient été victimes de la lame de machettes maniées par des mains inexpertes.

Les filles revenaient intactes de l'épreuve et nous retrouvâmes les classes et les défilés dans l'immensité de Ciudad Libertad.

— Il y a des enfants du primaire dans cette école ?

— Il y a de tout ici, maman. Même un aéroport militaire.

– Alors, ta cousine Déborah doit être ici. Pourquoi tu ne la cherches pas? On m'a dit qu'elle est en troisième année.

Déborah était la fille aînée de Raúl et Vilma.

La découvrir fut facile, car non loin de la salle de classe rôdaient ostensiblement des gardes du corps, qui me laissèrent passer dès que je leur eus succinctement expliqué mes liens de parenté et mes problématiques origines.

La fillette était un bon ange de porcelaine, avec une peau délicate et une chevelure d'un blond cendré qui fut son luxe toute sa vie. Nous nous sommes tout de suite plu. Grâce à elle, je découvris la chaleur familiale et je fus délivrée du supplice de la boîte à sardines du bus 22, car elle, son escorte et ses chauffeurs me déposèrent à la maison presque tous les jours.

Si bien qu'au lieu de faire la foire en fin d'après-midi avec mes copains habituels, je filais dès la fin des classes à la recherche de ma petite cousine.

Ils vivaient au septième étage d'un immeuble situé entre le cimetière Colomb et le cimetière Chinois : pour la garde personnelle de Raúl, les morts étaient plus faciles à surveiller que les vivants. Il fallait s'arrêter au milieu de la rue et attendre que l'officier de garde sorte ; il appelait ensuite les illustres habitants de l'immeuble et vous conduisait à un ascenseur qui fonctionnait avec une clé.

Raúl était affectueux et gai. Il avait fait installer une salle de cinéma au premier étage, où pouvaient venir les enfants des gardes, le dimanche matin avant le déjeuner.

– Maman, j'ai demandé à oncle Raúl qu'il t'invite à manger avec moi.

– Ah bon! Et qu'est-ce qu'il a dit?

– Que la table était complète. Mais c'est un mensonge.

– Ne t'en fais pas pour moi. Je sais que Raúl m'aime bien. Je vais te montrer ses lettres. Elle revint avec son coffre-fort miniature. Tiens, écoute celle-là : « Naty, ma petite âme sœur... ».

Et elle me lut une mélopée romantique écrite il y a quinze ans.

Je ne le savais pas encore, mais le pauvre Raúl n'osait rien faire, ni déménager, ni divorcer, ni voir certaines personnes, sans l'autorisation de son frère Fidel.

C'est en attendant l'ascenseur pour monter chez mon oncle que je fis la connaissance de Fidelito, mon demi-frère. Il avait les cheveux frisés d'un jaune paille où se mêlaient des mèches foncées créoles héritées de ses grands-parents. Il était grand et joli garçon, les yeux baissés, et rien que de le voir mon sang se mit à bouillonner là où dorment les pressentiments :

— Tu es mon frère ! Et je me pendis à son cou.

Le pauvre en loucha de contrariété.

Mais il dut se rendre à l'évidence quand les oncles firent les présentations avant de nous laisser seuls pour favoriser le dialogue.

— Il faut que tu saches qu'on a un autre frère.

— Un autre ? Et d'où sort-il ?

— L'histoire est simple : la mère, Amparo, s'est retrouvée avec Fidel, au cours d'un voyage dans la province d'Oriente qui a duré trois jours. Il n'a appris qu'il l'avait mise enceinte que longtemps après.

— Et quel âge il a ?

— Le même âge que moi.

Un voyage de trois jours à Oriente ! Ils n'avaient pas perdu de temps !

— Comment il s'appelle ?

— Jorge Angel. Jorge Angel Castro. Moi... je pars en Union soviétique la semaine prochaine et je n'ai pas le temps de vous présenter, alors je te laisse son numéro de téléphone et tu...

— En Union soviétique ! Qu'est-ce que tu vas faire là-bas ?

— Je vais étudier la physique nucléaire. C'est le vieux qui veut que je fasse ça...

Madre mía ! Ça devait être pire que la chimie.

— Tu pars tout seul ?

— Non, avec trois amis.

— Et pourquoi tu n'emmènes pas ton frère ?

— Il reste ici pour faire des études de chimie, dit-il en m'adressant un de ces petits sourires en coin qui mettent mal à l'aise, comme si on n'était pas grand-chose. Puis il me dit au revoir. — Et n'oublie pas d'appeler Jorge. Quand je reviendrai pour les vacances, on se verra tous les trois. Toi et moi, on se connaîtra mieux en s'écrivant.

Ce jour-là, je revins à la maison avec une tendre colombe qui battait des ailes dans ma poitrine.

– Tata, Tata, j'ai rencontré mon frère Fidelito.

– Ah bon! Comment il est?

– Grand, mignon et il a dix-huit ans.

– Tu lui as demandé s'il avait entendu parler de toi?

– Oui, oui.

– Et alors, pourquoi il n'a pas cherché à te connaître plus tôt?

– Je ne sais pas.

– Fais attention, fillette. Tu n'as pas besoin d'un frère qui ne t'aime pas.

La semaine suivante, Tata mourut.

J'ai pleuré, pleuré, pleuré, plus rien ne comptait. C'était un coup terrible qui me plongea des mois dans un état végétatif, sans me peigner, sans me laver, sans manger, parce que je ne savais rien faire de tout cela sans elle.

Et aujourd'hui encore, lorsque que j'écris ces lignes, mes yeux se remplissent de larmes. « *Son golpes como el odio de Dios; como si ante ellos la resaca de todo lo sufrido se empozara en el alma, yo no sé*[1]. »

Tata Mercedes était ma Rose des Vents.

Hilda Gadea, la veuve du Che, et maman firent à cette époque une même découverte : leur fille était très seule et avait besoin d'une amie.

Si bien qu'un après-midi je trouvai dans le salon d'entrée une petite Chinoise très mignonne, assise avec une dame qui ressemblait à un totem inca, Mère Grenouille Vénérée, ou quelque chose comme ça.

La gamine, c'était Hildita Guevara. Ce n'était pas une Chinoise mais une belle Indienne, avec d'épais cheveux d'un noir satiné, des jambes fortes et bien formées et une impressionnante paire de tétons.

Nous nous regardâmes avec haine et, avec plus de haine encore, nous regardâmes ces mères qui avaient organisé cette corrida privée.

---

1. « Ce sont des coups comme la haine de Dieu ; comme si devant eux le ressac de toute la souffrance se déversait dans le cœur, je ne sais pas. » César Vallejo, *Les Hérauts noirs*.

– Montez jouer dans ta chambre, Alina. Montre tes poupées Barbie à Hildita.

Je faillis m'étrangler. Mes poupées Barbie! Elle pensait que je jouais tranquillement avec mes poupées, alors que je m'enfermais dans la bibliothèque pour fumer la pipe de grand-père Manolo.

Nous montâmes dans ma chambre, où les meubles et les murs portaient les traces de mes transes picturales – avant que la peinture ne fût à son tour constipée – ainsi que des improvisations des peintres psychédéliques et pointillistes.

– Tu veux fumer?

– Et comment!

Je pris une boîte d'Aromas dans le tiroir de la table de nuit et lui tendis les allumettes.

– Merde, c'est des blondes!

Hildita fumait du tabac brun.

Nous devînmes inséparables.

Au début, ce fut une amitié cathartique et triste, nous marchions main dans la main, les yeux voilés par l'abandon de nos pères : le sien, mort sans avoir eu la possibilité de se faire pardonner ses oublis, et le mien, bien vivant mais plus absent que s'il était mort.

La Celia Sánchez de Hilda Gadea était la deuxième veuve du Che, Aleida March, qui accaparait honneurs et privilèges pour les quatre enfants qu'elle avait eus du Guérillero Héroïque.

L'adolescence laisse parfois un souvenir amer. Nous y abandonnâmes sur le seuil notre barda d'angoisse existentielle et reprîmes des forces.

Hilda Gadea finit par jeter son dévolu sur un jeune homme agréable de sa personne et se maria avec lui. Hildita et moi brûlions de tout savoir sur le sexe, histoire d'en finir une bonne fois avec l'innocence. Un après-midi où ils se retirèrent pour « faire la sieste », nous ouvrîmes tout doucement les persiennes de leur chambre afin que le changement de lumière ne les alarme pas.

Je fus chassée de cette maison sans pardon ni retour possible, mais nous restâmes amies à l'extérieur.

J'étais déjà un monument de Ciudad Libertad quand je réussis à me faufiler à l'Ecole de natation. Nous étions une vingtaine de filles qui allions former la première équipe de ballet aquatique de Cuba et si j'étais un peu fâchée avec l'art, tel n'était pas le cas avec le sport.

Des mères saisirent la balle au bond. C'était une occasion unique de se débarrasser de leurs rejetons en les confiant à l'Etat socialiste.

L'école était un paradis culinaire peuplé d'éphèbes bronzés. Les sportifs font partie de la propagande de la Révolution et depuis toujours ils jouissent d'un traitement de faveur. A Cuba, il vaut mieux être champion que ministre.

La communion dans la sueur et la compétition tisse des liens solides.

Nous vivions en fonction de nos cinq heures d'entraînement quotidien : manger, dormir, s'entraîner, manger, dormir. Personne ne se plaignait de Fidel ni de la « situation ».

L'école grouillait de filles et de fils à papa, de fils d'amis à papa, et de certains éléments issus de la campagne, qui étaient reconnaissants de vivre parmi les *happy few* et d'être invités chez eux les fins de semaine.

On était en 1968, la mode était aux cheveux raides et aux silhouettes longilignes.

Qui aurait pu rester mince avec cette nourriture de privilégiés ! Pour les cheveux, c'était plus facile, on les aplatissait au fer à repasser.

Le matin nous devions être belles. Tout était là. Etudier, certes, mais pas trop.

Et, alléluia ! Nous étions dispensées de travail aux champs.

Les mères venaient le mercredi avec un uniforme propre pour terminer la semaine.

Maman enflammait le cœur des joueurs de polo au point qu'ils s'agglutinaient par grappes entières derrière un mur pour contempler sa silhouette. Un mercredi, je devins très nerveuse :

– Ce soir, Fidel vient à la maison, mais je préfère que tu restes à l'école, Alina, parce que je veux lui parler de toi très précisément. De ton problème. Donc, il vaut mieux que tu ne sois pas là, et s'il veut te voir, il n'aura qu'à revenir un autre jour...

– J'ai donc un nouveau problème ? En plus de l'inadaptation ! Des yeux de poisson et de la bronchite allergique ?

101

– Il ne s'occupe pas de toi comme il le devrait ! Voilà le problème. Ce n'est pas nouveau ! Cela fait treize ans qu'il se conduit ainsi.

– Tu sais combien il y en a dans cette école qui ne connaissent pas leur père ?

– Je fais cela pour toi.

Pour moi, j'aurais préféré qu'elle ne fasse rien. Depuis quand Fidel ne venait plus à la maison ? Deux ans, c'est beaucoup pour une femme qui commence à avoir les seins qui tombent.

Pour la première fois, je ne vivais plus sous son ombre. Plus personne ne venait attiser ma culpabilité en me racontant exécutions, expropriations, abus carcéraux et visas refusés, ni quémander maisons, chaussures, hospitalisations, et sorties du pays. Même ma mère avait cessé de sacrifier ses fins de semaine en allant se baigner, avec moi, devant la maison de Fidel au cas où il montrerait le bout de sa barbe. Comme ce jour où elle était sortie de l'eau en criant « Fidel ! Fidel ! Alinaaaa ! », jusqu'à ce que le Commandant nous arrache des griffes de ses gardes du corps affolés et aille nager avec elle.

Je n'avais plus aucun problème. Je ne jouais plus les entremetteuses pour le compte de l'oncle Ramón et de sa nouvelle maîtresse qui m'utilisaient comme messagère, à la grande angoisse de Suli. Au point que même mes cousins fous conservèrent pendant des années une haine tenace à mon égard enfouie sous leur camisole de force.

– Je ne veux pas le voir. Ça ne m'intéresse pas.

Mais les adolescents n'ont pas une volonté bien affirmée.

La nuit suivante, maman était radieuse : un archange à côté du Commandant couché sur mon lit, les bras derrière la tête.

– J'ai été trop occupé ces deux dernières années, dit-il. Le temps me file entre les doigts. C'est très difficile de faire vivre une révolution. Dernièrement, j'ai négocié avec le Japon l'achat de machines frigorifiques et je suis très content. En deux mois tout au plus elles seront installées. Au moins une dans chaque quartier. Comme ça les gens pourront manger une petite glace, avec cette chaleur. Mais ce que j'ai négocié de mieux c'est l'achat d'une usine à gaufres, on va pouvoir en produire dans le pays.

Encore heureux qu'on n'importe pas les gaufres... Je ne l'applaudis pas car nous étions seuls.

– Les Japonais vont aussi me vendre une fabrique de chaussures en plastique avec un niveau de production de mille chaussures par jour. C'est incroyable, tu mets dans la machine une petite boule d'un plastique dérivé du pétrole et il en sort une paire de chaussures avec talon et tout. Pour homme, femme ou enfant. Et on peut faire plusieurs modèles. J'ai eu les machines très bon marché. Je crois qu'on va finir par résoudre le problème des chaussures dans la population.

J'étais sous son charme.

– L'autre nouvelle, c'est que la modification de la Constitution est prête. Le nouveau Code de la Famille entre en vigueur la semaine prochaine, tu pourras donc porter le nom de Castro quand tu voudras. La seule chose que doit faire ta mère, c'est de présenter la demande à Yabur.

Je me voyais déjà à l'école, devant la mer, sidérant tout le monde par cette nouvelle annoncée à contretemps.

Je serais ridicule.

Et je ne pourrais plus répondre : « Non, non. Je ne peux rien faire pour vous. Je vous jure que je ne suis pas sa fille. Mais non. Rien. Pas même une lettre. »

– Je crois que je vais garder le nom de Fernández. Je m'appelle comme ça depuis longtemps et je n'aime pas donner des explications.

Cela lui était égal.

Il partit, laissant deux taches de cirage noir sur le dessus de lit et, dans l'air, la promesse de revenir bientôt.

Jorge Angel, mon demi-frère né à la suite d'un charmant voyage de Fidel en province, avait l'air idiot, il était silencieux et plutôt joli garçon. Mais il m'attendrissait par sa fragilité et sa soumission à Fidelito et à une éternelle fiancée du nom d'Ena Lidia.

Habitué à se déplacer avec barda, fusils et cantines derrière la jeep chaque fois que son frère, le prince héritier, daignait l'inviter à quelque événement officiel, où il restait dans l'ombre sans que nul ne songe à le présenter, il avait une identité flottante et une faible estime de soi.

Fidelito m'envoyait d'aimables et prétentieuses lettres d'URSS, truffées de conseil d'obéissance et de militantisme, avec en post-scriptum d'affectueuses salutations à ma mère. Mais je préférais le frère négligé, effrayé par cette famille bigarrée que je lui présentais peu à peu. Pourquoi Fidelito le tenait-il à l'écart ?

Jorge reçut de ma mère une affection inconditionnelle. Nous devînmes si intimes que son mariage avec son éternelle fiancée fut préparé en détail à la maison. Et nous avions déjà le notaire, les fleurs, la robe de la mariée et le menu arrêté, lorsque tout se gâta.

L'invité d'honneur et témoin du mariage devait être Fidelito, qui revenait au bout de deux ans après avoir avalé le noyau de la physique en Union soviétique. Certes nous avions eu de vifs échanges épistolaires, car je lui avais décrit le Vieux comme un « salaud qui ne s'occupe pas de ses enfants », à quoi il avait répondu par des phrases d'exégète en colère. Je croyais l'incident oublié lorsque Vilma m'appela pour me demander de m'habiller et de me tenir prête parce qu'on allait passer me chercher pour m'emmener à l'aéroport.

Le salon du Protocole était plein quand mon illustre demi-frère fit son entrée, flanqué d'une Russe offusquée qui ne comprenait pas cette réception officielle d'une foule d'hommes vêtus comme les militaires de son pays.

Et moi j'étais là, pareille à un petit chien, frétillant de la queue et langue pendante, m'attendant à être embrassée la première.

Mon demi-frère passa une demi-heure à distribuer accolades et félicitations. Quand tout le monde y fut passé, il se tourna vers moi et me tendit la main.

– Merci d'être venue.

Et ce fut tout.

Avec ce petit sourire méprisant au coin gauche des lèvres. Ce fat se prenait pour le prochain empereur romain.

Les oncles n'avaient pas prévu une telle attitude, et comme ils ne savaient pas quoi faire de moi, ils m'emmenèrent chez eux, où leur cuisinier en toque avait préparé un repas succulent pour tout ce petit monde.

J'avais du mal à digérer mon désarroi et ma surprise. S'il

y a des catastrophes indigestes, celle-ci en était une. Il faut dire que mon plan quinquennal reposait sur l'amour de mes demi-frères.

Arriva le moment des cadeaux. Fidelito offrit des disques des Beatles et de Raphael, son chanteur préféré et le mien, et distribua vêtements et jouets parmi mes cousins, et enfin il s'approcha de moi :

– Toi, je ne savais pas trop quoi te rapporter, alors voilà. Et il me donna un flacon plein de ces essences nauséabondes qu'étaient les parfums russes de l'ère communiste.

J'étais désespérée.

– Maman t'envoie toute son affection. Il lui tarde de t'embrasser pour toutes les belles choses que tu as écrites dans tes lettres. Elle dit que tu seras à la maison comme chez toi, quand tu voudras.

– Dis à ta mère que je n'ai besoin de rien chez elle.

Mon cœur s'arrêta de battre, mais on sait déjà qu'il est résistant. Je me souvins de Myrta et des lettres interverties par le censeur de la prison et je compris que pendant une escale interdite par les principes de la Révolution, mon demi-frère avait eu une entrevue secrète avec sa mère, en Espagne, où était exilé ce membre du consortium de sorcières qui conspiraient contre ma Fée.

Je laissai le parfum sur une étagère de la cuisine et je sortis. Je n'avais pas le courage de rentrer à la maison où maman m'attendait anxieuse de savoir comment s'était déroulée la rencontre.

Debout au coin de la rue, j'attendis le passage hasardeux d'un bus qui m'emmènerait loin. A mes pieds, froissé en un pauvre petit tas, gisait l'espoir piétiné. Je le ramassai et je m'agrippai à la porte du bus 69, enfonçant mes coudes dans quelques omoplates et vissant la pointe du pied droit au marchepied, ce qui était la façon habituelle de se déplacer dans l'île quand il y avait encore des bus.

Jorge Angel appela un soir : ses noces n'auraient pas lieu chez moi. Ce serait dans une maison du Protocole, au Laguito, et Celia s'était déjà chargée de tout.

– Ça me fait de la peine de te dire que Naty n'est pas invitée.

– Ordure ! lui répondis-je.

Ainsi étaient les demi-frères que Dieu m'avait donnés.

L'un était un Fouché en herbe et l'autre le roi des trouillards et des opportunistes.

— Pourquoi tout le monde est contre maman? demandai-je à Mayito, mon cousin adoré.

— Ne t'en mêle pas. Il ne faut pas juger les mères. On les aime, c'est tout. C'est le seul droit qu'on ait sur elles, dit Mayito en remuant doucement ses oreilles.

Je commençai à exercer ce droit d'amour sur la mienne de manière pesante. Si elle était indésirable quelque part, eh bien! moi aussi. Je devins un peu sa mère, car grand-mère Natica était terrible et passait son temps à critiquer sa fille. Elle la traitait comme une attardée mentale, si bien qu'elle ne put jamais inviter des amis à déjeuner à la maison, car Lala se moquait d'eux avec une véhémence et une méchanceté qui faisaient mouche.

J'avais essayé de redonner à maman son vrai rang, mais même Hercule n'aurait pas été assez fort pour vaincre le rejet hargneux dont elle était l'objet. En dépit des camouflets qui lui étaient infligés, elle s'obstinait encore à démontrer qu'elle était une révolutionnaire authentique et que son histoire avec le barbu n'était pas un désir sans lendemain, mais une décision qui l'engageait pour la vie.

Je la voyais de moins en moins, maintenant qu'elle était enfin parvenue à être membre du Parti communiste après avoir surmonté les sombres intrigues de Celia. Elle se réfugiait chaque jour davantage dans ses idées fixes et s'enfonçait dans son rôle d'héroïne, aveugle et sourde aux humiliations et à la duplicité.

Et comme je ne pouvais pas la sauver d'elle-même, je voulus la convaincre d'accepter un de ces postes d'espionne ou de n'importe quoi, dans une ambassade, qu'on lui proposait régulièrement, afin qu'on en finisse avec cette discorde qui n'était pas la nôtre et qu'elle redevienne une femme adorable. Mais elle avait découvert une façon d'être et elle était réfractaire à toute autre façon de voir.

Quant à moi, je décidai de laisser le champ libre à mes demi-frères et à leurs combines, ce qui me libéra des déjeuners dominicaux et de la double morale de cette famille de tordus.

Les manigances de Celia contre ma mère durèrent le

temps que dura la vie de cette femme plus dure qu'un silex, jusqu'à ce qu'un méchant cancer, qui l'attaqua des poumons à la langue, la laisse plus chétive et vermiculaire qu'elle n'avait jamais été.

Mais quand elle mourut, dix ans avaient passé et ma mère était déjà en proie à ses idées fixes.

A en juger par toutes ces mines sereines, les Castro la traitaient beaucoup mieux quand elle était la putain du barbu que quand elle devint l'ex-chérie du Commandant.

Septembre 1968 nous rendit à l'Ecole de natation jolies et bien dodues après de longues vacances sans exercice. Les cheveux et l'uniforme tout frais repassés, nous nous étions levées de bon matin quand le directeur nous apprit la nouvelle :

— Comme le ballet aquatique n'a pas été reconnu sport olympique, nous regrettons de vous informer que l'équipe de cette discipline est dissoute par ordre du ministère de l'Education. Nous vous prions de restituer les maillots de bain, le peignoir en tissu éponge, le bonnet, le pince-nez, les chaussures et l'uniforme scolaire. Vous remettrez tout cela à la responsable du magasin, qui vous donnera un reçu en échange. Après quoi, vous pourrez appeler vos parents pour qu'ils viennent vous chercher !

Et ce fut tout.

Je passai pourtant des épreuves pour rester en natation :

— Vous n'êtes pas physiologiquement adaptée à l'eau, déclara un juge.

— Qu'est-ce qui me manquait pour être « physiologiquement adaptée à l'eau » ? Des branchies ? Des nageoires ? Des écailles ?

Maman était furieuse. Nous allâmes voir le ministre de l'Education, Llanusa.

— Ecoute, Naty, je ne peux rien faire pour la petite. Si elle reste à l'école, on va dire que c'est un privilège parce qu'elle est la fille de Fidel.

— C'est la meilleure de l'équipe, tout le monde le sait. Elle a passé une épreuve de natation fantastique et regarde ce qu'ils disent. Personne n'a jamais entendu pareille explication !

— C'est une explication comme une autre. L'ordre de

107

dissolution de la section vient de moi. Elles ont la réputation d'être mal élevées. Les filles à papa ne sont bien vues nulle part.

– Essaie de trouver une solution. Cette école était ce qui pouvait arriver de mieux à Alina.

– Peut-être... A propos, fillette, comment s'appelle cette maladie que j'ai, d'après toi ?

– Gynécomastie, répondis-je. Augmentation anormale des glandes mammaires chez l'homme. Et j'espère bien qu'elles vont finir par traîner par terre, camarade ministre.

Cela, dit au nom de tous les élèves de mon école prisonniers des fermes de rééducation que ce balourd mamelu leur avait imposées pour leur faire passer le goût des vêtements serrés et des cheveux longs.

Je revins à Ciudad Libertad pleine de révolte et les professeurs finirent par ne plus me laisser entrer en classe.

Je nageai cinq heures par jour jusqu'à ce que je batte un record en brasse papillon et nage sur le dos, et que je gagne le droit de m'entraîner avec la présélection des nageurs. Et comme j'avais déjà mon billet de retour au paradis, le jour de la compétition je ne me présentai pas à l'épreuve.

J'ai toujours été ainsi : quand je suis à un pas du succès, je laisse tomber.

Notre maison commença à se déglinguer. Des galettes de plâtre tombaient du plafond découvrant un enchevêtrement de chevilles rouillées et de tuyaux pourris.

Maman alla trouver un cadre important, capable d'accélérer l'attribution de maisons dans les « zones gelées ».

Le 19 mars, j'avais un rhume carabiné et j'étais en train de déménager l'ancienne chambre du chauffeur, lorsque la planche d'une étagère tomba par terre dévoilant un coffre-fort.

Avant d'avertir ma mère, car elle avait la déplorable habitude de donner tous ses biens à la Révolution et au Socialisme, j'appelai grand-mère Natica, qui avait réussi à sauver tant de lampes et autres trésors familiaux.

Mais elle ne put se débarrasser des employés de la Sécurité qui étaient chargés du déménagement, et elle arriva escortée.

A la flamme d'un chalumeau et à coups de marteau ils violèrent le secret de ce coffre qui s'ouvrit sur la mélancolie des anciens propriétaires de la maison; fuyant le désastre en 1959, ils avaient caché là leurs plus précieux trésors, titres de propriété, argent, bijoux.

Grand-mère voulut garder un poudrier en or repoussé en disant que c'était mon quinzième anniversaire, mais les types de la Sécurité ne voulurent rien savoir.

– A l'aide! A l'aide! se mit tout à coup à hurler Lala. Je crus qu'elle avait une bouffée de révolte et qu'elle se lançait à l'instant même dans une bataille contre les abus du communisme mondial.

A ses pieds, baignant dans un liquide bleu turquoise, gisait un homoncule bleu.

Un des bocaux de mon enfance lui avait échappé des mains.

DEUXIEME PARTIE

La nouvelle maison se dresse à un angle de rue et reçoit la lumière bénie de l'après-midi. Elle est en pierre de taille. Elle a été conçue sans portes intérieures, toutes ses pièces sont ouvertes.

Le jardin rampe jusqu'à la pierre sous la bonne garde des flamboyants. Un jacaranda prie le ciel comme pressentant la fureur arboricide qui allait s'emparer des gens quelques années plus tard.

C'était le jour de mes quinze printemps.

Un messager du Commandant se présenta à la nuit tombée, habillé à son image. Un paysan viril, grisonnant et costaud qui s'appelle Sosa et qui était invariablement porteur de bonnes nouvelles.

– Voici le cadeau du Commandant. Félicitations, petite.

C'était un flacon de parfum qui faisait aussi petite lampe.

Et Fidel? Depuis quand ne venait-il plus à la maison?

– C'est déjà bien qu'il ait répondu, dit maman. Je pensais qu'on ne lui donnerait même pas le message.

Le parfum fut le premier miracle. Le second était une table réservée au Polynésien.

Il restait trois restaurants ouverts à La Havane et une table coûtait des bagarres de rue à coups de poings et de pierres jusqu'à l'arrivée de la police, et après des nuits de queue qui finissaient en frustration.

Je portais un ensemble pantalon et veste en lamé

113

argenté sans manches, à la mode dans les années soixante-dix, selon ma mère, et confectionné par Juana et Lala Natica.

J'avais l'air d'une otarie emballée dans du papier cadeau et j'étais morte de honte, mais je n'allais pas gâcher le plaisir de sybaritisme gastronomique de mes matriarches. Je n'avais personne à inviter. Dans les déménagements et les changements d'école, j'avais perdu mes amis.

Nous montâmes dans la Mercedes Benz, qui était en phase terminale, et prîmes la route 27. Nous formions un étrange trio.

– Eh, jeune homme, le carnaval a commencé? fut la galante allusion d'un type à ma tenue.

Il n'avait pas tort. Nous passons les trois quarts de notre vie à faire des choses ridicules.

Chaque fois que maman « changeait » de travail, je devais changer d'école, afin de n'être pas trop loin.

Cette fois, elle fut mutée au Mincex, le ministère du Commerce extérieur, où elle devint spécialiste du « Geplacea » ou Groupe des pays latino-américains et des Caraïbes exportateurs de sucre. Malgré ce titre ronflant elle se retrouva dans un placard transformé en bureau.

– Mincex, Minfar, Mincul, Minil, Micon ! [1] On dirait des mots vietnamiens ! Même la langue a changé dans cette île, pestait grand-mère Natica.

Et comme si ce n'était pas assez, le Parti lui fit aimablement comprendre qu'elle était obligée de reprendre des études. Elle dut donc se coltiner des cours de licence de langue française pour travailleurs, de sept heures à onze heures du soir tous les jours, alors qu'elle n'était pas loin de la retraite.

Tout cela sans renoncer à ses obligations de déléguée du syndicat.

La vie était devenue pour elle une forêt de majuscules.

La Mercedes Benz émergea du coma bardée de fil de fer et de greffes de Volga et de Moscovitch. Elle était constamment en grève.

1. Ministère des Forces armées révolutionnaires, ministère de la Culture, ministère de l'Industrie légère, ministère de la Construction.

Et comme si tout cela n'était pas assez, son chef la prit en grippe.

Selon les rumeurs qui ne tardèrent pas à parvenir à mes oreilles, maman pleurait d'épuisement dans les rues. Je décidai de prendre l'affaire en main.

J'avais quelques idées.

Je l'obligeai à se reposer une journée.

– Un seul jour, maman, pour l'amour de Dieu ! Je ne t'ai jamais vue manquer un seul jour de travail. Allez...

Et j'allai voler dans les plumes d'Eduardo, ce sale type qui était son chef.

– Elle passe sa vie à faire le travail des autres, commença-t-il.

Il l'accusa de vouloir tellement aider les gens qu'elle en négligeait son propre travail. Il ne se rendait pas compte qu'elle n'était plus elle-même. Qu'il ne restait d'elle-même qu'une insatisfaction profondément enfouie à force de volonté.

Il insinua également que ses études de français lui étaient montées à la tête. Et qu'elle passait ses matinées chez le pédicure en laissant ses lunettes sur sa table pour faire croire qu'elle était dans les parages.

– La licence de français, c'est le Parti qui lui a imposée, lui répondis-je. Si aider les autres est un défaut, elle l'a. Elle est incapable d'un calcul rusé consistant à laisser ses lunettes pour faire croire qu'elle est là. Ensuite, je vais lui demander qu'elle pose les pieds sur ton bureau, pour te montrer : un véritable archipel de durillons. Et tu sais pourquoi ? Parce que quand des merdeux dans ton genre faisaient encore dans leur culotte, elle a largué sa maison et sa famille par la fenêtre pour que des minables comme toi arrivent à être ce qu'ils sont aujourd'hui. Et tu sais quoi enfin ? Si tu ne lui fous pas la paix, je te jure que je vais te pourrir la vie. Cette femme a l'âge d'être ta mère !

Ma deuxième idée était hasardeuse.

J'allai voir mon oncle Raúl, qui m'avait obtenu à ce moment-là un travail de traductrice de français dans son secrétariat.

– Tu sais quoi, oncle Raúl ? J'ai lu toutes les lettres que tu as écrites à ma mère avant que ce salaud de Pacheco ne les embarque au nom du musée de la Révolution.

Raúl éprouva la mélancolie des temps anciens.

– Elle s'est conduite comme une bonne fée avec toute la famille.

Ça tombait bien !

Et puisque nous étions en pleine vibration poétique, je m'arrachai du cœur « qu'elle est devenue triste et je fais tout ce que je peux pour lui dégeler le cœur, mais ça ne dépend pas de moi parce qu'elle est comme une fleur malade qui libère son parfum quand on ne s'y attend pas et se ferme aux premières lueurs du jour au lieu de s'ouvrir, déploie sa corolle pour des gens qui ne la regardent même pas, qui ne l'apprécient pas, elle qui les avait tant aidés en vendant tous ses bijoux pour acheter les armes de l'attaque de la Moncada, et blablabla... ».

Je parvins à échanger la Mercedes Benz contre une voiture « sinon neuve, du moins décente ».

– Prends la Mercedes puisque tu les aimes, ils peuvent parfaitement la remettre en état à l'atelier du ministère. Elle est du même modèle que les tiennes.

– Non, non. Vendez la voiture. Ça vous fera un peu d'argent. Il paraît qu'il y en a qui paient des sommes folles. Et si tu veux un conseil, essayez de la vendre à la campagne. Les paysans se sont remplis les poches avec le marché noir et ils ne savent pas comment dépenser leur argent.

En effet, il n'y avait rien à acheter dans le pays. Et comme Raúl se montrait enclin à la générosité, je demandai une dernière chose :

– Oncle Raúl, si tu veux rendre maman folle de joie, fais-la inviter aux commémorations du 26 juillet. Chaque fois qu'elle entend dire que les participants à l'attaque de la Moncada se réunissent tous les ans, ça la rend très triste.

– Ça, je ne peux pas te le promettre. Je dois d'abord en parler.

C'est ainsi que ma mère vit arriver une Volkswagen bleue dès le lendemain, et qu'une invitation pour les cérémonies du 26 juillet lui parvint quelques mois plus tard. Avec toutefois une certaine nuance : elle n'était pas invitée avec les ex-combattants, mais avec les familles des martyrs, bien que le seul martyr de la Moncada, dans la famille, eût été la chevelure anglaise, frisée à force de permanentes,

L'arrière-grand-père Martín Ruz,
le Juif d'Istanbul, avec un de ses fils.

La connexion britannique :
l'arrière-grand-père Herbert Clews,
avec son épouse Natalia et leur fils Enrique.

Le grand-père Manolo Revuelta, de Santander.

Le grand-père Angel Castro, le Galicien, cacique de Birán

La grand-mère Lina Ruz,
à qui Alina doit son prénom.

Grand-mère Lala Natica, en 1948.

Fidel à 3 ans.

Fiançailles de Naty et d'Orlando.

Naty en 1955, un an avant la naissance
d'Alina.

Fidel en 1955.

Avec Naty, le jour de
la naissance d'Alina,
le 19 mars 1956.

Le jour du baptême : de gauche à droite et de haut en bas : Natica, Natalie, Elsie Clews, docteur Orlando Fernández Ferrer, Caridad Betancourt de Sanguily (la marraine avec Alina dans ses bras), Antonia Ferrer, veuve Fernández, docteur July Sanguily (le parrain), Naty et Manolo Revuelta.

Alina aveç son jouet préféré, un os en caoutchouc de la niche du chien.

Alina avec sa casquette de la Légion étrangère.

Alina avec Tata Mercedes.

Alina à un an.

Naty avec Alina dans le jardin de la maison
des rues 15 et 4, au Vedado.
(Photo prise l'année de la Liberté, 1959.)

Portrait de Fidel par Alina
à 3 ans.

Alina dans les bras de Tata Mercedes.

Alina et Natalie en 1958.

Naty avec Natalie et Alina, en 1959.

Alina avec les horribles chaussures bicolores, avec son groupe du jardin d'enfants en 1959.

Pendant un anniversaire. Alina dans les bras de Raúl Castro. A droite de Raúl, Vilma Espin, son épouse. La deuxième femme, à gauche d'Alina, est Lidia Castro, demi-soeur de Fidel, appelée, dans ce livre, Lidia Perfidia.

Le premier message d'Alina à Fidel
(vers 1960).

1963. Petite star du carnaval
avec son Robin des Bois chinois.

Alina et Naty au zoo de Madrid,
en 1964.

Des oreillons monumentaux.

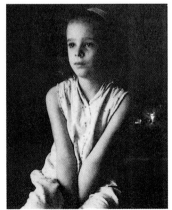

Naty et Alina en 1964.

Alina dans l'île de la Cité,
Paris (1964).

Fidel jouant au base-ball.

Alina au pied de la tribune où
Fidel est en train de parler (1966).

Le poème d'Alina paru à son insu
dans la revue *Pionnier*, en 1966.

EL MAR

El mar bravea
alza sus crestas blancas
y se va a fracasar sobre la orilla
de arena fina.
Negro se ve a los ojos del humano
pero no se ve más que
con el corazón.
Ya comienza la tormenta.
Las crestas blancas sobre las olas
se convierten en altas montañas de
(pena,
nevadas en la punta,
de base vacilante.
Y gastan roca, como la pena
gasta el corazón.

Llueve, llueve.
Las gotas son como perlas,
sobre un fondo gris,
Corren, corren, sobre las mejillas
de la Naturaleza.

Las nubes viajan cual
pájaros enormes
sobre cielo vuelto corazón.

Pero llega una sirena
cual una perla más,
con cabellos dorados
piel rosada
boca de rosa
y el mar se vuelve tranquilo,
ya las olas se inclinan
ante la pura alegría y belleza
de aquella sirena.

Las crestas blancas la acarician.
Y las montañas de base vacilante
(se vuelven
en fuertes montañas de amor.

El cielo, azul se vuelve.
Las gotas cual perlas
yacen sobre las algas,
y la arena húmeda
lleva huellas de felicidad.

El mar lleva fondo transparente
con miles de peces.
El cielo, fondo azul.
Y el corazón, fondo puro.

Alina disant au revoir à Tata Mercedes
avant de partir pour la première fois aux
"travaux des champs", en 1967.

Fidel en père, lors du
mariage d'Alina avec
Yoyi Jiménez (1973).

Alina avec Yoyi, son
premier mari.

Dans le jardin de la maison de
Nuevo Vedado.

Alina avec Honduras, son
deuxième mari.

Alina enceinte de Mumín,
avec Panchi, son
troisième mari.

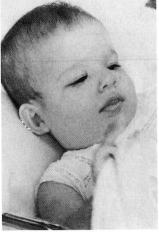

```
                NATAL

     Para Alina, tan pura, tan perennemente niña
     y flor;
     para Loor,
     que ya va a una y media primavera
     en este dulce día de hoy:
     A ellas.
     Todo extensivo a la hermana siamesa de aquella
                              /Joan Crawford
     deslumbradoramente sabia y bella,
     y a Señora del porte de otros días:
     a Natalia Clews, a quien bañó,
     en las manos y pies, la luz de una estrella:
     a las cuatro verdaderas niñas-mujeres,
     de parte de quien tanto las quiere:
     de este que siente un trueno en el pensar;
     en lo más profundo del alma, el milagro de un
                              /lirio
     y, en el combate, alza una bandera(el lema:"Ni
                              /hiel ni pesar").

     Marzo 20/79.                    Pedro Emilio.
```

Un poème de Pedro Emilio Castro dédié à Alina lors de la naissance de Mumín (1977).

Mumín à un an.

Mumín avec Raúl Castro et son petit-fils Raulito. (1985).

Mumín à deux ans.

Le deuxième anniversaire de Mumín.

Mumín à 5 ans.

Natica, Naty, Alina et Mumín
(1989).

Mannequin à "La Maison"
(1991).

Alina en 1989, à l'époque
où elle travaillait comme
mannequin.

Une autre photo de sa période de mannequin.

Alina en 1992.

Pensive.

Une photographie récente.

que ma grand-mère Natica avait perdue dans son voyage de reconnaissance à Oriente.

Je finis par me lasser de tant de défis interrompus en natation pour m'inscrire en propédeutique à Saúl Delgado, au Vedado, où régnait une ténébreuse puissance éducative : la Marquetti. Un nom italien venant d'une lignée de joueurs de base-ball et un visage noir aux petits yeux et aux grandes dents, qui avait une haine viscérale pour tout ce qui était « dirigeant », et comme elle ne pouvait pas s'en prendre à eux, elle harcelait les enfants.

Je retrouvai là Hildita Guevara et notre amitié intacte malgré le temps qui avait passé.

Sa mère était morte en moins de six mois, car le cancer ne pardonnait pas alors. Elle me raconta quelque chose que, par crainte et par naïveté, je rangeai momentanément parmi les multiples confessions désespérées de tant de gens.

– Tu sais ce qu'elle m'a dit avant de mourir ? Elle était là, avec ses poumons rongés, sur le point de pousser le dernier soupir, et elle n'a pas pu se retenir. Tu sais ce qu'elle m'a dit ? Que les Cubains avaient laissé mourir mon père en Bolivie. Que toute cette histoire avait été une mise en scène pour créer un héros dont Cuba avait besoin. Que toutes les lettres qu'il a laissées sont des imitations de calligraphes experts. Jusqu'à la mienne ! Et qu'un jour on connaîtrait la vérité. Pourquoi les gens ne peuvent pas mourir en laissant les vivants en paix, bordel !

Je ne sus que répondre. La mère de Hildita m'avait toujours paru excessive et puis, qui aime les démystifications ?

Même Hildita ne put rien faire contre la Marquetti. Au bout de six mois elle quitta le lycée, non sans que la Marquetti lui inflige une ultime vexation.

Elle se maria avec un Mexicain exilé à Cuba après le massacre qu'un certain Echeverría [1] avait perpétré contre des ouvriers à Mexico, avant de devenir président et d'être reçu en grande pompe à Cuba, où l'on avait préalablement arrêté

1. Luis Echeverría Alvarez, président du Mexique de 1970 à 1976.

tous les Mexicains exilés par sa faute. Il semble que c'est là une pratique courante de toutes les polices du monde.

Lors de cette visite, le mari de Hildita fut emprisonné et la désillusion les gagna peu à peu.

J'allai la voir chargée d'une mallette de vêtements et d'une paire de chaussures, car elle vivait alors dans la misère, une misère dont elle m'avait sauvée avec ses prêts quand nous avions toutes les deux onze ans.

Elle avait un bébé dans les bras. Avec cet enfant couvert de parasites caribéens, elle suivit son mari, condamné à un deuxième exil, en Italie cette fois, Dieu sait pourquoi. J'eus de ses nouvelles quelques années plus tard, quand une autre déroute la renvoya à Cuba, reconnaissante. C'était le seul endroit où elle pouvait compter sur un psychiatre et quelques vieux amis pour nourrir le matin son deuxième enfant, car elle n'était pas assez lucide pour distinguer une bouteille de rhum d'un biberon de lait.

José Ramón Pérez séduisait les filles du Vedado grâce à ses nombreux charmes.

Il avait des yeux verts malicieux, des petites dents parfaites et une tête ronde comme un fromage empanachée d'une tignasse rebelle. Mais les attributs qui faisaient de lui un homme différent étaient ses bottes en daim et à franges, ses jeans bariolés et une VW blanche : une garde-robe de catalogue au pays du carnet de rationnement et un oiseau rare perdu dans un trafic inexistant, à l'époque où attendre un bus suscitait des prières aux arrêts.

Il avait aussi un père au bureau politique.

Plus qu'il n'en fallait pour que la Marquetti l'expulse de l'école, ce qui ne le troubla guère.

Quelle ne fut pas ma surprise quand il remarqua mon débraillé.

Les flèches de l'amour sont mystérieuses.

Son illustre père avait troqué le lit conjugal contre celui d'une directrice de bureau de vingt ans sa cadette. Il laissa sa famille plongée dans le désespoir de l'abandon et éveilla chez son fils une sensibilité exacerbée.

Mon petit ami était un peu dingue. Il avait seize ans quand il devint le premier homme de la maison. Il passait de mes genoux à ceux de ma grand-mère et serrait et couvrait ma mère de baisers.

Une de ses obligations était d'éteindre les lumières et de bien fermer la porte quand il repartait, en me laissant dûment couchée et sexuellement intacte.

Nous nous séparions par un petit rituel : José s'asseyait au bord du lit, mettait sa main gauche sous les draps et commençait à me toucher lentement pour « apprendre tout de toi de mémoire ». Et il avait déjà la tête et la moitié du corps sous les draps, se livrant avec sa langue à une minutieuse exploration, quand grand-mère ressuscitant de ses ronflements sonores, s'exclamait dans l'obscurité :

– José Ramón, tu es encore là ?

– Je m'en vais, mémé !

Et comme le loup du Petit Chaperon rouge, grand-mère Natica replongeait dans le sommeil en rêvant à un remède miraculeux pour la maladie de notre manguier qui accouchait d'énormes fœtus sans graines avant la saison, et aux greffes des rosiers et des crotons.

Moi, je restais terrassée, épuisée et moite dans le désordre des draps frais. José repartait en marchant lentement. Jamais chez lui.

Plus il mentait, plus il accumulait les problèmes et plus il avait d'amis : il avait l'art de transformer son état de fils à papa traumatisé en métier lucratif. A l'hôtel rebaptisé Habana Libre, son royaume, il signait les additions au lieu de payer. A la maison, nous l'appelions Baby Hilton. Il s'en allait, me laissant excitée et heureuse dans un monde onirique rythmé par les ronflements de ma grand-mère, et partait chercher un soulagement à son désir inassouvi dans les bras de quelque oiseau nocturne au cabaret de l'hôtel. Jamais il ne me contraignit à quoi que ce soit et je restai vierge. Pas pour longtemps.

José Ramón était fortement impressionné par la police du ministère de l'Intérieur, comme d'ailleurs des centaines de jeunes qui pensaient, non sans raison, que la Sécurité d'Etat était une élite. Je ne sais grâce à quel papier officiel il convainquit quelqu'un de lui prêter un Colt 45. Ce fut devant l'entrée du Polynésien, vers les dix heures du soir, qu'il sortit l'objet en question et tira plusieurs coups sur le trottoir contre deux machos qu'il surprit en train de peloter mes jambes et les rondeurs appétissantes de ma mère, pendant qu'il payait l'addition des cocktails et des poulets grillés.

Nous passâmes une longue nuit à la prison préventive de Zanja y Dragones en plein quartier chinois de la vieille ville, où ma mère, à cause de son allure respectable et de sa carte du Parti, put dormir dans une voiture de patrouille stationnée devant le bâtiment.

Elle s'allongea sur le siège arrière et sortit par la fenêtre ses fines jambes terminées par de vieilles chaussures datant du voyage en France. Elle dormit ainsi toute la nuit. Le matin, les gens qui passaient sur le trottoir s'arrêtaient pour la contempler.

Vingt ans avaient passé depuis que Fidel, triomphant et acclamé, avait expliqué neuf heures durant comment il pensait réorganiser l'armée régulière et l'armée rebelle avec laquelle il était descendu des montagnes.

Une médaille de la Vierge des Grâces – la Obbatalá syncrétique – pendait à son cou et un vol de blanches colombes étaient venues picorer les épaulettes de sa chemise [1].

La célébration de l'anniversaire de la création du Minint et du Minfar avait lieu au Cercle social ouvrier Patrice Lumumba (ex-club Biltmore de Miramar) au milieu d'une musique et d'homélies qui auraient détraqué le système neuro-végétatif d'un lama, et voilà que passe devant moi un grand brun avec quelques cheveux blancs, un pli amer à la bouche et une démarche de chat.

Je souffre de daltonisme esthétique, pour moi les gens sont beaux ou laids selon un troisième œil qui a défié tous les efforts d'amis et d'ennemis à me faire voir la réalité en face. J'ai donc regardé Yoyi de tous mes yeux jusqu'à ce qu'on me le présente, et tout se déroula si bien que je me laissai reconduire à la maison, dans une Chevrolet déglinguée, attribuée à mon futur mari afin qu'il accomplisse dûment sa mission de lieutenant du contre-espionnage, proposé pour le grade de capitaine, et qu'il arrive ponctuellement à ses cours de karaté. J'étais une Cendrillon dans une voiture de service. J'avais seize ans et mon prince

1. Allusion au premier discours de Fidel, le 8 janvier 1959, au cours duquel des colombes blanches se sont posées sur lui.

120

charmant le double. Comme dans la chanson de Charles Aznavour.

Il commença à m'écrire secrètement des poèmes et nous commençâmes tout aussi secrètement à nous voir aux heures creuses de la mi-journée.

Mais dans cette île les secrets ne durent pas longtemps et un avalanche de rumeurs désagréables nous fit bientôt montrer du doigt.

Mon petit ami José Ramón, bouclé dans sa prison familiale depuis la fusillade devant le Polynésien, m'indiqua le trajet vers le point de non-retour, et Yoyi, marié à une chanteuse noire, qui est encore la meilleure voix de Cuba, muni de valises pleines de linge, de papiers et de chaussures, dut entreprendre un périple de brefs séjours chez des amis.

Et les amis de Yoyi étaient ce que Yoyi avait de mieux. Ils plurent beaucoup à maman et à grand-mère, tous charmants et tous pleins de ressources : restaurants et cabarets les fins de semaine, maisons à la plage et chalets à la montagne, parties de pêche, voyages...

Le monde magique de l'élite militaire cubaine. Le gratin en uniforme de la nomenklatura.

Ils faisaient de Lala Natica une femme heureuse et utile qui ressuscitait, grâce à leurs présents en nourriture, ses vieilles recettes de gourmet, telles que la langouste au chocolat amer et le soufflé.

Et maman n'avait plus à se soucier de problèmes de pannes, de réparations ou d'urgences, car soudainement la roue de la fortune semblait tourner du bon côté.

Grâce à Pepe Abrantes, récemment nommé ministre de l'Intérieur, à Franco le Galicien, chef de la Police, aux jumeaux de la Guardia [1], des Troupes spéciales, et à leur chef Pascualito, tous les problèmes étaient résolus.

---

1. Il s'agit des frères jumeaux Patricio et Tony de la Guardia Font, le premier, général, le second, colonel au ministère de l'Intérieur. Tous deux jouissaient de la confiance des plus hauts dirigeants de la Révolution et accomplirent de nombreuses missions secrètes à l'intérieur comme à l'extérieur de Cuba. Ils furent accusés, lors de « L'affaire n° 1 » de 1989, de trafic de drogue, conjointement avec le général Arnaldo Ochoa Sánchez et d'autres officiers. Tony fut condamné à mort et fusillé. Patricio fut condamné à trente ans de prison.

Avec Patricio et Tony, les jumeaux, nous sommes en train de déjeuner à l'Aiglon, le restaurant de l'hôtel Riviera.

– Qu'est-ce que c'est les Troupes spéciales ?

– Une unité d'élite. Ce sont des troupes d'assaut chargées de toutes les missions spéciales de guerre.

– D'assaut ? Cuba va attaquer qui ? On n'est pas une île pacifiste, contre la guerre ? On ne défend pas le droit à l'autodétermination des peuples et la non-ingérence de l'impérialisme dans les affaires intérieures de tous les pays ?

Je connaissais la prosopopée par cœur. Je l'avais entendue des centaines de fois.

Yoyi devint livide, ma mère me planta un coude dans les côtes et les jumeaux me regardèrent comme si je tombais de la planète Mars. Mais je n'étais pas une Martienne ; j'étais une fouille-merde.

Si bien que par la suite, ils se montrèrent peu empressés à parler de leurs affaires secrètes.

Le problème pour eux c'était quand les amis étaient en danger de mort : la campagne de Fidel en faveur d'Allende [1], au Chili, coûta à Abrantes des fibrillations cardiaques, qui devinrent chroniques à force de courir à côté de la jeep du Commandant, pendant un mois, au cours de ce qui était appelé Opération Salvador, laquelle faillit en outre coûter la vie aux jumeaux.

L'affaire était, semble-t-il, bien organisée dès le début. Les « lignes de pénétration », ou quelque chose comme ça, étaient en place : Tati, la fille d'Allende, s'était mariée, comme prévu, avec le pauvre Luis, un officier de la Sécurité, bien qu'il n'ait pas été facile de le faire divorcer d'avec sa femme cubaine pour lui faire accomplir sa mission. Et Allende avait accepté Tony comme chef coordinateur du GAP, le Groupe des amis du président, son escorte personnelle, grâce à un agent chilien entraîné et formé à Cuba, El Guatón (le Ventru).

J'écoutais sans bien comprendre toute cette terminolo-

1. En septembre 1970, Salvador Allende Gossens fut élu président de la république du Chili. Un an plus tard, Castro se rendit dans ce pays pour une visite de dix jours, qui se prolongea durant presque un mois et au cours de laquelle il mena une campagne d'appui au gouvernement de l'Unité populaire.

gie spécialisée. Le voyage prolongé de Fidel faisant campagne pour Salvador Allende était commenté quotidiennement à la télévision.

Les jumeaux étaient donc au Chili et leurs femmes installées autour de la table en fer du jardin de la maison, en train de déguster un repas mitonné par Natica, qui après quinze ans d'abstinence pouvait de nouveau sentir sous ses doigts les têtes d'ail, la dentelle du persil, les armes redoutables de la langouste, pleurer toutes ses larmes à cause d'un chagrin d'oignon et oublier les privations du carnet de rationnement, quand brusquement une même voix s'éleva de la radio et de la télévision pour annoncer que les chars de l'armée chilienne entouraient le palais de la Moneda et qu'Allende, qui s'y trouvait retranché avec ses filles et le GAP, était prêt à donner sa vie pour défendre la démocratie. Et nous étions déjà toutes, épouses, amies et moi, plongées dans un deuil inconsolable, quand apparurent soudain, sains et saufs, les jumeaux avec la troupe, une bonne moitié du GAP et leur chef, Marambio le Ventru, qui partaient se réfugier à Cuba.

Le plus drôle c'est qu'ils eurent le temps d'empaqueter les cadeaux et d'embarquer des téléviseurs et des machines à laver alors qu'on les croyait en train de mourir à la Moneda au côté du président Allende.

Peu après, un matin à La Havane, Tati fut retrouvée morte. Elle s'était tirée une balle avec le pistolet de son mari, Luis, l'officier de la Sécurité cubaine. Quelque temps plus tard, la sœur d'Allende se suicida en se jetant d'un des derniers étages de l'hôtel Riviera.

Fidel remportait une victoire philosophique : « On ne gagne pas une révolution sans la violence des armes. »

Les jumeaux, Yoyi et moi partîmes nous libérer du stress dans un des chalets des Troupes spéciales à Soroa, dans des collines hérissées de fougères et autres créatures de l'humidité, au grand air.

Un nouveau séjour obligatoire à la campagne interrompit mon idylle. Deux mois et demi au plan Tabac de Pinar del Rio.

Je n'avais plus d'amygdales ni d'appendice à enlever, ni d'yeux vitreux et autres cloques juvéniles à faire brûler par les mains diaboliques d'Alonso, le dermatologue. Je dus me présenter avec mon barda réglementaire : seau, chapeau, valise et claquettes en bois.

Je décrétai unilatéralement une grève personnelle : « pas de toilette, pas de nourriture ». Pour subsister dans la misère alimentaire du campement, j'échangeais aux paysans des manches de chemise contre une assiette de riz et de haricots. J'étais couverte d'une couche de résine de tabac répugnante. Un matin, la flamme d'une lanterne dansa sur mes pupilles.

– Tu as une réunion urgente à la réserve, me dit la Marquetti en me regardant de toutes ses dents.

Dans la réserve, l'empire des souris, qui dédaignaient la cassonade, préférant pisser sur les sacs de riz et les paquets de gofio, je trouvai appuyées contre les sacs cinq de mes camarades : Hildita, Aimée Vidal, la fille d'une présentatrice de télévision célèbre et très estimée, et trois autres filles dont les origines mortifiaient le sang de la Marquetti.

Ça commença par l'hygiène. On nous accusa de ne pas nous laver. Nous nous défendîmes en alléguant qu'il y avait dix latrines qui débordaient pour cinq cents femmes et qu'on ressortait de là plus sale qu'avant.

– Et ce n'est pas tout ! Vous jouez au base-ball et au lieu de dormir, vous passez la nuit à chanter et à vous gratter mutuellement les puces et les poux que malheureusement nous n'avons pas pu éliminer du campement. C'est un tripotage répugnant !

Conchita Ariosa approuvait la Marquetti avec le sourire compréhensif de ses dents manquantes et son amie Luisa opinait de la tête. Elles étaient respectivement première et deuxième secrétaire de la Jeunesse communiste. En référence à la toilette, l'accusation glissa sur la pente savonneuse de l'homosexualité.

La Marquetti était déterminée à faire de nous des parias. Et elle y parvint d'une certaine façon, car des filles perdirent leur petit ami à cause des rumeurs et eurent leur vie d'adolescente gâchée.

Quand je revins de la campagne, Yoyi avait épousé mes matriarches et était installé à la maison.

Ce fut une grande surprise de trouver sa crème à raser

sur mon lavabo et une odeur d'homme remplaçant la mienne dans ma chambre et dans mon lit.

Malgré certaines remarques venimeuses de ma grand-mère (« Alina, comment peux-tu coucher avec un homme qui fait ça avec une négresse ? Ça rend débile, petite ! ») elle-même lui avait ouvert la maison.

Et moi, on m'envoya dormir dans la pièce du fond.

Ce qui n'empêcha pas une débauche d'échauffements et de masturbations, dont il m'eût semblé préférable de jouir a posteriori, je veux dire après avoir consommé l'hymen... Si bien que je m'introduisis une nuit dans sa chambre et l'invitai à faire tomber cet obstacle incommode qui lui donnait des yeux cernés et le teint pâle.

– Allez, vas-y maintenant, tout le monde dort.

Ce fut très romantique et je tombai enceinte.

Craignant la médisance, ma mère vint s'asseoir à côté de moi et parla :

– Un enfant, et tu vas tout abandonner ?

Et de me tomber dessus : les matriarches, l'inadaptation sociale et le traumatisme de fille abandonnée par un père fuyant. Je me laissai emmener dans le « meilleur hôpital gynécologique d'Amérique latine », mais il dut se passer quelque chose pendant l'avortement, parce je me réveillais toutes les nuits en poussant des cris, et tous les jours à midi pile je me pliais de douleur avec l'impression qu'une main me tordait les entrailles et me faisait transpirer d'une terreur muette en pleine classe. Comme si cette petite âme exilée ne pouvait pas me pardonner.

Mais nous continuâmes les préparatifs du mariage.

Maman exhuma d'une caisse qui datait du voyage en France un mètre et demi de toile brodée.

Avec cela et une des robes de Natalie transformée en jupon, Juana créa pour moi une robe de mariée.

Nous décidâmes que la noce aurait lieu le 28 mars. A la plage... Les amis nous avaient organisé une nuit parfaite.

Mais un après-midi le téléphone sonna.

– Je veux parler à Alina !

– C'est elle-même...

– Bon, je suis Leivita le chef d'escorte de ton père. La colère me laisse sans voix ! Mauvaise fille ! Oui ! Mauvaise fille qui ne respecte pas son père, le Commandant !

Je crus que c'était une farce et raccrochai. Mais le petit Leiva rappela.

— Je veux parler à ta mère!

— Moi, une mauvaise révolutionnaire, répondit-elle. Mais camarade, contrôlez-vous et soyez respectueux!

Puis, il menaça Yoyi de la colère éternelle du contre-espionnage cubain et m'ordonna en criant de ne pas quitter la maison jusqu'à ce que le Commandant en chef ait le temps de m'envoyer chercher.

— Si tu crois que je vais rester ici à attendre le bon vouloir du Commandant, tu te trompes! Je me marie dans quatre jours, tu es au courant? La seule chose que je puisse faire c'est d'être localisable.

Chaque fois que je sortais et où que je me trouve, apparaissait un mouchard de la Sécurité, qui terrorisait les gens. Ma mère, mon fiancé et mes amis se demandaient s'ils devaient casser la figure à ce type!

Nous étions à la Bodeguita del Medio, un temple de l'indigestion aux mojitos et aux chicharrones[1], en train d'en discuter, quand Leivita en personne dressa son mètre cinquante devant moi et me maltraita respectueusement en me poussant dans une Alfa Romeo hérissée d'antennes.

— Jaune appelle Bleu! Jaune appelle Bleu! Et il m'expédia droit sur l'objectif.

Lequel était vert de rage.

A voir l'expression dégoûtée des gardes qui ouvraient et fermaient les portes dans les souterrains du palais de la Révolution, je me mis à penser que j'avais déréglé le pouls des dernières soixante-douze heures de l'histoire de Cuba.

On me conduisit dans un bureau rectangulaire au sol en plancher, orné d'une profusion de plantes tropicales. On me fit asseoir devant un bureau adossé à des étagères avec quelques livres et des flacons de graines.

Il était deux heures du matin. La digestion et le CO_2 mortifère dégagé par toutes ces plantes enfermées me donnaient sommeil, quand le Commandant entra mal à l'aise et laconique. Je le regardai de haut en bas. Ses bottines étaient d'un nouveau modèle, en cuir souple glacé et à bouts carrés, qui lui affinait la cheville. Je lui souris et attaquai la première. Par un baiser.

1. Couenne de porc frite.

126

Silence.

Puis dialogue.

— Je t'ai fait venir à cause de ce mariage.

— Ah bon !

— Vous pensiez le faire quand ?

— On pense toujours le faire le 28 mars. Et tu es invité, bien sûr.

— Ce que je ne comprends pas, ce que je ne peux pas comprendre, c'est que tu ne m'aies pas demandé la permission.

J'eus envie de lui voler dans les plumes.

— La permission ? Et comment je fais pour te la demander ? En priant ? Jamais je n'ai eu un numéro de téléphone où t'appeler.

— Je sais. Je reconnais que je ne me suis pas assez occupé de toi. Mais te marier à seize ans !

— Dix-sept, depuis une semaine.

— C'est pareil. Tu connais à peine cet homme.

— Il vit à la maison depuis des mois et c'est lui qui s'occupe de tout. Et puis tu sais, il n'y a que des femmes là-bas et tout est tellement difficile, on trouve parfois des traces sous les fenêtres du jardin, comme si on nous surveillait, pour nous cambrioler...

— Mais cet individu n'a rien de commun avec toi. Il était marié avec une chanteuse !

— Tu ne vas pas dire comme ma grand-mère que cette femme est une négresse et que si...

— Cesse de m'interrompre, s'il te plaît ! Je crois que ce type est un opportuniste !

— Opportuniste ! Alors que la seule chose qu'il y a à la maison ce sont des problèmes et la misère. C'est lui qui a retrouvé la servante qui avait volé le samovar en argent et ... Ecoute, il est très tard et je n'ai pas envie de continuer à parler de conneries.

— Pas de gros mots, hein, je n'en emploie pas avec toi !

— Pardon. Tu parles vraiment sérieusement ?

— Je ne sais pas si tu es au courant que cet homme a été en prison.

— Malversation. Il était chef d'un magasin et a donné des téléviseurs à ses amis. Les gens changent.

— Les gens ne changent pas. Je vais te donner un

exemple : un homme a voulu commettre un attentat contre moi. C'était il y a dix ans. Je l'ai sauvé du peloton d'exécution et lui ai infligé la peine minimum. J'ai parlé plusieurs fois avec lui. Je me suis même occupé personnellement de sa famille. On l'a relâché et trois mois plus tard, il retournait en prison.

– Il a commis un autre attentat contre toi ?

– Non. Il essayait de quitter illégalement le pays avec toute sa famille.

C'était peut-être à cause de toutes ces plantes qui raréfiaient l'atmosphère et l'air vicié que je respirais, mais je ne pouvais pas suivre ce raisonnement.

– Je n'arrive pas à me faire à l'idée que tu ne m'aies pas demandé la permission. (La discussion prenait un tour byzantin.) Et puis tu n'as pas passé assez de temps avec cet homme. Des fiancailles doivent durer deux ans au moins. Je ne vais pas non plus te demander si... Je n'ai pas envie de parler de ça avec toi.

Il faisait allusion à ma virginité. Et comme il n'arrivait pas à me convaincre, il attaqua à fond :

– Il n'a pas seulement volé. Cet homme est aussi un violeur !

– Quoi ?

– Oui. Quand il menait des interrogatoires à Villa Marista il a violé des détenues.

– Ça m'attriste beaucoup que la Révolution ait choisi comme officier de contre-espionnage un voleur suspecté d'être un violeur.

Je n'avais plus d'arguments.

– Si après-demain tu épouses cet homme, ne compte plus sur moi comme père !

– Je ne verrai pas beaucoup la différence.

– Si tu ne l'épouses pas, je te promets que la situation va changer. Tout ce que je te demande c'est d'attendre un peu.

Mon ancêtre gagna la négociation en promettant d'offrir le repas et les boissons de la noce si elle se faisait un jour.

Puis il m'emmena faire une promenade sur le Malecón, pendant laquelle il me fit des promesses de paternité militante, et nous arrivâmes ainsi à Nuevo Vedado. Quand j'ouvris la porte et qu'ils le virent à côté de moi, maman,

Yoyi et grand-mère se levèrent en silence. Le pauvre Yoyi fit le salut militaire, raide au milieu du salon en pyjama et claquettes. Grand-mère fit une sortie dédaigneuse et maman émit un murmure roucoulant, « tu as l'air en forme » et « tout va bien ? ».

Fidel téléphona à Lupe Véliz, la femme de Núñez Jiménez, celui qui avait récrit la géographie pour les livres scolaires. Elle était en train de lui préparer une douceur d'actrice, de journaliste ou de danseuse étrangère. Le jour se levait quand je l'accompagnai à la porte.

– Après tout, il n'a pas l'air si mal ce garçon.
– Tu vois ! Au fait, d'où viennent ces belles chaussures ?
– Ah ! Elle sont italiennes. Sur mesure. Celia me les a fait faire.

Nous ajournâmes le mariage jusqu'à nouvel ordre. Fidel tenta d'accomplir sa promesse de changer et de devenir un vrai père.

Le jour où Brejnev arriva à La Havane, le Commandant vint nous rendre visite en uniforme de gala. Nous lui fîmes des salamalecs et flattâmes sa magnifique allure.

Puis il partit en Europe de l'Est et, comme lors de son voyage au Chili, il y eut à son retour une réception familiale à la Maison du Protocole n°1, où fut tenté, sans succès, que Fidelito et moi fassions la paix.

Pour les sœurs, les belles-sœurs, les nièces, il rapportait des flacons de shampooing et des boîtes de chocolats russes. Et pour les hommes, des montres Bulova. Même maman eut un cadeau.

Sosa, le militaire des bonnes nouvelles, se présenta à la maison avec un grand sourire et une parure comprenant bracelet, collier, boucles d'oreilles et broche dans un écrin russe. Ce n'étaient pas des brillants, mais des verroteries russes, pires que les parfums de même origine.

Il ne s'écoula pas un mois avant que Fidel ne m'envoie chercher pour une séance de cinéma dans une de ses maisons du Laguito.

Il m'installa dans la salle avec un manteau épais, car il faisait un froid de canard. Personne ne peut imaginer ce que nous avons regardé : un documentaire sur son voyage en Europe de l'Est, alors que je n'allais plus au cinéma pour éviter pareil spectacle.

Il était fasciné de voir que les gens s'habillaient si bien en Europe.

Il disait qu'à Cuba ce n'était pas pareil.

Comment cela aurait-il pu être pareil puisque les Cubains portaient des vêtements de toile de jute peints à la main ? Quand je fis allusion au carnet de rationnement avec ses deux mètres de toile et ses deux bobines de fil par an, il changea de sujet.

Yoyi et moi, nous nous mariâmes en août, cinq mois après la date prévue.

Fidel offrit le repas et les boissons de la noce. Des gâteaux, une salade de spaghettis à la mayonnaise et à l'ananas. Dix bouteilles de Havana Club et une de whisky pour lui, le tout servi sur des petits plateaux d'argent par des membres de la Sécurité, qui s'était aussi chargée de refuser tous mes invités, y compris Hildita Guevara et son mari considéré comme indésirable.

Mon mariage fut une activité politique avec toasts. Même l'officier d'état civil appartenait au ministère de l'Intérieur.

Fidel arriva à l'heure, autorisa le mariage par une signature et passa un agréable moment. Pas moi, ni mon pauvre mari. Pour supporter la situation il se saoula comme jamais je ne l'avais vu faire. La lune de miel, de trois jours et deux nuits au Havana Libre, assignée par le Palais des Mariages, fut une ordalie de déception et de vomissements. Avant de s'en aller, mon père me prit à part pour me prévenir.

– Quand tu divorceras, inutile de me prévenir.

– Ne t'en fais pas. Je n'ai toujours pas ton numéro de téléphone.

Nous essayâmes d'oublier cette lune de miel ratée en allant à Varadero. Une semaine au soleil, comme deux morses, plus cafardeux qu'un couple de crocodiles dans un pot de fleurs.

Grand-mère Natica avait repris sa vieille manie de surveiller et de défendre l'honneur des femmes de la famille, comme elle le faisait du temps où sa fille avait une liaison tumultueuse avec le rebelle barbu.

– Yoyi, ma petite-fille est trop jeune et trop jolie pour que tu couches avec cette grosse immonde. C'est incroyable !

La « grosse immonde » était la responsable de la « zone gelée » de Nuevo Vedado, chargée de décorer les maisons des dirigeants, avec des meubles confisqués.

Je vécus donc avec Yoyi dans un appartement arrangé par cette grosse immonde. La nuit, je n'arrivais pas à dormir.

Je regrettais ma chambre, ma salle de bains, mon lit, mon oreiller. A deux heures du matin j'allais faire un tour dans la Vingt-Sixième Avenue, jusqu'à ma maison.

La grosse immonde n'avait rien à voir avec la poignée de diablotins qui se faufilèrent dans mon corps la nuit où mon père avait accusé mon mari d'être un violeur et un voleur.

J'étais encore très impressionnée par l'adoration et la crainte révérencieuse de ceux qui applaudissaient Fidel et lui criaient « Viva ! Viva ! » comme s'ils avaient une boussole affolée à la place du cerveau.

Le mois d'août suivant, j'étais une jeune divorcée de dix-huit ans. Aussitôt après, on aurait dit que le contre-espionnage et l'unité d'élite des troupes d'assaut avaient préparé une opération commune dont le but était de coucher avec moi. Partout, dans tous les coins, jusqu'à l'intérieur de la maison, je tombais sur un des « meilleurs amis » de mon mari. Grand-mère Natica leur ouvrait la porte, comme si elle n'arrivait pas à renoncer à son interlude d'activités mondaines et culinaires, et elle continuait obstinément à me passer le téléphone pour que je réponde aux épouses.

Je ne trouvai pas d'autre solution que l'éloignement.

Le chanteur national Silvio Rodríguez était le joueur de flûte de Hamelin désigné par le gouvernement pour convaincre les masses des bienfaits de la nouvelle invention pédagogique.

L'Ecole à la campagne était une version perfectionnée du rêve de José Martí : maintenant il ne s'agissait plus de travailler aux champs pendant deux mois et demi, mais d'y vivre et d'y étudier.

Des bâtiments gris furent construits dans toute l'île. Les élèves y vivraient six jours par semaine, alternant classes le matin et travail aux champs l'après-midi.

Esta es la Nueva Casa
Esta es

131

*la Nueva Escuela
como cuna
de Nueva Raza.* [1]

Ce qui n'empêche pas Silvio d'être un grand poète.

Les uniformes ont été sélectionnés selon des critères de commodité et de modernité, avait dit Fidel. Les tissus synthétiques tiennent chaud, mais ils ont l'avantage de ne pas se froisser facilement. Ce qui évite l'usage du fer à repasser et réduit la possibilité d'accidents et d'incendies. Quant aux chaussures on peut facilement les remplacer... C'étaient les mêmes chaussures en plastique de fabrication japonaise qu'il avait achetées en 1967, et qui continuaient à couvrir de champignons les pieds de la patrie. « Il n'est pas vrai que les élèves amortissent rapidement l'investissement avec leur travail. En tout cas pas durant les trois premières années », répétait Fidel inlassablement.

Leoncio Prado était une construction en préfabriqué située à une heure et demie de La Havane. Le soulagement que j'éprouvais à m'éloigner un peu de la maison ne dura pas longtemps : ici, la « communion » n'en finissait pas : toilette, sommeil, besoins, promiscuité, délations, militantisme communiste, double morale et vol.

Cette fois, c'étaient les ananas, avec leurs plants hirsutes d'épines meurtrières. Nous travaillâmes des mois avec l'eau à la bouche, le fond de culotte caramel, le corps torturé par les blessures, la faim au ventre, attendant impatiemment la récolte pour nous en mettre plein la panse.

Professeurs et directeurs avaient simplifié la fraude afin que leurs écoles se distinguent dans le mouvement d'Emulation socialiste : la veille de l'examen, ils écrivaient tout simplement le sujet au tableau.

Mais nous jouissions d'un traitement de faveur à l'université et j'étais toujours passionnée de médecine. Un après-midi, à l'école, arriva Honduras, un ami de Yoyi, le plus persévérant de cette horde d'hypocrites qui depuis

1. Voilà la Nouvelle Maison / Voilà la Nouvelle Ecole / comme un berceau / d'une Nouvelle Race.

mon divorce voulaient coucher avec moi. C'était un Indien du Honduras et il en avait l'allure. C'était aussi un orphelin abandonné dans l'île. Sa mère l'avait envoyé à La Havane passer des vacances chez une tante. Rentrant un jour à la maison du pas joyeux de ses douze ans, il la trouva vide.

A peine avait-elle vu pointer la Révolution, la tante était montée dans le premier avion sans prévenir personne.

On peut imaginer ce petit Indien seul dans La Havane au milieu d'une foule en furie qui criait « Viva ! Viva Fidel ! » et « Au poteau ! Au poteau ! » ; c'était une expérience qui lui tombait dessus comme une douche glacée.

L'armée l'avait recueilli et il n'avait eu aucun problème. Mais arrivé au seuil de l'adolescence, il était seul, ne sachant où dormir.

— Alors, j'ai découvert les pompes funèbres. Tu peux y rester toute la nuit. Et il y a toujours une âme en peine à consoler...

Il avait une imagination débridée. Et le grade de sous-lieutenant des Troupes spéciales. Nous étions lui et moi robustes et joyeux et, bien sûr, nous commençâmes à nous voir en cachette jusqu'à ce que ce brave Abrantes s'en aperçoive et l'expédie aussitôt au Japon pour passer quatrième dan de karaté. Il m'écrivait des lettres superbes. Il remplissait ma vie et mon cœur de fautes d'orthographe, de ponctuation, de syntaxe et d'un tas d'autres fautes, sans pudeur ni douleur, avec un amour et un désir si gais, si simples et si nus, que je m'en veux un peu de n'avoir pas vécu plus longtemps avec lui.

Quand Fidel m'envoya chercher pour me pardonner mon premier divorce, j'étais prête à lui laisser entrevoir la perspective du second.

Il ne m'en laissa pas le temps. J'étais assise, à l'écouter parler des hydrophytes pour le nouveau plan quinquennal, dans lequel il persistait à vouloir faire pousser des raisins, des fraises et du riz avec du salpêtre, quand une force perverse se glissa dans mon regard. La peau de mon père s'effaça et j'eus la vision d'un amas de tendons et de nerfs noués qui dégageaient une aura maléfique, et d'un troisième œil énorme et sanguinolent qui lui sortait du front.

Je chassai cette vision d'épouvante, mais cette nuit-là

quelque chose en moi se brisa. Mes règles disparurent et j'eus les intestins paralysés.

Malgré l'amour ardent et épistolaire de Honduras, je commençai à me détériorer et à détester mon corps qui ne répondait plus et me faisait des grimaces de renégat.

Je me mis à le punir en le privant d'aliments.

Quand je fêtai la fin des cours, mon admission à la faculté de médecine et le retour très attendu de mon fiancé épistolaire, je pesais quarante kilos.

Honduras devait arriver à l'aéroport José Martí. J'y étais. Rembourrée de quatre paires de bas sous le pantalon et le soutien-gorge gonflé de chiffons. Il passa à côté de moi sans me voir.

Il ne reconnaissait pas cette spatule qui lui souriait avec une grimace morbide de morte vivante. L'amour le rendit plus lucide. Il me mettait dans la bouche de petites quantités de nourriture à moitié mastiquée, comme on fait avec un oiseau malade.

L'anorexie est une maladie inconnue à Cuba. Honduras découvrit ce que n'avaient pas compris de nombreux psychiatres : la maladie du manque d'amour se guérit par des soins amoureux.

Maman cherchait des conseils médicaux dans de vieux *New York Times* qui finissaient par atterrir dans son placard transformé en bureau du Mincex. Elle lisait les « Lettres ouvertes au docteur » et les réponses. Un après-midi, je la vis arriver sur la terrasse.

J'étais allongée dans le hamac et je redressai la tête pour l'écouter :

« Madame, si votre fille montre une tendance à perdre du poids qu'il vous est devenu impossible à contrôler, c'est qu'elle souffre d'anorexie nerveuse. La maladie a pour principale origine le type de relation établie avec la mère pendant l'enfance. »

— Ce n'est pas ta faute, maman. Ça n'empêche pas de vivre.

Pour ma mère, la faute est un sentiment familier et confortable.

— Peut-être. Et pourquoi as-tu passé ton temps à m'écouter, la tête dressée comme un poulet. Tu ne l'appuies jamais ?

134

– Je ne sais pas. Ça ne me fatigue pas.

Ce qui la renvoya à l'intérieur d'où elle revint avec un livre de psychiatrie :

« Quand un sujet est capable de rester la tête droite, un long moment et sans fatigue, nous sommes en présence de cc que l'on décrit comme " oreiller psychologique ", et fait partie des traits paranoïdes de la personnalité. »

– En tout cas, si tu veux que Honduras continue à vivre ici, vous devez vous marier. Je n'admets pas le concubinage dans cette maison.

Et elle sortit en me laissant le cou définitivement amolli.

Mais cette histoire de concubinage cachait autre chose. Le Comité de défense de la Révolution était venu demander le RD-3 [1], la carte de l'Oficoda [2] et le certificat de travail « du camarade qui vit dans cette maison, camarade. Vous savez qu'on ne peut pas avoir un habitant supplémentaire si on ne prévient pas le CDR ».

Honduras fit la conquête de Natica plus facilement que Yoyi, sans doute grâce à l'absence de négresse dans son entourage, et à des cargaisons de nourriture et de baignoires de glace aux amandes qu'il prenait dans les cuisines des officiers des Troupes spéciales.

Le plus curieux c'est qu'il entraînait dans son sillage les mêmes amis que par le passé, notamment les jumeaux de la Guardia qui avaient parrainé sa carrière. Il était devenu un troisième fils pour leurs parents, deux adorables vieux surnommés Mimí et Popín.

Fidel apprécia tellement ce nouveau mari non annoncé qu'il nous invita à passer le nouvel an chez Abrantes.

Et après cette soirée réussie, Abrantes fit de Honduras son assistant et chauffeur personnel.

Moi, j'allais à l'Ecole de médecine.

Tout allait à merveille quand débuta la guerre d'Angola qui plongea l'île dans de soudaines et hystériques ardeurs guerrières.

Les premiers quartiers à se vider furent les quartiers

1. Imprimé par lequel l'Oficoda certifie le changement de domicile d'un consommateur et autorise celui-ci à acheter, dans son nouveau quartier, les produits correspondant à son quota de rationnement.
2. Officine de contrôle du ravitaillement. Département du ministère du Commerce intérieur qui régule et supervise la distribution des produits rationnés.

noirs. Ils n'avaient pas changé depuis la Révolution : la Dionisia, el Palo Cagao, Llega et Pon[1]. Les premiers bataillons que Cuba envoya en Angola étaient composés de Noirs.

Cela puait le mépris.

Je devins lourdement insistante. Je voulais qu'on m'explique pourquoi Cuba était devenu impérialiste après tant de caquetage sur l'autodétermination des peuples et le principe de non-ingérence.

Mais je connaissais déjà la tête que faisaient les gens quand ils croyaient voir en moi une Martienne.

C'est ainsi que j'allai au palais faire le siège de l'antichambre de Fidel, pour qu'il m'explique enfin ses raisons d'Etat. Après un moment d'attente, je le découvris devant une carte parsemée d'épingles.

Il déployait ses troupes.

Enfin il avait une vraie guerre ! Il s'ennuyait avec toutes ces affaires mineures de Syrie, d'Algérie, de Namibie, d'Afghanistan et d'Amérique latine. Il était en train de s'émanciper des Russes. Il ne m'entendit même pas quand je lui demandai pourquoi, alors que nous vivions sous la menace constante d'une invasion yankee, il privait Cuba de son armée et de ses armes.

Je sortis du palais avec l'amère conviction que ma conscience avait été dupée et que les Yankees étaient ravis d'avoir, à quatre-vingt-dix milles de chez eux, un Fidel qui semait la subversion dans le reste du monde. Avec Fidel à côté, leur armée de blonds mâcheurs de chewing-gum, oisive après la Corée et le Vietnam, aurait toujours du grain à moudre.

Ils se seraient mis d'accord, lui et eux, que ce n'eût pas été mieux.

Les amis qui avaient survécu au Chili partirent en Angola derrière les bataillons de Noirs.

Elles servaient donc à cela, les troupes d'assaut. Toute une armée de soldats cubains partait en Afrique.

Je continuais à affirmer que défendre le communisme en contrevenant aux principes du communisme était humainement inexplicable.

1. La Dyonisie, le Bâton merdeux, Viens et Mets.

Je m'en pris à Honduras :

– Tu ne vas pas y aller, non ? Tu vas refuser d'aller faire des orphelins en Angola, hein ?

– Tu es folle, ma petite vieille. Tu voudrais que je sois martyr et couillon ! Comment pourrais-je dire non ? Et la Révolution...

– Ne viens pas toi aussi me dire que tu pars en Angola pour défendre la Révolution ! La Révolution est ici, à Cuba il me semble !

Mes dernières illusions s'évanouirent et j'ouvris enfin les yeux. La vie était devenue pour moi une succession de parties de pêche, de maisons au bord de la mer, de chiffons et de montres.

Je ne voulais plus transiger sur les principes.

– Pourquoi vous vous dites soldats ? Vous êtes des mercenaires !

Mon amour se gratta la tête pour réfléchir.

– Je ne devrais pas, mais je te comprends, dit-il. Le problème, Alina, c'est que, pour un sous-fifre comme moi, réfléchir est une activité dangereuse. Réfléchissent ceux qui peuvent. Moi, il y a longtemps que je ne suis rien.

Il m'avait beaucoup appris. Quand nous avions dû mettre de côté toutes ces lettres d'amour et affronter la misère quotidienne à laquelle aucune magie ne résiste, il me disait, quand je le repoussais : « Ne me lâche jamais la main. L'amour crée peu à peu ses propres besoins. »

Si bien que je lui répondis :

– Ne t'en fais pas. J'apprendrai peut-être à vivre avec des vérités différentes.

Bien que de nombreux ex-combattants d'Angola ne se voient pas ainsi, ils étaient effectivement des mercenaires : des soldats cubains payés par Agostinho Neto. Jusqu'au mouillage des bateaux cubains dans les ports qui était facturé au gouvernement angolais.

Cuba fut un peu plus misérable, un peu plus nu. Et en deuil.

Abrantes, qui était ministre de l'Intérieur, fut désigné pour inspecter les troupes en Angola. J'eus le soupçon prémonitoire que son petit assistant, Honduras, ne pourrait pas revenir s'il l'accompagnait, soumis comme il le serait au feu roulant des questions de ses amis et compagnons d'armes, car les casernes, avec leurs rancœurs et leurs potins, ne se distinguent en rien des bordels.

Comme j'avais les ovaires au chômage, la digestion paralysée et une multitude d'autres troubles qui me gâchaient la vie, et qu'il avait peur que je me laisse mourir d'inanition si je restais seule à la maison sans ses soins et ses aliments pré-mastiqués, Honduras convainquit Abrantes de me faire hospitaliser, pour un bilan de santé, le temps que durerait leur tournée.

Je l'attendis donc dans une chambre de cet univers clos qu'est la clinique. Là étaient soignés les membres du bureau politique et leurs familles; sur les tampons et les certificats médicaux, cette clinique s'appelle Unité chirurgicale du Minint.

Trois semaines plus tard, Abrantes revint de sa tournée. Il arriva directement de l'aéroport pour me raconter que Honduras avait dû rester en Angola à cause des murmures de ses camarades qui disaient qu'il faussait compagnie à la mort, que tous risquaient ici, parce qu'il était marié avec la fille du Commandant.

— En tant que soldat il aurait dû tenir compte de ce défaut qui est le mien.

— Un officier te remettra régulièrement son salaire et ses lettres. Il a signé une autorisation pour que tu puisses retirer de l'argent. Il m'a chargé de prendre soin de toi.

Ce soir-là, je quittai la clinique et rentrai chez moi.

Les lettres d'Angola me rendaient folle d'inquiétude :

Maintenant je suis dans un peloton de reconnaissance imagine et hier j'ai passé plus de six heures derrière un rocher sous le feu mais celui de nos propres troupes c'est ce qui arrive quand on part en éclaireur mais tu sais comment est l'autre moi qui survit et après nous sommes allés en inspection dans un billage tout près où une bestiole benimeuse était tombée dans la marmite de la trivu parce qu'ici ils mangent un truc fait avec de la malanga pourrie fermentée ils disent je ne sais pas comment ça s'appelle et la bestiole est comme un gros lézard de toutes les couleurs avec les pattes tordues et il tire une langue de diable et il a la queue termi-

née par un dard c'est là où il a tout le benin et c'est la bête la plus laide que j'ai vue dans ma vie Quand on a occupé le billage ou la trivu comme on dit correctement avec les maisons en terre sans fenêtres et le toit de paille les gens étaient raides empoizonnés Il y a eu un problème avec Pedrito tu te souviens celui qui est maintenant dans l'unité 3 il a voulu se faire une angolaise qui était encore vivante je ne sais pas pourquoi il y a des gens ils deviennent sauvages avec les coups de feu on voit que ce n'est pas des professionnels mais c'est la guerre tu sais Je pense toujours à toi et dans la case qu'on m'a donnée j'ai accroché une photo de toi celle où on est ensemble au mariage de la fille de nuñez jimenez avec El Guatón parce que je n'ai eu le temps de rien quand j'ai su que je devais rester ici et tu sais que ce n'est pas de ma propre volonté mais parce que comme tu dis cette Troupe est plus compliquée qu'un bordel et ils disaient que j'étais devenu trouillard à cause de toi ou quelque chose comme ça m'a raconté Pepe et comme toujours tu as raison c'est une guerre de merde qui n'aurait pas dû commencer mais j'espère que je vais revenir ma poulette tout ça ne doit pas nous séparer au contraire...

Je finis par me lasser d'attendre la nouvelle de sa « mort au combat ».

Cette petite guerre coûta plus de vingt mille morts à une armée de cent cinquante mille hommes, et brisa presque tous les couples de l'île : le Parti se livra à la chasse aux femmes infidèles et les militants des cellules se chargeaient de la mise à mort lors d'une réunion où ils harcelaient le mari cocu en le menaçant :

– Camarade, entre le Parti communiste de Cuba et ta femme, tu dois choisir !

Ceux qui optèrent pour une attitude compréhensive envers leur femme perdirent leur carte du Parti.

Josefina se masturbe. Sa mère la comprend et dit que c'est une chose normale. Mais comme son père la bat, ils décident d'aller voir un psychiatre. Le psychiatre dit que l'attitude de Josefina correspond à son âge.

V / F : L'acte de Josefina est normal.

V / F : L'attitude de la mère est correcte.

V / F: L'attitude du père est correcte.
V / F: La réponse du psychiatre est pertinente.

Vrai ou faux, il fallait cocher la bonne réponse.

Il y avait soixante-dix questions semblables lors du premier examen que passèrent les cinq cents étudiants de la faculté de médecine.

C'était un cours de psychologie dans une unité appelée « L'homme et son milieu ».

Outre la psychologie, on étudiait le marxisme, l'anatomie et la biochimie.

Nous sautâmes la génétique car les professeurs étaient en train d'accomplir une « mission internationaliste ».

Le technicien qui gardait les cadavres pour les cours d'anatomie s'appelait Bolivar. A force de les manipuler sans gants, des champignons germaient sous ses ongles.

Ces morts paisibles, que personne ne réclamait pour les veiller, reposaient dans des cuves en bois remplies de formol, comme les fœtus oubliés de mon enfance, et comme eux ils ne se plaignaient pas. Je n'ai jamais vu un homme traiter les vivants avec les égards que Bolivar témoignait aux morts.

Pour entrer à la faculté, il ne suffisait pas d'un bon dossier : il fallait passer une épreuve politique, devant un jury de la Jeunesse communiste.

– Qu'est-ce que tu penses de l'OLP ?
– Et de l'OPEP ?
– Et du soi-disant miracle brésilien ?
– Explique qui a été Ben Bella et quel rôle politique il a joué ?

Les examens étaient très compliqués. On appelait cela des tests. Aux soixante-dix questions posées il fallait choisir une réponse parmi quatre solutions contradictoires.

A la fin de l'examen, nous avions la liste des réponses affichée au mur : soixante-dix chiffres alignés pour vérifier si nous avions répondu correctement.

Il n'y avait pas un seul petit génie dans toute la faculté qui puisse répondre à plus de dix questions sans se tromper.

Nous révisions par groupes d'amis. L'un d'eux eut une grande idée : personne ne connaissait celui qui s'occupe de

140

l'imprimerie de la faculté? Si! Eh bien, avec cinq cents pesos on était à peu près sûr qu'il nous donnerait une copie de l'examen.

Inutile, ainsi, de se bousiller en étudiant à l'aide de café et d'amphétamines.

Nous nous croyions géniaux, uniques.

Quelle n'allait pas être notre surprise de constater qu'en troisième année, notre promotion de cinq cents étudiants était au complet : le misérable de l'imprimerie avait fait son beurre en vendant les sujets d'examen.

Heureusement, la médecine ne s'apprend pas sur un formulaire de test. Elle s'apprend en aimant les malades et en partageant leur vie.

C'est à cause de la guerre d'Angola que j'ai fait la connaissance du danseur.

Aujourd'hui encore, j'ignore ce que faisait Panchi au service de garde de l'hôpital pédiatrique de La Havane. J'étais venue faire examiner la fille de mon mari mercenaire, une enfant esseulée et tristounette.

Connaissions-nous le même médecin?

Je ne m'en souviens pas. Et puis, quelle importance? Après tout, l'amour est le seul repère chronologique.

Il avait sur la tête un duvet blond d'enfant, le nez en patate, une peau sur laquelle rôdaient encore les termites de l'acné juvénile... Et des jambes qui ressemblaient à des colonnes doriques. Quand il marchait on aurait dit un temple en mouvement.

Il fallait voir!

Ce fut un coup de foudre réciproque. Nous déposâmes la petite chez elle, avec un traitement de cheval pour anéantir les germes agglutinés sur ses amygdales et nous nous assîmes sur le bord du trottoir.

En 1962, la mère de Panchi avait fait une incursion à l'Ecole nationale d'art avec l'idée de faire de sa fille aînée une ballerine et de ses deux fils des musiciens. La mère et les deux garçons étaient assis dans l'attente du verdict, quand se matérialisa sous leurs yeux Laura Alonso, la fille d'Alicia Alonso, la légendaire ballerine du Ballet national de Cuba.

– Deux garçons! Voyons, levez-vous et montrez-moi le cou-de-pied! Bon Dieu, mais ils sont parfaits!

Loin de là. Mais dans le Cuba ségrégationniste et machiste des années soixante, tout ce qui dansait, jouait et avait des roupettes se retrouvait dans les champs sinistres des UMAP (Unités militaires d'appui à la production) en même temps que les derniers curés et mes condisciples chevelus de l'école secondaire. Dans le domaine de l'art, la masculinité brillait par son absence.

Laura convainquit la mère affligée que la danse offrirait à ses deux fils un meilleur destin que la musique.

– Madame, à Cuba vous frappez un coup de talon par terre et vous avez mille danseurs de rumbas, dit-elle. Mais, des danseurs de ballet ! Pour être danseur de ballet, il faut être presque parfait.

La mère désapprouva mais les garçons restèrent.

Je racontai à Panchi qu'on m'avait fait quitter le ballet parce que j'étais condamnée à la chimie, alors que je n'ai jamais su expliquer ce qu'est un électron, ce qui incita ma mère à faire de moi l'élève particulière de Ledón, afin de voir si le génie ultra-chimique du Centre national des recherches scientifiques et de tout le pays parvenait à éclairer ma lanterne les trois après-midi de la semaine où elle faisait le sacrifice énorme de laisser son travail pour me conduire au cours. Et Ledón, qui s'y connaissait en inaptitudes, dès que j'eus mis un pied chez lui me donna du papier et des crayons et me demanda de lui dessiner des paysages pour décorer les murs ou de lui démontrer les lois physiques de la *pirouette fouettée* [1]. Tant et si bien que le maître et moi convînmes d'emporter dans la tombe ce secret que je lui avais révélé...

Moins d'un mois plus tard, nous étions Panchi et moi en train de danser un *pas de deux* dans une chambre de l'hôtel Capri, obtenue grâce à la femme d'Abrantes. Ce fut son cadeau pour mon anniversaire. Je me rappelle parfaitement cet après-midi-là et les circonstances, délicieuses d'être aussi angoissantes, dans lesquelles nous conçûmes, avec tout l'amour du monde, le futur troll.

Mon légionnaire de mari était rentré à Cuba une semaine après que sa fille fut guérie des staphylocoques

---

1. En français dans le texte.

qui infectaient sa gorge et trois semaines exactement avant mon petit ballet avec Panchi.

Honduras se consola de mon abandon selon le même sage principe qui le guidait quand il fréquentait les pompes funèbres : il y avait toujours quelqu'un à consoler et il y avait toujours quelqu'un qui était disposé à le faire. Mes meilleures amies se chargèrent d'adoucir sa peine.

Et l'histoire se serait arrêtée là s'il n'avait pas usé de la sympathie qu'il inspirait à mon père en allant étaler devant lui sa douleur d'époux détrôné. Leivita, le gnome braillard, suivait alors un traitement psychiatrique intensif, à l'instar d'une kyrielle de chefs d'escorte qui l'avaient précédé à ce poste. Ce fut donc un autre quidam qui m'appela sur un ton offusqué et me demanda d'être localisable à tout moment « jusqu'à ce que le Commandant vous envoie chercher ».

J'arrivai au palais dans une voiture neuve.

– Je n'arrive pas à croire que tu aies plaqué un héros de guerre d'Angola ! Et pour un danseur !

– Je ne l'ai pas plaqué, Fidel. C'est lui qui est parti il y a deux ans pour une guerre lointaine.

– Un danseur ! S'il est danseur, il est sûrement pédé ! Et tes études alors ? J'ai fait de Cuba une puissance médicale !

Plutôt me pendre que lui avouer que j'étais enceinte. Qui pouvait parler d'amour à Fidel, lui, l'éternel solitaire ? Et à maman, l'éternelle amoureuse ? Quand elle apprit l'heureuse nouvelle, elle me mit à la porte.

– Si tu veux donner le jour à l'enfant de ce crève-la-faim, va le faire là où tu l'as trouvé.

De l'endroit où vivait le crève-la-faim jusqu'à la faculté de médecine il fallait compter trois bonnes heures de bus, et l'hôpital pédiatrique était plus agréable et aseptique que le studio délabré avec cuisine où vivaient Panchi, sa sœur, le mari de celle-ci et leur fille.

De sorte que je me mis à gratter au rasoir la crasse pré-révolutionnaire des toilettes et à tenter d'obtenir un w-c, car depuis des années il ne restait plus qu'un trou.

Pour obtenir ce w-c, il fallait s'inscrire sur la liste des besoins des assemblées du pouvoir populaire. Pour un w-c usagé et moyennement sain, il fallait attendre plus de cinq ans pour la cuvette et un peu plus longtemps pour le couvercle du réservoir « plus difficiles à obtenir parce qu'ils se cassent davantage », me dit-on.

Cela provoqua le premier heurt sérieux avec ma mère.

– Je vais accoucher ici, dans cette maison, parce que si je n'étais pas là tu vivrais sous le couvercle d'un piano. Tu as tout donné à Fidel et il ne t'en a jamais remercié. Bien au contraire. Et si le danseur crève-la-faim vivait dans un autre pays, personne ne lui volerait la sueur de son corps. C'est le seul pays au monde où l'Etat garde tout l'argent que tu gagnes et t'oblige à chier dans un trou !

– Parce que l'Etat te donne tout gratuitement !

Il valait mieux ne pas discuter politique.

Nous nous mariâmes pour ne pas perdre le droit que le gouvernement donne aux jeunes mariés : faire des achats au Palais des Mariages. Deux couverts, un drap, un bloomer, un caleçon, un dessus-de-lit et, avec un peu de chance, les femmes pouvaient obtenir une paire de chaussures supplémentaires.

C'est avec une grosse bosse au ventre que j'arrivai le premier jour au centre hospitalier universitaire Manuel Fajardo, où le groupe de fraudeurs auquel j'appartenais devait apprendre la médecine en l'exerçant.

Le professeur Wagner nous reçut par le discours suivant :

– Notre mission internationaliste en Angola est prioritaire pour notre gouvernement. C'est pourquoi nous manquons de matériel et d'instruments, dont notre armée a plus besoin que nous. Par exemple, nous avons dû improviser des collecteurs d'urine. C'est une initiative de nos infirmières. Voyons ça.

Et il découvrit un malheureux malade terrorisé, qui avait le zizi raidi de sparadrap et le bout glissé dans le doigt coupé d'un gant de chirurgie en caoutchouc. Du sparadrap encore et une sonde qui aboutissait, dans des gargouillis d'urine sanglante, au fond d'un flacon de mayonnaise Doña Delicias.

– Chacun de vous se verra confier un patient.

Il parlait comme le carnet de rationnement.

A l'hôpital, la hiérarchie fonctionne en sens inverse. L'individu le plus important était l'employée de la réserve, une véritable déesse de la nourriture.

144

Après venaient les infirmières, au courant de tous les secrets inavouables. Puis les toubibs, nous, les étudiants, et enfin les malades.

Cette semaine-là, nous eûmes notre premier cours didactique. Maître Wagner parlait de muscles inguinaux et de conduits spermatiques aux parois fragiles quand le patient entra dans la salle, un petit vieux qui marchait en poussant doucement du pied un testicule énorme pour le faire avancer. On lui avait dit que son traitement et sa guérison à l'hôpital dépendaient de cet acte d'exhibitionnisme.

Le vieux déglutit, baissa son pyjama et, comme quelqu'un qui couche un enfant, ramassa et posa sur la table ce testicule monumental hérissé de poils gris, le contemplant comme s'il ne lui appartenait pas.

— Ceci est une hernie inguinale. Vous pouvez vous approcher pour regarder et palper, nous lança Wagner.

Il n'y avait pas trois semaines que les cours avaient commencé que Conchita et Luisa, le célèbre couple dirigeant de la Jeunesse communiste, reçurent le même télégramme : elles devaient redoubler la deuxième année pour avoir manqué aux cours d'éducation physique. Trois heures hebdomadaires volées à la gymnastique allaient leur coûter un an d'études à l'école d'où elles venaient de sortir.

Et il ne se passa pas trois jours avant que je ne reçoive le même télégramme.

Comme le vieux au testicule énorme, je dégageai mon ventre gonflé de mes vêtements et le posai sur le bureau de la directrice de la faculté.

— Vous pensez que c'est un oreiller ?

— Certainement pas.

— Pourquoi voudriez-vous que je sois la première femme enceinte de cette faculté à faire de la gymnastique suédoise ?

— La vérité, c'est que deux élèves t'accusent d'avoir intimidé les professeurs d'éducation physique.

— Tous les professeurs, moi seule ?

— Oui, avec des photos où tu es avec Fidel.

Conchita et son acolyte étaient un cauchemar à répétition. Dès que j'eus mis un pied en propédeutique, je les eus sur le dos. Elles changeaient d'école en même temps que moi. Je me souvenais d'elles et de la Marquetti, juchées sur des sacs de sucre, nous accusant de lesbianisme pendant la période de travail aux champs. Je me souvenais du père d'Alquimia qui, pour éviter une sanction sévère à sa fille soupçonnée de vol, avait raconté à la police que j'étais sa complice. « La fille de Fidel » par-ci, « La fille de Fidel » par-là. Chaque fois que je me trouvais à proximité du moindre petit problème, il y avait toujours quelqu'un, parents ou enfants, pour m'y impliquer, en pensant que si j'étais dans le coup, les autorités passeraient l'éponge.

Je dis à la directrice :

– Les seules photos où je suis avec Fidel sont celles de mon mariage. Je ne les montre jamais. J'ai l'air d'un boudin affublé de dentelles. D'après moi, vous devriez plutôt punir les professeurs. Vous vous rendez compte ? Dix profs de gym intimidés par une photographie ! Il ne vous manquait plus que ça !

Je revins à l'hôpital exemptée de sanction, après une semaine de démarches comportant l'exhibition de mon ventre sur plusieurs tables du ministère de l'Education où, par chance, Llanusa, le mamelu, n'était plus ministre ; destitué, il élevait des porcs dans une ferme d'Etat.

J'avais le cœur à vif et perdu tout espoir de rencontrer un minimum de loyauté humaine.

Le patient que m'avait attribué Wagner était mort à cause d'une radiographie mal faite et d'une autre qui n'était pas nécessaire.

Il avait un poumon rongé par le cancer. On l'avait fait attendre des semaines, le temps de réparer le bronchoscope, jusqu'à ce que le technicien, se trompant d'orifice, le rende avec une plaque destinée à l'estomac. Comme maître Wagner ne s'avouait pas vaincu, le maudit examen fut renouvelé et finit par tuer le malade après qu'il eut été maintenu des jours entiers tête en bas dans le lit, rejetant comme il le pouvait dans une cuvette ce qu'on lui avait fourré dans l'arbre bronchique.

J'étais sur le point d'envoyer mon patient à la morgue quand je vis arriver aux admissions ma douce voisine Estercita, en plein coma diabétique, qui resta pendant des

146

jours les yeux révulsés, comme essayant de fuir la vie. A son premier repas de ressuscitée on lui servit un plateau de carbo-hydrates qui auraient pu la renvoyer dans l'au-delà. Au pied du lit, un tableau clinique vierge pendait des barreaux écaillés et tordus. Je me mis à la recherche du coupable et écrivit au directeur une lettre indignée.

Ma nouvelle patiente fut une petite vieille qui avait la maladie de Parkinson. On lui administra de la dopamine et on l'envoya en salle d'opération. Il paraît que le cerveau s'améliore quand on implante dans les zones atteintes des prélèvements de tissu d'un embryon humain.

Je ne savais pas que la maladie de Parkinson s'opérait, et je continue à ne pas comprendre comment on était parvenu à pareille conclusion, car il n'y a pas un seul cobaye au monde, rat, lapin ou singe, qui soit affecté de cette maladie.

Je commençai à remarquer que l'éthique médicale était quelque peu flottante.

Les cadavres dans le formol ne me gênaient pas. A force de les toucher à mains nues, je partageais avec Bolivar les champignons sous les ongles. Mais je n'étais pas encore prête pour les malades vivants et les grands hôpitaux.

Nous avions aussi un apprentissage dit « de terrain » consistant à contrôler les grossesses, les cas de tuberculose et les maladies vénériennes. Je fus envoyée dans l'ancien quartier chinois de la vieille ville. J'arrivai rue Zanja en pensant que de tous ces Cantonais, débarquant au siècle dernier pour servir de main-d'œuvre bon marché et qui avaient ouvert et perdu des teintureries et des gargotes, il ne devait rester qu'une communauté réduite.

Ma surprise fut grande quand je découvris qu'entassés dans les mêmes taudis, ils continuaient à croître et à se multiplier, se mélangeant à peine avec les Cubains, et que dans ces conditions de vie infra-humaines, où nourriture et excréments se tenaient compagnie, le bacille de Koch faisait des ravages. La Révolution n'était pas passée par le quartier chinois de La Havane, tout comme elle n'était pas passée à la Dionisia, à Palo Cagao et à Llega y Pon. C'étaient les mêmes plaies ouvertes de la misère.

Je ne parlai de mon effroi à personne jusqu'à ce qu'un soir arrive aux urgences de l'hôpital un homme sans âge –

les gens vieillissent vite dans de telles conditions – qu'une mauvaise chute avait laissé paralysé au-dessous de la ceinture. Il était allongé, ses yeux bleus énormes perdus dans un océan d'angoisse.

Wagner nous prit à part.

– Soyez discrets et prudents avec ce patient, bien que vous ne risquiez pas de lui faire du mal, et pratiquez un toucher rectal. Certains pourront lui faire une ponction lombaire. Pas tous. Seulement ceux qui veulent devenir chirurgiens.

Nous étions vingt dans ce groupe de carabins; dix-huit lui mirent un doigt dans l'anus. Wagner eut la délicatesse de n'autoriser que huit ponctions lombaires.

Mais ce fut plus incroyable encore le lendemain quand le malheureux se mit à trembler comme un possédé, dans une salle qui à deux heures de l'après-midi était vide de médecins et d'infirmières.

J'avais besoin d'aide mais ne trouvai personne. Je partis à leur recherche dans les endroits secrets où ils avaient l'habitude de faire l'amour.

Ils étaient en train d'assister à une réunion du Parti, pendant leurs heures de travail afin de ne pas sacrifier leur temps de loisir. Confortablement assis, ils commentaient un discours du Commandant qui parlait de la médecine avec le même enthousiasme forcené que lorsqu'il parlait des croisements de bovins.

Il y avait une demi-heure que je courais dans tous les sens, avec mon gros ventre et l'angoisse que le diable n'emporte l'âme de ce pauvre christ convulsé, quand je tombai sur cette réunion. J'explosai et leur lançai un torrent d'invectives.

– Opportunistes, salopards, assassins!

Ecumante, ventrue et échevelée. Une *mater dolorosa* égarée et ridicule.

Ce samedi-là, Panchi m'emmena dîner avec Antonio Gades, un danseur espagnol qui était à La Havane pour monter un ballet de rumba flamenca.

C'était un homme passionné, sociable et charismatique. La soirée fut joyeuse, ponctuée de bonne musique, de bonnes danses et de bon vin.

Le dimanche, je me réveillai à l'aube avec des contractions violentes, sans pitié et continues. Le fœtus avait commencé à ouvrir douloureusement ses propres canaux pour s'échapper de mon corps.

Je réveillai mes matriarches à une heure où le cerveau est encore embrumé. Maman et Panchi commencèrent à se lancer des ordres et à courir d'une pièce à l'autre. Je les regardai, patiente et résignée, assise sur une chaise à côté de la porte de la cuisine, avec ma petite valise de parturiente posée sur les genoux.

A l'hôpital, je me mis à marcher, au mépris du rythme respiratoire et autres techniques de pré-accouchement que je n'avais pas pu apprendre, certaine que les lois de la pesanteur suffiraient à ma fille. Car dans l'obscure communion de mon ventre partagé, je savais que c'était une fille et qu'elle avait hâte de venir.

Mais quelle poisse ! L'équipe de garde du « meilleur hôpital de gynéco-obstétrique d'Amérique Latine » avait l'air de tout sauf d'être cubaine et professionnelle. C'étaient en fait des étudiants de ces fameux échanges internationalistes, venus de toutes parts, plus jeunes que moi, et encore plus effrayés et confus.

Deux autres parturientes criaient à tue-tête tous les jurons de la langue espagnole.

C'est dans ce décor qu'arriva la torture attendue : une griffe se planta entre mon ventre et mon dos, et dans un désordre de sensations, dans un comble d'amour-haine, une poussée de tremblement de terre laissa Mumín sur le seuil de la vie tandis que sa mère, obsédée par l'heure astrale et la ronde perfection du nombril, regardait sa montre et menaçait de mort l'infirmière si elle s'avisait de laisser à sa fille un doigt dressé comme une sucette au milieu du ventre, attribut qu'exhibent les nouvelles générations cubaines, pour quelle raison, je l'ignore.

Mumín naquit en milieu de matinée de ce dimanche de décembre, et je ne dirai pas à quelle heure afin de lui éviter des sorcelleries sidérales, car il y a des gens qui ont le pouvoir d'interrompre le passage paisible et annonciateur des étoiles.

C'était un troll. Avec son gros nez et un buisson de cheveux noirs dressés qui descendaient jusqu'aux sourcils, elle aurait été parfaite pour effrayer les gens la nuit.

Natica eut du mal à l'accepter.

– Quand on m'a conduit dans la salle des berceaux, il y avait deux bébés roses, blonds, mignons, et j'ai dit à Panchi : « Cela doit être un de ces deux. » Mais il m'en a montré un autre avec les cheveux foncés et un nez de mulâtre. Ils ne se seraient pas trompés d'enfant ?

Grand-mère Natica est toujours très encourageante.

Mumín n'a pas changé depuis qu'elle vint au monde ce matin-là, sauf dans son esthétique. Elle ne pleura jamais de faim ni de colère. J'avais les seins débordant de lait et douloureux, mais ce n'était pas son problème. Quand elle remuait les mains, c'était comme deux petites étoiles diurnes qui m'éblouissaient.

Avec elle collée à un sein et un ami qui révisait avec moi – car nous n'avions plus notre cher complice de l'imprimerie –, je dus préparer l'examen sur le système respiratoire. Souffrant encore de la blessure de l'accouchement, que l'on venait à peine de découdre, je m'assis dans la salle où le professeur Wagner avait préparé contre moi une vengeance majestueuse.

Il distribua le sujet à tout le monde sauf à moi, comme si j'étais transparente. A la fin je protestai :

– Je regrette. Tu ne peux pas passer cet examen. Tu étais absente.

– Mais j'ai manqué une semaine ! J'étais en train d'accoucher !

– Cela m'est égal. Aie la bonté de sortir de cette salle.

Et je sortis. Avec un moral tombé à mes pieds comme une culotte sans élastique.

Ma tante Vilma oublia d'envoyer l'employée de la Fédération des femmes cubaines qu'elle m'avait promise dans un élan de générosité familiale.

La seule personne que je pus trouver pour m'aider était nette comme l'Immaculée Conception, mais avait plus de champignons sous les ongles que Bolivar le technicien, et Mumín se retrouva le ventre couvert de plaques rouges.

Grand-mère Natica se déclara trop fatiguée et maman ne pouvait quitter son travail.

Je demandai un arrêt temporaire pour raisons de maternité et je reçus un avis d'expulsion pour avoir abandonné mes études. La faculté de médecine a fait la sourde oreille chaque fois que j'ai demandé une copie de mon dossier universitaire.

Maternité et carnet de rationnement sont des ennemis irréductibles. Le troll n'avait même pas un matelas, il était du reste impossible d'en acheter sans une attestation de l'hôpital certifiant que l'enfant était né vivant.

Le savon qu'on nous donnait chaque mois ne suffisait pas pour laver la sarabande de couches sales ni les quinze mètres de « toile antiseptique » pour faire assez de couches.

Quant à l'eau, elle avait fui la maison depuis que le ministre des Transports s'était fait installer, quelques rues plus bas, une piscine dans son jardin. La citrouille, le bananier et la malanga n'étaient plus qu'un souvenir.

Les pérégrinations pour nourrir le troll incluaient tous les quinze jours une visite à ma belle-mère, sur la route 85, d'où je revenais sur les rotules, et des déplacements plus courts au jardin d'un petit vieux qui me donnait quelques produits si je lui laissais toucher mes seins.

Panchi passait son temps dans les avions en tournées interminables et impayées. Maman volait d'un bureau à un cours ou à une réunion dans son oiseau bleu VW offert par Raúl. Grand-mère Natica voyageait dans les espaces éthérés du téléphone et moi je courais d'une pièce à l'autre, surveillant les ébullitions de langes et de biberons, et la tranquillité de ma fille, quand mon cher Sosa arriva à la maison avec un sourire de félicitations et un paquet cadeau doublé de papier violet contenant du talc, une trousse à pharmacie, une casquette et un manteau de laine pour le bébé et un peignoir de la même couleur cyanosée que le papier.

Je suis sûre que Fidel ne choisit pas lui-même ses cadeaux. Je manifestai ma reconnaissance et continuai à frotter les couches à l'eau de Javel, afin qu'elles soient immaculées, et à inventer des recettes pour papilles débutantes destinées à faire grandir le troll, qui devenait glouton dans sa hâte de se transformer en gnome.

Le troll disciplinait ma vie, m'imposant un horaire de bon sens que je n'aurais modifié pour rien au monde. Je voulais être sa mère, tout le reste passait après. Mais sa mère devait continuer à faire des études, car la mienne avait accroché au mur un diplôme qu'elle me faisait remarquer à tout moment, en ajoutant que si elle l'avait obtenu à plus de cinquante ans, il n'y avait pas de raison que je n'en fasse pas autant.

La douce pression de ma mère n'était rien comparée à celle qu'exerçaient la Fédération des femmes cubaines, le Comité de défense de la révolution, et toutes les organisations de masse qui glapissaient leurs slogans et qui avaient fait des Cubaines des êtres en pantalon qui passaient leur temps à travailler, à étudier, à endurer la cohue des transports et les queues du ravitaillement, sans un instant pour elles-mêmes.

Plus de vingt-deux ans avaient passé quand revint l'oncle Bebo, le frère de grand-mère Natica, « l'homme le mieux habillé de la Jamaïque » – jaquette, bottines, gants et chapeau haut de forme – qu'une résolution ministérielle révolutionnaire avait révoqué et exilé.

L'oncle Bebo arrivait à l'aéroport en représentant de la Communauté cubaine en exil, le nouveau nom que Fidel avait donné, après les avoir traités de *gusanos*, à cette foule de gens douloureusement amputés de leur famille et de leur terre.

Fidel autorisait les rencontres familiales, en ramassant ainsi un peu d'argent convertible. Les *gusanos* revenaient donc dans l'île, transformés en chrysalides dodues, gonflées de dollars et de cadeaux.

Dans les hôtels, on autorisa également les boutiques de la Communauté et cela déclencha un énorme désordre. Il fallut interdire aux militants du Parti de recevoir ou de s'occuper de leurs parents exilés en visite, ce dont furent chargés enfants et cousins, transformés ainsi en une horde de mendiants.

L'affaire devint un motif de délations et de conflits familiaux, car les nouvelles générations, élevées dans la criaillerie anti-impérialiste, éprouvèrent de l'affection pour ces oncles et ces cousins qui résolvaient leur anémie vestimentaire et physique.

Bebo conservait ses airs de lord. Il ne s'était jamais marié. Il avait un domestique hindou et faisait du yoga tous les matins, soignant son diabète par cette discipline de l'esprit.

Il introduisit chez ma mère quelques progrès civilisés d'importation tels que les serviettes en papier et la lessive, et d'ancestrales coutumes comme celle du whisky le soir en famille.

Mais sur ce dernier point, il fut déçu, car à sept heures du soir, sa nièce Naty travaillait encore et sa sœur Natica avait depuis belle lurette le palais insensible aux bonnes et vertueuses boissons.

Nous allâmes au « diplo-magasin » (le magasin réservé aux diplomates) acheter du whisky et du soda, et au nom de mes matriarches je me consacrai à satisfaire les caprices de l'oncle Bebo. Réglé comme une horloge, il exigeait glaçons et siphon à l'heure exacte où le soleil commençait à décliner sur l'île et la lumière violente à se diluer dans le crépuscule.

Bebo avait imposé son thermomètre personnel dans l'ambiance familiale de la maison. Il me disait :

– Dans ma vie, je n'ai jamais connu une situation aussi bizarre. Qu'est-ce qui est arrivé à ma sœur et à ma nièce ? Elles mangent chaque chose avec un plaisir ! Des choses qui, à mon époque, et à la leur, étaient pour les chiens et les porcs... Et pourtant, ma sœur et ta mère étaient deux femmes raffinées. Ça alors !

– Elles t'ont servi du gofio ?

– Et cette façon de parler ! Elles ne se parlent pas, elles aboient, et à toi, elles te donnent des ordres comme si tu étais mariée avec les deux. Et cette manie qu'elles ont de n'écouter personne. Je n'avais pas beaucoup d'espoir en venant, mais ce que je trouve, ma pauvre petite... Cela me fait beaucoup de peine pour toi.

– Je suis inquiète pour Mumín, mon oncle. Je donnerais n'importe quoi pour l'emmener loin d'ici.

– Et puis, que fait Natica toute la journée chez Naty, alors que son appartement est sur le trottoir d'en face ?

– Je ne sais pas. Elle n'aime pas rester seule. Elle arrive à neuf heures du matin et repart à dix heures du soir.

– Et quand ta mère rentre du travail, cela devient un enfer. Tu as vu comment elles veulent que je me lave ? Assis sur un banc, avec un seau et une bougie ! J'ai l'impression de vivre au moyen âge, alors que pour elles tout cela est normal.

En effet, l'électricité était coupée, l'eau manquait et,

après une intense réflexion, Natica avait décidé que pour l'oncle Bebo et sa grande carcasse, le plus facile était de s'asseoir à côté du seau plutôt que de se pencher pour y prendre de l'eau.

– Et toi ? me demanda-t-il. Comment tu te débrouilles ?

– Pas très bien. J'essaie de ne pas créer trop de problèmes. Je leur ai ramené quelques maris, mais le dernier, c'est comme si j'avais introduit le diable à la maison. Et elles ne s'occupent pas de Mumín, même pas pour me laisser sortir un peu le soir.

– Ça changera vite. Les gens se mettent à aimer les enfants quand ils grandissent. Pourquoi Natica ne te donne pas l'appartement ? Les couples doivent vivre seuls.

– Je ne sais pas... C'est son appartement.

– Oui, mais elle ne s'en sert pas. Laisse-moi faire.

L'oncle Bebo maîtrisait la politique comme le yoga. Il disait que Fidel était entre d'autres mains et que seuls les Cubains étaient entre les mains de Fidel.

– Au fait, réponds-moi sincèrement. Il t'arrive de voir Manley, le président jamaïquain, non ?

– Moi ? Je n'ai jamais vu ce type ailleurs qu'à la télévision.

– En Jamaïque, on dit qu'il vient à Cuba pour rencontrer la fille de Fidel.

– Pas besoin d'aller si loin, mon oncle. Ici même, il y a des gens que je ne connais ni d'Eve ni d'Adam et qui pour se tirer des pattes de la police disent qu'ils viennent me voir.

– Cela ne m'étonne pas, quand on voit l'ambiance de peur qui règne ici. Tu vas faire quelles études maintenant ?

– Diplomatie.

– Tu es folle ? Dès que le gouvernement changera, tu vas te retrouver sans travail.

Grâce aux subtiles manœuvres d'oncle Bebo, j'héritai du vivant de ma grand-mère un lieu où vivre seule avec le troll, qui était devenue adorable, infernale et manipulatrice. Elle avait appris à se servir du téléphone et appelait d'une maison à l'autre, chez sa grand-mère ou chez sa mère et vice versa, à la recherche de quelqu'un qui fasse ses quatre volontés.

Ce fut la puissante veuve d'un martyr de la Révolution, disposant d'un réseau complexe d'amitiés au ministère des

154

Relations extérieures, qui trouva la solution au chômage forcé de mes capacités intellectuelles :

– Cette petite est faite pour la carrière diplomatique !

La veuve était une femme qui parlait haut et fort. Elle imposa à grands cris sa décision de me parrainer et c'est ainsi que j'entrai à la faculté la plus élitiste de Cuba, réservée aux membres de la Jeunesse communiste qui s'étaient distingués comme militants d'avant-garde.

Il régnait là un dogmatisme à couper au couteau.

Chaque fois qu'on avait voulu faire de moi une militante, je m'étais défilée en prétextant d'opportunes raisons de santé, et je me retrouvai soudain entourée de cubanologues et de farouches défenseurs de l'idéologie marxiste.

« L'école du vernis », comme nous l'appelions, se proposait de dégrossir un peu ses élèves afin qu'ils puissent représenter Cuba sans manger le poulet avec leurs doigts et qu'ils sachent dire merci en plusieurs langues.

On étudiait les langues, la littérature et l'art, le marxisme et le protocole.

Notre professeur de protocole, qui avait été ambassadrice au Vatican, nous apprenait à dresser une table de déjeuner pour hommes seuls, à manger des escargots et autres bestioles à coquille, à marier cravate et costume, chemise et bas, à casser d'un geste élégant la carapace de langouste ou de crabe, et à nous rincer les doigts dans de l'eau et des pétales de rose, pour les femmes, de l'eau et une rondelle de citron, pour les hommes. Toutes choses que j'avais apprises quand Lala Natica m'avait éduquée dans la grande tradition : lentilles présentées sur un plateau d'argent et domestiques fantômes servant à la russe ou à la française.

Végéter au milieu de tous ces gendarmes idéologiques de vingt ans était mortellement ennuyeux. Mes autres problèmes étaient cette maudite ponctualité du matin, car le troll avait ses caprices de dernière minute avant que je ne le conduise au Cercle infantile des petits amis de la Pologne, et un sommeil irrépressible qui me courbait la tête dès que je m'asseyais et que ni les amphétamines ni le café fort et amer ne parvenaient à vaincre. La sonnerie de fin de cours me réveillait et je passais ainsi mes huit heures de classe, comme un zombi.

Le marxisme finit par bouleverser ma vie. Je commençai

à prendre au sérieux les lois de la dialectique, où tout est le même et son contraire, où un phénomène nie le phénomène antérieur et où l'on est soi-même unité et lutte des contraires.

Dans *Le Capital*, il est amusant de voir expliqué comment exploiter les gens en les payant moins. La seule différence entre les Etats-Unis, et Cuba et la Russie, c'est que dans les premiers on sait dans quelle poche va l'argent, tandis que dans les autres on ne le sait pas. Je n'ai jamais pu savoir où finissait, à Cuba, l'argent de notre travail volontaire, alors que tout allait de mal en pis, que les gens étaient de plus en plus pauvres et que les maisons perdaient leur peinture et leur plâtre.

Si Fidel n'avait pas été mégalomane et ne s'était pas lancé dans la guerre d'Angola et toutes ces guérillas, nous serions peut-être aussi malheureux, mais moins misérables.

C'est à cause de la philosophie qu'il n'y a pas de livres dans l'île. Car quand on commence à lire des choses universelles et à méditer, le cerveau se remplit d'air et de petits oiseaux, on divague, on s'éloigne d'une réalité réduite à quelques slogans. Fidel le sait très bien, parce qu'il a passé son temps à lire quand il était en prison, pensant que sa vie allait s'y dérouler. Et quand on lit on est plus libre que quand on bat la mesure d'un merengué collectif qui ne change jamais de rythme.

Mais je ne vais pas accuser la philosophie si au retour de ses tournées, Panchi me trouvait épuisée.

Le peu de temps qu'il restait à Cuba, il prenait le relais en m'aidant dans cette éternelle quête de nourriture pour le troll. Il bouleversait toutes mes habitudes. Quand je finissais par m'accoutumer à sa présence et à sa façon de vivre, une autre tournée l'emportait.

Je me détachai lentement de lui, incapable de concilier son univers d'espaces ouverts avec le mien.

Quand mes cours prirent fin, nous étions divorcés.

Maman eut une réaction des plus inattendues :

— Je ne permettrai pas que ma petite-fille grandisse sans père ! Et elle installa Panchi chez elle, sur le trottoir d'en face.

— Tu vas nous gâcher l'existence.

Elle n'en tint pas compte.

Le seul professeur de « l'école du vernis » que je garde vraiment gravé dans ma mémoire est José Luis Galbe, un républicain espagnol résidant à Cuba et professeur de littérature. Quand il se laissait emporter par son élan poétique, il évoquait le rayon vert miraculeux des couchers de soleil en mer Egée, ponctuant ses envolées de citations de ses propres œuvres d'inspiration surréaliste, et racontait des choses extraordinaires en faisant vibrer les z :

– Les intellectuels doivent s'engager dans les processus sociaux, mais sans perdre leur identité. Ce n'est pas ce qui se passe à Cuba. Bien au contraire. Je vais vous raconter cette soirée où on m'a invité à une lecture de poésie à l'Union des écrivains et des artistes de Cuba. Il y avait là tous les écrivains cubains de la Révolution : César Leante, Fernández Retamar, Pablo Armando Fernández, Ezequiel Vieta, etc. Chacun a lu un poème. A la fin on m'a demandé de lire le mien. Quand ils ont fini d'applaudir, je leur ai dit : « Ecoutez bien. Mon poème est composé avec une phrase de chacun des poèmes que vous avez lus ce soir. Messieurs, permettez-moi de vous dire que vous êtes tombés dans la médiocrité. Je considère que pour être original en art, il faut être indiscipliné. Et il faut bien reconnaître que vous n'avez pas un soupçon de courage créatif. »

J'adorais ce vieil homme qui n'avait ni enfants ni famille à qui faire partager son expérience.

Il parlait de Balzac et de l'illuminisme :

– Voyons. Qui parmi vous a lu *La Comédie humaine* ?

Toute pâle, je levai timidement un doigt. Fidel m'avait offert les œuvres complètes de Balzac en français. Dix tomes sur papier bible que j'avais lus consciencieusement.

– Eh bien, je vous félicite ! On voit que vous aviez beaucoup de temps à perdre.

Il avait raison, mon professeur de littérature. Je passais ma vie à lire la vie des autres, sous la protection de sainte Termite, patronne des dévoreurs de livres. La vie que je menais n'était pas normale, au milieu de cette phalange de femmes de la Révolution, en quête comme moi de diplômes universitaires et comme moi surnageant miraculeusement en s'efforçant d'élever un enfant sans disposer du minimum nécessaire pour cela.

Je me sentais plus seule que le dernier des Mohicans :

nous n'étions que trois matriarches, alors que normalement, dans une famille, tous doivent apporter leur contribution.

Pour la deuxième année, je sillonnais les marécages vernissés de l'Ecole de diplomatie quand éclata un énorme scandale à l'ambassade du Pérou, un édifice situé, comme toutes les forteresses jouissant du droit d'accorder l'asile aux Cubains, dans une zone résidentielle et « gelée » de la Cinquième Avenue de Miramar, caché derrière des grilles de plus de deux mètres terminées en fer de lance et surveillé par un soldat tous les trois mètres.

Une nuit, des hommes tuèrent un soldat en voulant pénétrer dans l'enceinte. Cuba réclama ces hommes et les Péruviens refusèrent de les livrer.

Un dialogue s'établit entre le gouvernement et l'ambassade. Les Péruviens persistèrent à protéger les réfugiés et les Cubains cessèrent de protéger l'ambassade.

Ce fut terrible. La poussée de la foule qui se présenta pour demander asile tordit les grilles. Des centaines de gens arrivèrent en traversant les cours adjacentes. Les conducteurs des bus s'arrêtaient et criaient :

– Terminus, tout le monde descend !

Une partie des passagers restaient assis, tétanisés, tandis que d'autres sortaient en courant pour se glisser entre les grilles tordues. La quantité de voitures abandonnées par leur propriétaire fit baisser les prix du marché noir.

En moins de trois jours, des milliers de Cubains s'entassèrent dans l'ambassade.

Le gouvernement ne pouvait pas continuer à se ridiculiser. L'ambassade fut entourée d'un cordon de barrières installées à plusieurs kilomètres sans pouvoir endiguer la marée humaine qui continuait de déferler.

S'il ne voulait pas se voir accusé de génocide, Fidel n'avait pas d'autre choix que de ravitailler l'ambassade en eau et en nourriture pour tous ces gens qui occupaient les toits, les arbres et les grilles des fenêtres.

Cette foule désespérée reçut le nom de « déchets [1] ».

1. Le gouvernement baptisa aussi « déchets » les 120 000 Cubains qui, en 1990, quittèrent l'île par le port de El Mariel à destination des Etats-Unis. Les autorités cubaines profitèrent de cet exode pour se débarrasser de milliers de prisonniers de droit commun et de malades mentaux en imposant leur embarquement sur les bateaux envoyés de Floride par les exilés pour recueillir leurs familles.

Et ce fut Fidel en personne qui tenta de transformer ce revers en victoire par les tristement célèbres « actes de répudiation ».

Le gouvernement s'engagea auprès de l'ambassade à respecter les futurs exilés si elle les renvoyait chez eux où leur serait délivrée une autorisation de départ en bonne et due forme.

La lame de fond qui gonfla dans la rue est une des choses les plus terribles dont je me souvienne, et qui bouleversa la confiance que je pouvais avoir dans le genre humain : « Déchets ! Déchets ! », hurlaient des Cubains à d'autres Cubains.

Des hordes de gens harcelaient, frappaient, humiliaient, lynchaient, sans que la police lève le petit doigt.

De la vitre d'un bus, j'eus la vision étrange et fugitive d'une femme-sandwich affublée de panneaux portant le mot « déchet » écrit devant et derrière, et harcelée par des trognes hargneuses et perverses.

Une de ces manifestations « civiques » fut organisée dans l'immeuble au coin de notre rue. Elle dura des semaines. La famille qui était visée se retrouva sans eau ni électricité et des haut-parleurs hurlaient : « Putain ! Salope ! Ton mari se fait enculer à l'ambassade ! »

Les familles de Miami arrivèrent à la rescousse avec toutes sortes d'embarcations, qu'ils possédaient ou qu'ils avaient louées, car le Pérou ne pouvait pas ravitailler tant de réfugiés. Ils durent faire plusieurs traversées avec des fous abandonnés, des criminels libérés des prisons dont les yeux n'étaient pas encore habitués à la lumière, et des éphèbes souriants, vrais ou faux homosexuels.

Il fut obligatoire de demander les autorisations de départ dans les bureaux et les écoles, mais cela ne suffit pas à endiguer ce désir éperdu de fuite.

Un jour, vers midi nous fûmes rassemblés en bas de l'Ecole de diplomatie pour un acte de répudiation, « sans violence », nous rassura-t-on, contre un adolescent de quinze ans qui voulait quitter le pays.

Lui et sa mère étaient en train de passer entre les rangs silencieux et hostiles quand un grand gaillard de première année se mit, très diplomatiquement, à frapper la femme à la gorge. Et la curée commença.

Tels des nazis, plus de deux cents élèves, jouant les révolutionnaires indignés, pourchassèrent ces deux malheureux dans la rue, et les auraient tués si un homme ne s'était pas interposé à temps, ce qui lui valut de retrouver son pare-brise en mille morceaux sur l'asphalte de la Troisième Avenue.

Cela me rendit folle de rage.

J'attrapai l'élève de première année par le col poisseux et puant de sa chemise :

– Salopard, fils de pute, lâche ! Frapper une femme devant son fils ! Si tu me touches, je t'éclate les couilles ! hurlai-je en me mettant en position de combat. Ce n'était pas pour rien que j'avais été mariée avec deux champions de karaté. Je devais avoir l'air d'une folle.

Le type eut honte.

– Derrière un extrémiste se cache un opportuniste ! lui lançai-je, connaissant Lénine sur le bout du doigt. Si ça se trouve, c'est toi qui voudrais partir et qui n'ose pas.

Les spectateurs n'applaudirent pas.

La réaction du professeur José Luis Galbe n'était pas faite pour apaiser leur conscience. Quand nous retournâmes en classe, il était sombre. La consternation se lisait sur son visage et lui étranglait la voix. Il fit la même citation de Lénine et les traita de lâches.

C'est vers cette période que je me mis à gonfler. J'arrivais normalement le matin, je m'asseyais, je dormais, je me réveillais, je me rendormais et je passais la journée ainsi, transformée en un bouddha somnolent. Puis j'allais chercher mon lutin au Cercle infantile et je sortais de mes chaussures deux pieds qui ressemblaient à des jambons.

Toute la nuit résonnait dans l'appartement les infamies du haut-parleur installé au coin de la rue. Même les ivrognes qui passaient au petit jour s'arrêtaient pour purger leur mauvais sang d'un répertoire qu'il est préférable de taire.

Mumín dormait tranquille, mais il m'arrivait de penser que je l'avais mise au monde comme une lettre dans la mauvaise boîte.

J'accumulai les échecs.

Je fus admise pour la deuxième fois à l'Unité chirurgicale

du Minint, afin de découvrir l'origine de ce trouble inconnu qui me transformait en éponge à liquides que je n'avais pas bus. La première semaine, je perdis huit kilos – de l'eau – sans raison apparente, au désarroi des médecins et des infirmières.

Mais je savais ce qui m'arrivait : j'étais gavée de toute la saloperie ambiante.

On me mit donc entre les mains d'un psychiatre perclus d'arthrose qui parlait en roulant les mots comme si une énorme langue menaçait de s'échapper de sa bouche. Nous nous plûmes aussitôt.

Je le convainquis de me mettre sous narco-hypnose espérant que le Tiopental dévoilerait les mystérieux arcanes d'un mal capable de me transformer du jour au lendemain en un bouddha hydropique. Mais, sous influence mesmérienne, je ne parlais pas ou je m'exprimais dans une langue incompréhensible.

Je finis par trinquer avec mon médecin et par l'accompagner chez sa petite amie. Après tout, les psychiatres ont eux aussi besoin d'être écoutés.

Je sortis de la clinique quatre mois plus tard. J'y serais volontiers restée : je m'y trouvais merveilleusement bien.

Un boxeur à la retraite, qui m'entraînait deux fois par jour, avait fait de moi une future gloire du Minint en course de fond.

La famille Castro s'arrêtait parfois pour me rendre visite. Le jour de mon anniversaire, l'oncle Ramón, qui était toujours ensorcelé et continuait à gratter les mêmes chansons tristes sur sa guitare, m'apporta un cake géant posé sur un plateau.

J'étais délivrée de cette odieuse école et de ses actes de répudiation si diplomatiques.

Même Fidel me rendit une visite inattendue, avec deux cageots de choux-fleurs de sa « fermette », que le cuisinier Espina cuisina pour moi à sa façon.

Sa visite dut le tracasser, car peu après me fut proposé un petit travail tranquille. Outre géographe et spéléologue, Núñez Jiménez était devenu homme de lettres et avait besoin d'étoffer son équipe d'éditeurs et de correcteurs. Suivant Fidel à la trace, il entra dans ma chambre et me proposa de réviser un livre sur Wifredo Lam, la gloire de la peinture cubaine. Si bien que je pus gagner un peu d'argent en restant au lit.

J'avais acquis le statut de « malade des nerfs » et j'étais décidée à l'utiliser le reste de mon existence : il n'est rien de mieux, à Cuba, que d'être considéré comme un fou instable. Cela rend inapte à bien des activités.

Dans la chambre j'avais télévision et vidéo.

Le soir on me donnait un laissez-passer et j'allais faire de la figuration dans un film cubain que tournait l'acteur espagnol Imanol Arias, et je profitais ainsi de l'habileté de sa maquilleuse Magaly Pompa qui m'apprit les secrets de la simulation faciale grâce au jeu des ombres.

Je rentrais le matin, pâle, heureuse et fatiguée et j'allais m'entraîner avec mon boxeur noir.

J'étais l'enfant gâtée de la clinique.

Oui, j'y serais bien restée toute ma vie si le troll ne m'avait pas autant manqué.

Et c'est à cause du troll que je me retrouvai de nouveau dans le palais de la Révolution, après avoir quitté ce paradis où j'avais vécu pendant les quatre derniers mois. Fidel n'avait pas épuisé sa curiosité pour le rôle récurrent de ses gènes dans ma descendance, et il détestait les imperfections.

– Comme tu es maigre ! Pourquoi es-tu si maigre ?

– Regoiferos m'a transformée en coureuse de fond.

– Ça c'est bien ! Tu veux un sandwich ? Ici, ils sont très bons. Un café au lait ?

– A cette heure, ce ne serait pas mieux un petit whisky ? Et nous bûmes un whisky.

– Comment va la petite ?

– Un vrai lutin. Elle s'étoffe.

– Parce qu'elle mange bien ?

– Elle est gourmande.

– Les enfants devraient avoir leur propre frigo. C'est plus hygiénique. La nourriture du nouveau-né doit être à part, à l'abri des germes. Pas là où tout le monde met la main. Figure-toi que je suis en train d'étudier la médecine.

Je ne le savais pas mais cela ne m'étonna pas. J'imaginai que ses prochains discours seraient fleuris de références médicales.

– Je vais t'envoyer un frigo pour la nourriture de la

petite. Et sache que je vais le payer de ma poche, bien que je n'aie pas beaucoup d'argent en ce moment. J'ai eu beaucoup de frais récemment. Fidelito rentre définitivement d'Union soviétique et a besoin de s'installer avec sa femme et de se distraire un peu.

– Bien sûr, bien sûr.

– Le frigo c'est à part. Je voudrais t'aider un peu pour la petite. Quatre-vingts pesos, ça te paraît bien ?

Alléluia ! Avec cette somme, multipliée par trois, je pouvais payer la facture d'électricité.

– Parfait !

– Qu'est-ce que c'est cette histoire de problèmes nerveux ?

– Je ne sais pas. Je me suis mise à grossir quand plein de choses allaient mal et j'ai perdu de l'eau quand ça s'est arrangé. L'ambassade du Pérou, les actes de répudiation...

– Conneries ! Nous nous sommes débarrassés d'un tas de cinglés, sans parler des criminels. Que les Yankees se débrouillent avec eux !

– J'ai toujours l'impression d'être au mauvais endroit. Je voudrais partir.

– Pour aller où ? Hors de Cuba ? Cela aurait trop de conséquences politiques. N'y pense pas.

– Tu m'as dit la même chose quand j'avais onze ans et la famille de Wifredo Lam m'a invitée en France, trois ans après être partie d'ici.

– Ce qu'il te faut c'est du repos.

– Ça fait quatre mois que je me repose...

– Tu n'as qu'à rester au palais jusqu'à ce que tes cours finissent. Après, on verra où tu pourras étudier l'an prochain. Cette carrière diplomatique est une stupidité.

L'oncle Bebo et lui étaient au moins d'accord sur un point.

Il décrocha son téléphone et demanda mon retrait de l'école.

Mon séjour au palais obéissait à un plan conçu pour aider son nouveau protégé, Willy, fils de Guillermo García, ce monsieur qui avait vidé plusieurs citernes du Nuevo Vedado pour remplir sa piscine. Il s'agissait de déjeuner avec des gens triés sur le volet et, l'après-midi, d'étudier le russe avec un professeur.

– Si tu veux aider ce garçon, cherche-lui un bon psychiatre. C'est un professionnel du mensonge, dis-je peu après à Fidel, à propos de Willy.

– Je n'ai pas besoin de tes conseils. J'ai besoin de ton aide. Au fait, quel est le meilleur moment pour venir faire connaissance avec la petite?

– Il vaut mieux que je l'amène. Je voulais éviter le tohu-bohu des nécessiteux du quartier.

Quand je lui amenai donc le troll habillé de meringue synthétique, il nous attendait dans le couloir. Il se pencha vers elle les bras ouverts comme le faisait papa Orlando. Mumín se mit à courir, s'arrêta, le regarda mieux et fit demi-tour en s'accrochant à ma jupe.

Parmi les habitués de la petite salle à manger du palais il y avait Osmani Cienfuegos, frère d'un héros de la Révolution[1]; Montané[2], ministre des Communications inexistantes; son fils Sergito, qui avait une grande cote auprès des femmes avant qu'une opération interminable au cerveau le laisse convulsif, balbutiant et perdu dans un monde enfantin d'où il sortait peu à peu; Faustino Pérez[3], le père de mon ex-petit ami qui portait des bottes à franges et des jeans bariolés; Chomy[4], le nouveau chef de cabinet de Fidel; Celia Sánchez habillée en homme, à la Mao Tsé Toung; Willy en personne, surnommé Bouffe-patates pour le gouffre buccal d'où sortaient ses adorables mensonges; et moi qui enflais selon les ordres indifférenciés de la psyché et du soma, seule femme à fouler ce lieu, à l'exception de l'employée de la Fédération qui servait à table.

Ils étaient ravis de ma présence. Tellement ravis que je commençai à me faire des petits nœuds dans les cheveux et

1. Frère de Camilo Cienfuegos, l'un des plus célèbres et populaires commandants de la Sierra Maestra, disparu en 1959 dans des circonstances encore inexpliquées. Osmani eut d'importantes responsabilités dans le gouvernement et est membre du bureau politique du parti.

2. Jésus Montané, dit Chucho. Survivant de l'attaque de la caserne Moncada. Compagnon de Fidel Castro dans tout le processus révolutionnaire.

3. Membre de l'expédition du *Granma* et guérillero dans la Sierra Maestra. Ancien dirigeant de la lutte clandestine à La Havane. Membre du comité central du parti.

4. José Miyar, dit Chomy. Médecin de Santiago de Cuba. Il fut recteur de l'université de La Havane et chef de cabinet de Fidel.

à porter de longues blouses à dentelle dans le vieux style hippie afin qu'ils ne me prennent pas trop au sérieux. La table à huit places se trouvait dans un petit salon. A droite de chaque assiette était alignée une sélection de comprimés destinés à accroître l'attention, la concentration et la virilité, dont le vieux Montané, qui avait une nouvelle épouse, faisait une grande consommation.

Parfois, la conversation volait haut :

Montané : Carter va être réélu ! Ce Reagan n'a pas une seule chance.

Son fils tremblotant : Mm... mm... mais pa... pa...papa, qu'est, qu'est... ce que tu dis ?

Un autre : Les Juifs et les Noirs sont contre lui depuis le scandale d'Andrew Young. L'argent est contre lui ! Il ne sera jamais réélu, ni dans cette vie ni dans l'autre !

Montané : Vous verrez ! Vous verrez !

Nous vîmes que Carter ne fut pas réélu et que Montané fut nommé conseiller de Fidel pour l'Amérique latine. J'inventais de nouvelles coiffures tous les jours.

Le professeur de russe était un albinos qui arrivait en clignant des yeux, ébloui par un interminable trajet en bus depuis l'autre bout de La Havane pour enseigner la langue russe à des fils à papa. Il ne connaissait pas mission plus digne, surtout depuis que Fidel faisait des tournées d'inspection des classes, circonstance en laquelle sa peau de papier de riz devenait rouge, puis transparente.

Moi aussi je connaissais tardivement la joie ! Enfin mon papa venait à l'école me regarder étudier !

Nul ne peut supporter sans broncher le spectacle d'une enfance ratée. Il finit par m'envoyer chercher pour le retrouver comme toujours dans son bureau.

La pénombre des plantes vertes et le whisky inclinent aux confidences. Malgré mes petits nœuds dans les cheveux, j'étais Naty n° 2 déguisée : ma conscience sociale me tourmentait.

– Tu ne vas pas me dire sérieusement que Montané est conseiller politique ! Ou alors tu l'as nommé à ce poste pour ne plus le voir ?

– Mais qu'est-ce que tu racontes ! Chucho est un homme très travailleur !

– Maman travaille bien plus d'heures que lui, et en plus dans un placard !

Montané ne garda pas longtemps son poste.

Editer les plagiats de Núñez Jiménez était toujours ma principale source de revenus.

– Ce livre, *En marche avec Fidel*, qu'il est en train d'écrire, c'est une honte ! On dirait que c'est lui qui a fait la Révolution.

– Qu'est-ce que ça peut me faire ? répondit Fidel. Sur trois cent mille pesos de droits d'auteur, la moitié me reviennent. Qu'est-ce qui t'arrive avec Núñez ? Il est très intelligent. Au fait, tu savais que les anguilles frayent dans la mer des Sargasses ?

– Non, je ne savais pas. Mais s'il faut lire deux ou trois articles de l'encyclopédie avant de venir te voir...

En vérité, ce qui me gênait c'est que nos conversations du matin se transformaient le lendemain en rumeurs.

– Tu ne vas tout de même pas permettre qu'on publie ce petit livre de *Conversations entre Fidel Castro et García Márquez*. On dirait que vous passez votre temps à parler de nourriture. Ces langoustes « qui grimpent aux meubles de Gabo »... Les Cubains, pour voir une langouste, doivent aller à l'aquarium.

Je devenais pédantissime :

– Pourquoi tu as envoyé en prison cette poignée d'artisans [1] ? Vendre des cothurnes en bois et des blouses en toile de bâche à tabac est un délit ?

– L'Etat ne peut pas perdre le monopole du commerce !

Le pire fut quand je lui demandai si l'Etat encourageait aussi le marché noir dans ses magasins où on payait en dollars. Une semaine plus tard tout le personnel se retrouvait en prison.

Etre porte-parole de l'opinion publique et des misères de la nation ne me valut rien de bon.

---

1. Dans les années 1980, le gouvernement cubain autorisa la libération partielle du travail à son compte, ce qui eut pour résultat l'apparition de marchés libres de paysans et de foires d'artisanat. Dans le succès rapide de ces marchés et de ces foires, le gouvernement craignit que se développe un secteur privé important à l'intérieur de l'économie socialiste, raison pour laquelle il les déclara illégaux. De nombreux artisans furent accusés d'enrichissement illicite et emprisonnés.

– Pourquoi tu ne m'emmènes pas à la pêche un dimanche ?

– Parce que je vais à la pêche pour me reposer !

Peu à peu je revins à ma position de simple écoute. C'était plus intelligent de le laisser me raconter les derniers progrès de sa vache Pis Blanc, qui donnait tellement de lait qu'elle figure dans le livre des records, et des progrès de son fils cadet Angelito, soumis à un plan d'accélération de sa scolarité en trois ans. Ou de ses nouvelles acquisitions culinaires. Mes mariages ne l'intéressaient même plus :

– Je voulais te dire que je vais me marier...

– Prends des noix de cajou. Elles sont fraîches. Agostinho Neto vient de me les envoyer. Je ne t'en donne pas beaucoup parce qu'il ne m'a envoyé qu'une boîte. Je suis sûr que tu n'as jamais goûté les graines de courge grillées ! On met de l'huile dans une marmite en fonte, comme pour griller le café et elles dorent jusqu'à ce que l'écorce s'ouvre...

Les dialogues glissaient ainsi entre coquetterie et histrionisme.

– A propos, qui est ta prochaine victime ?

Je partais le matin avec mes deux pots de mayonnaise Doña Delicias remplis de noix de cajou et de graines de courge, que je mastiquais voluptueusement, en me disant que, si « les esprits nobles se comprennent », comme disait maman, le mien devait être très plébéien, car j'avais un mal fou à suivre les raisonnements du Commandant.

Ce n'était pas une vie : j'étais tour à tour baby-sitter de Bouffe-patates, guenon de ces vieux singes libidineux, porteuse de plaintes et de réclamations en tout genre, dévorée d'envies et de vengeances, et plus que surveillée, car la proximité du grand chef imposait à la Sécurité une hiérarchie de règles inviolables : filature vingt-quatre heures sur vingt-quatre et surveillance téléphonique permanente. Quand un soir Fidel m'envoya chercher pour m'exposer ses projets pour ma prochaine année d'études et prononça des mots tels que « ordinateur » ou « informatique », je fus de nouveau affectée par la maladie du sommeil et la rétention de liquide. Marchant sur les traces du sage Willy, je désertai les repas au palais. Le moment de l'insurrection était venu : j'allais entraîner tous mes anges gardiens dans une nuit de rumba havanaise et je comptais bien les tenir éveillés jusqu'au petit jour.

On n'apprend jamais à se méfier des décisions soudaines, mais j'en avais plus qu'assez d'être la courtisane du palais de la Révolution.

Ma « prochaine victime » était un Nicaraguayen amoureux qui avait tété le sandinisme au sein. Dans l'idée de quitter Cuba, j'envisageais l'hypothèse néfaste de me lancer dans une deuxième révolution en compagnie de ce jeune homme ennuyeux et austère.

Fidel avait raison. Une victime de plus.

Un samedi soir, ma grande nuit d'insurrection, je choisis le cabaret de l'hôtel Riviera. Je dis à mon petit ami que j'allais rendre visite à des copines. J'emmenai le lutin endormi chez ma mère et changeai de vêtements dans le garage.

J'avais besoin de passer une nuit à contempler de beaux danseurs, à m'abrutir de musique et de tambours, et je sentais dans mes jambes l'envie de danser jusqu'à cette heure magique où les fonctionnaires ronflent et les gens se défoulent.

A la table à côté, il y avait un homme seul. Je gardai un œil sur la piste de danse et l'autre sur lui une bonne partie de la nuit.

Nous nous jetions des regards de haine. D'une telle haine que nous sortîmes enfin du cabaret. Tout se passa à la porte d'entrée de l'hôtel. Il m'avait suivi, sombre et silencieux. Nous procédâmes au renversement dialectique...

Nous transformâmes la haine en amour par un baiser soudain et interminable qui nous laissa étonnés et hors d'haleine, et nous allâmes ainsi de surprise en surprise pendant une semaine, nous contentant pour tout langage de celui, universel, des caresses et de la tendresse.

L'objet de mon amour semblait fait à la main par un orfèvre à mes ordres. Quand la magie s'en mêle ! Nous étions nés la même année et à la même heure sous différentes latitudes. Nous déclinâmes tous ces trésors de poésie que la passion invente sans craindre le ridicule. Nous faisions l'amour comme les dieux font des miracles, et jusqu'à la fin de mes jours je lèverai mon verre à cet élan éperdu qui

168

jeta dans les bras l'un de l'autre deux inconnus dans une ville de hasard.

La Havane se mua pour nous en un lieu pour vivre une vie entière, et nous en étions déjà à des déclarations exaltées du genre « jusqu'à ce que la mort nous sépare », quand la police nous sépara.

La Sécurité m'avait lâché la bride pendant une semaine.

Je vivais le meilleur moment de ma vie, le plus détendu, le plus irresponsable, le plus heureux, serrée contre ma tour de Pise en contemplant la mer du jardin de l'hôtel National, avec une extraordinaire sensation de légèreté, lorsqu'une main de fer me tira en arrière :

— On vous arrête !

— Quoi ?

— Vous êtes arrêtée parce que vous fréquentez un étranger. C'est de la prostitution ! Et obéissez si vous voulez éviter le scandale !

Je dois être la seule prostituée que la police cubaine ait jamais vouvoyée. C'est donc très poliment qu'ils me conduisirent au poste.

Je n'eus pas droit aux honneurs habituels du cachot. Ils m'installèrent sur le banc granitique d'un couloir, d'où je pus assister au spectacle sadique qu'offrent toutes les prisons du monde : insultes et brutalités. Assise là, je me mis à attendre la nuit de Noël, voire le nouvel an, tandis que quatre policiers m'interrogeaient à tour de rôle. Au bout de trois jours de rage, un matamore me rendit la liberté, m'offrit des chocolats « pour la petite » et m'escorta silencieusement jusqu'à la maison.

Je tournai en rond dans l'appartement en attendant l'heure d'aller chercher le lutin au Cercle infantile. Je ruminais l'offense et l'impuissance quand le téléphone sonna. C'était Pepe Abrantes furieux :

— Et je t'interdis de bouger de chez toi. Tu es assignée à résidence !

— Tu n'as qu'à foutre en prison ta putain de mère ! lui hurlai-je, et je raccrochai.

J'avais raccroché pour aller ouvrir la porte. C'était Chomy. Apparemment, le bureau politique avait synchronisé ses montres.

– Tu le sais très bien ! Un Italien ! Tu t'es comportée comme une prostituée... Ton père est profondément blessé.

Je devins ordurière :

– La seule pute qu'il y a ici c'est toi, espèce de pédé ! Jaloux ! Tu voudrais bien l'avoir pour toi cette bite italienne ! Fous le camp immédiatement et dis à Fidel que des connards de médiateurs dans ton genre, il peut se les foutre au cul !

Comme il était stupéfait de ma réaction, je le poussai dehors et lui claquai la porte sur le dos.

Maman était très nerveuse.

– Je pensais qu'ils t'avaient arrêtée en train de tenter de quitter le pays.

Je conserve encore en moi une horrible sensation de défaite cosmique : j'avais rencontré ma moitié d'orange et une force obscure me l'avait enlevée.

Je ne voulus plus rien savoir de ce personnage illustre et olympien, plus fragile que cynique, incapable de protéger sa fille des manipulations de ses sicaires.

A cette époque, avant que La Havane ne devienne une joyeuse escale sexuelle et Varadero un paradis des maladies vénériennes, une femme arrêtée en compagnie d'un étranger était condamnée à quatre ans de prison pour « dangerosité ».

Bien que me fût épargné cet indubitable bienfait rééducatif, je perdis mon travail d'éditrice et personne ne voulut m'employer « sans en parler » d'abord à une mystérieuse instance.

Maman plaida pour un retour à la carrière diplomatique au moyen de cours du soir pour travailleurs, s'engageant à s'occuper de la toilette et des repas du lutin Mumín, qui étrennait à ce moment-là un vocabulaire où les femmes avaient leur « monstruation » et quand elles ne l'avaient pas, couraient vite faire un « texte ».

Elle allait grandir dans un pays fermé et isolé, sans livres, sans presse libre, sans vêtements, sans fantaisie, sans argent, entourée de mouchards dont les dénonciations remplacent avantageusement les ordinateurs de la police.

Comment faire pour qu'elle ne passe pas, comme moi, l'étape difficile de l'adolescence, les pieds dans des chaussures de deux tailles trop petites, ou malade d'ennui faute d'amour et de compagnie ?

170

Il me manquait l'ingrédient principal qui permettait à des millions de Cubains, héroïques ou résignés, de ne pas sombrer : l'ultime espoir que Fidel allait améliorer leur vie, ou bien ce fatalisme que nous avons peut-être hérité des Espagnols et des esclaves.

Le mode de vie à Cuba est un courant qui vous entraîne. Il me fallut des mois avant d'assumer ma condition de bête curieuse et de me dégager des pressions destinées à faire de toute Cubaine une Femme Nouvelle. Cela arriva le soir où, un professeur étant absent, je rentrai à la maison pour assister au repas du lutin qui, pour garantir le succès de mes études, avait installé son quartier général chez ma mère. Elle n'était pas là.

– Où est Mumín ?

– Chez Mercedes.

– Qu'est-ce qu'elle fait là-bas ?

– Elle mange.

– Elle mange dans ce temple de l'obésité ? Tu veux qu'elle finisse avec la peau du visage pourrie comme son père ?

– Je n'ai pas le temps de lui préparer ses repas.

– Alors je n'ai pas le temps de continuer à faire ces études qui ne servent à rien.

Cette nuit-là, je ramenai le lutin chez moi et je me mis à réfléchir.

Comment pourrais-je gagner ma vie illégalement sans que cela se remarque trop ?

J'ouvris d'abord un commerce discret : je fis une collecte de vieilles chaussures dans le quartier que je revendais après les avoir rapiécées de bouts de dentelle ou de toile.

Tout ce qui était grains, graines, éclats de verre et fil de fer devint boucles d'oreilles.

Mais il manquait les dollars. Sans mari et sans famille exilée, il était impossible de nourrir, de vêtir et de chausser quatre femmes avec le carnet de rationnement : deux boîtes de lait condensé par mois, un paquet de sucre, deux savons et un petit paquet de détergent...

Pour obtenir des dollars il fallait faire la putain dans le réseau complexe de l'hôtellerie nocturne, où les étrangers décident du prix des Cubaines comme on fait pour le bétail dans les foires.

Mais je traînais dans mon sillage un mouchard qui ne me lâchait pas d'une semelle et me compliquait la vie quoi que je fasse.

Les dollars étaient plus sûrs, réguliers et à portée de main dans le corps diplomatique accrédité.

J'eus ainsi un amant algérien qui, séduit par ma danse du ventre, et malgré une relation tourmentée et clandestine, où il ne s'habitua jamais à ma paranoïa, m'offrit gentiment sa main pour faire de moi sa troisième épouse.

Ce qui me fit songer à la retraite.

Et si j'arrivais à convaincre maman de vendre son tableau de Wifredo Lam? Il me fallait un étranger haut placé et généreux, de ceux qui franchissent la douane cubaine comme d'autres le seuil de leur porte. Ce furent des temps difficiles. Je n'eus que deux propositions de travail venant du Commandant : cubaniser l'hôtel Habana Libre, selon un plan du ministère de la Culture, ou entrer dans une officine clandestine où l'on pillait les livres scientifiques écrits en anglais sans payer de droits d'auteur. Mais je ne voulais plus rien accepter de Fidel.

Abrantes, qui avait naguère la déplorable habitude de m'appeler de bonne heure pour me parler de Calderón de la Barca ou d'Emile Zola, selon qu'il traversait une période espagnole ou française, prit l'habitude plus déplorable encore de s'arrêter devant la maison en faisant hurler ses freins.

Cela créa un vide autour de moi et m'obligea à renvoyer de l'appartement un ami couturier dont le séjour chez moi était considéré comme immoral.

– Ce sont des camarades qui en ont parlé à la réunion de cellule de la Banque Nationale. Elles demandaient comment cela se faisait que la fille du Commandant héberge chez elle une pédale de dessinateur de mode.

– Il ne manquait plus que ça! On critique Fidel dans les assemblées, maintenant? C'est un grand pas vers la démocratie.

– Ce n'est pas ton affaire. Mais si tu ne le vires pas, nous on va s'en charger.

Ainsi, je n'avais plus à me soucier de ma moralité puisque le ministre de l'Intérieur et la garde personnelle de Fidel s'en occupaient.

Une autre fois, Abrantes vint me dire que je fréquentais des « éléments indésirables », catégorie qu'il était incapable de définir de façon précise.

Ma vie fut ainsi longtemps placée sous surveillance.

Après deux ans de silence, une petite ampoule intérieure ralluma le souci affectif chez Fidel et il envoya de nouveau le soldat porteur de bonnes nouvelles avec une enveloppe contenant quatre-vingts pesos et trois paquets en guise de cadeau de nouvel an.

Une dinde géante, un ou deux kilos de haricots noirs, quatre bouteilles de vin algérien et quelques biographies de Stefan Zweig.

Nageant dans le sang de la dinde, il y avait une carte avec un petit mot.

– Dis à Fidel qu'il peut se mettre tout ça au...

– Je ne veux même pas entendre ! Je ne rends rien et je ne peux pas garder tout ça. Ne sois pas bête, allez ! Et ne me crée pas de problèmes.

Mumín grandissait tiraillée de tous côtés. Les matriarches du trottoir d'en face avaient entrepris une offensive sagittairienne contre ma façon de vivre, qu'elles trouvaient désespérante et vaine, sans mesurer qu'elles me devaient leurs meilleurs plaisirs et beaucoup de leur confort.

Je continuais à accumuler de la rancœur. J'étais à cette époque de la vie où l'on finit par ne plus savoir qui on est et qui sont les autres.

La dinde se posa chez Pablo Armando Fernández, un de ces écrivains engagés que mon vieux et défunt maître Galbe citait dans ses « cadavres exquis » de poésie cubaine.

Celle qui ne saura jamais ce qu'elle alla faire là-bas un soir de Noël, c'est celle qui écrit ces lignes.

La gourmandise n'était pas la raison : j'étais plus végétarienne qu'une palme. Ce doit être une inclination qui me pousse à fourrer mon nez partout à Noël. Faisant le pied de grue sur la Vingt-Sixième Avenue, j'attendis plus de deux heures. A Cuba les taxis sont réservés aux étrangers.

Un type s'arrêta dans une Lada bleu métallique. Nous étions à la hauteur du pont de fer quand il lâcha le volant et se mit à me peloter les seins.

– Madre mía ! Comme ils sont bons, tu les as tout moelleux !

– Fils de pute ! Arrête-toi, on va avoir un accident ! Imbécile, c'est pas des nichons, c'est du coton !

Ma vieille anorexie venait de me sauver d'un viol et je ne pris pas l'incident comme un signe de mauvais augure.

J'entrai dans la cuisine de Pablo d'un pas de guerrière satisfaite et j'étais en train d'embrasser la maîtresse de maison quand une voix dont les inflexions me semblaient familières, comme émanant d'une autre vie demanda :

– Qui est cette femme aux yeux tristes ?

La voix venait d'un homme dont la barbe de deux jours et un petit costume ridicule n'effaçaient pas l'élégance. Il avait la peau rosée de la bonne nourriture méditerranéenne et l'allure d'une statue. De ces statues dont la grâce traverse les âges. Tout en lui était... intense. Ah ! l'hystérie des passions ! Nous passâmes chez Pablo une délicieuse soirée alcoolisée et inquisitrice, à la fin de laquelle nous savions tout l'un de l'autre. Ou presque tout. Le lendemain, nous étions sur un balcon de la rue Paseo, au Vedado. Lui, contemplant la mer et l'horizon voilé, là-bas où se trouvent, irréconciliables, les deux Amériques, et moi regardant les terrasses lépreuses, peuplées d'antennes et de réservoirs en fibro-ciment rajoutés pour pallier le manque d'eau. Quand j'eus terminé le résumé de mon existence, je lui dis :

– Voilà, c'est moi.

– Et moi c'est cela, répliqua-t-il en me tendant des brochures des Alcooliques Anonymes. Je ne sais même pas pourquoi j'ai commencé à boire.

Ses raisons m'importaient peu. Il voulait se les ôter de l'âme. Il avait commencé à boire quand il était déjà un vieil enfant, vers l'âge de dix-huit ans.

– Je ne te laisserai plus jamais seule, dit-il.

Et je le crus.

Je l'accompagnai à l'aéroport. Cette nuit-là, dans mon demi-sommeil, j'eus l'âme voyageuse. J'étais dans une fête où les petites filles avaient la tête ornée d'étoiles en fil de fer gainé de blanc et où les hommes étaient en noir avec une collerette, lorsque ce maudit téléphone et sa sonnerie stridente mêlée aux roucoulades familières des interférences du ministère de l'Intérieur, me provoqua l'habituel pré-infarctus.

C'était lui.

Il voulait me redire qu'il ne m'abandonnerait jamais et qu'il me présenterait à ses amis du Centre basque, du *maître* [1] jusqu'à la caissière :

– Avec plaisir ! Oui. Ouiii ! Avec plaisir ! Bien sûr. Bien sûûûûr ! Avec plaisiiiir ! Nous hurlions comme des chattes en chaleur et moi j'étais dans le silence de pierre de la nuit cubaine.

Quand mon amour revint quinze jours plus tard, j'étais devenue une autorité en matière d'alcoolisme, en manchons de myéline, en amour, foi et charité avec un traitement en vitamines B_{12}, et je l'aidai à passer ces quelques jours en cale sèche à l'aide de potions magiques et de câlins.

Mon amour était un homme trop lucide, qui s'était un jour évadé de la vie. Il venait de la London School of Economics et il avait été un étudiant engagé à gauche à l'époque où maman considérait avec résignation la défection du dernier ambassadeur cubain à Londres et où je changeais les vêtements de ma poupée Barbie. Il organisait des manifestations étudiantes contre les menées impérialistes et grâce à son parcours de marxiste d'élite, il bénéficiait d'un sauf-conduit qui lui permettait de faire à Cuba ce qu'il voulait, y compris créer un centre d'échanges universitaires.

– Que peuvent apporter les économistes cubains à leurs collègues anglais, alors qu'ici il n'existe pas d'économie ?

– Bah ! Les uns et les autres n'ignorent rien de tout cela. Mais, au moins, ceux d'ici vont faire un petit tour au Mexique de temps en temps.

Il possédait plus de culture qu'un dolmen surmonté d'une pyramide aztèque et un don professoral qui me mettait continuellement à l'épreuve.

Tandis que je l'aidais à ne pas succomber aux mojitos ou aux cubas libres, il me regardait déployer mon délire de persécution comme la roue d'un paon.

Il n'était pas possible que je le laisse parler en public ou

---

1. En français dans le texte.

que je l'accompagne à l'hôtel, par crainte d'une arrestation, des menottes et du cachot.

— Et si je t'invite dans mon pays, Alina ? Dans une ambiance un peu moins tendue, on pourrait mieux se connaître.

— J'ai comme l'impression que si tu répètes ton invitation, tu ne pourras plus jamais revenir à Cuba. Sans parler de l'idée farfelue qu'on me laisse partir.

— Pourquoi dis-tu cela ? J'ai invité un tas de gens !

— Mais moi, pas question de me laisser partir, même pour aller cueillir des pâquerettes en Ethiopie. Donne-moi un peu de temps. La peur ne durera pas.

Il avait hâte de refaire sa vie. Il ne s'était jamais marié. Et moi presque pas, malgré tous ces mariages qui finissaient par se confondre.

Mais je ne voulus pas l'écraser avec toutes les procédures bureaucratiques qu'il fallait subir pour se marier.

J'ai oublié de dire qu'il s'appelait Fidel.

Le ministère de l'Intérieur avait ouvert un département d'extorsion de fonds : Interconsult.

Ce bureau se chargeait de faciliter l'obtention d'un visa aux familles dont les parents en exil pouvaient payer plus de cinquante mille dollars par personne. Des agents vérifiaient sur place la solvabilité des payeurs et le visa était octroyé pour Miami ou un pays d'Amérique latine.

Les mariages d'étrangers avec des citoyens cubains des deux sexes coûtaient deux mille dollars et devaient être signés par le ministère de la Justice. Quand la procédure s'éternisait, les deux ministères se rejetaient mutuellement la faute, et les gens se perdaient dans ce va-et-vient, bien qu'ils aient payé. De nombreux couples restaient séparés ainsi que de nombreuses familles sans qu'il soit possible de faire appel à un tribunal.

Passer à travers ce tamis de fonctionnaires bornés demandait beaucoup de finesse et beaucoup d'humour.

Je m'assis pour réfléchir. Sur mon canapé bleu gris de style décadent.

D'abord je devais impliquer ma famille. Puis utiliser le téléphone. Et enfin, trouver un intermédiaire.

La tante Vilma et l'oncle Raúl partaient en Allemagne

de l'Est pour assister à l'enterrement d'un haut dirigeant. J'attendis la veille de leur départ.

Vilma était en train de préparer les valises, heureuse de fuir la routine et parce qu'elle était célébrée au-delà des mers comme la grande Femme de la Fédération.

– Tante, je viens te dire que je pense me marier.

– Encore une fois ?

– Les autres fois ne comptent pas... Pressions, grossesse. Tu sais bien.

Je lui donnai des détails.

– Tu ne fais pas cela pour quitter la patrie, n'est-ce pas ?

Chez mon oncle et ma tante l'éloquence militante était d'usage.

– Mon fiancé est un sympathisant reconnu de la Révolution cubaine. Le Mexique et Cuba sont des pays amis, non ? Quel mal y a-t-il à aller et venir ?

– Et Mumín ?

– Mumín ira à l'école anglaise. Lui, il a fait ses études à Londres. Il y a deux îles qu'il aime dans le monde. L'Angleterre et Cuba... Tu pourrais dire tout ça à Fidel. Je t'assure, je n'ai toujours pas son numéro de téléphone direct et je ne veux pas qu'il le prenne mal.

– Mais on s'en va demain. Je ne peux rien faire avant notre retour.

Alléluia.

Le reste fut un jeu d'enfant. J'appelai quelques officines en me faisant passer pour la directrice de cabinet d'un tel, ou bien un ami complice appelait en se présentant comme l'assistant de tel autre. Jusqu'à ce que tous ces services barbotent dans la confusion la plus totale.

Quand mon fiancé flambant neuf revint, tout était prêt pour le mariage. Interconsult et le ministre de la Justice croulaient sous les appels du Haut Commandement.

Nous nous mariâmes un 12 avril. Je n'en avais parlé à personne.

Pour parvenir à ses fins, il faut parfois tricher.

Quand Raúl et Vilma revinrent de leurs funérailles intergouvernementales, le mariage était consommé.

Nous étions dans la cuisine quand maman entra dans l'appartement avec son jeu de clés.

– Je venais voir si tout allait bien.

Elle redoutait les conséquences du sevrage de mon alcoolique époux.

– Maman, on a quelque chose à te dire. Fidel et moi, nous nous sommes mariés.

– Vous vous êtes mariés ? Impossible ! Te marier, toi, avec un étranger à La Havane !

Et elle regarda le ciel par la fenêtre de la cuisine en cherchant quelque divinité oubliée de son panthéon athée. Elle leva les bras en prononçant l'unique prière de sa vie que je l'aie vu faire :

– Merci, mon Dieu ! Enfin ! Enfin ! Merci, Fidel ! Cette fois on va voir si elle arrive à quitter Cuba !

Et elle repartit.

Grand-mère Natica s'exprima sentencieusement :

– Je vous félicite les enfants, mais toi, Fidel, tu as un petit problème avec l'alcool, non ? Mon défunt Manolo n'était pas violent, heureusement... Mais il m'a tout de même gâché la vie.

Mumín nous gratifia d'un baiser sonore et demanda :

– Alors, je vais connaître le Nouveau Monde ?

Le tact sagittairien de mes femmes calma considérablement l'enthousiasme et la *gaillardise* [1] de mon nouveau mari.

Il lui manquait encore le meilleur.

Nous avions rendez-vous avec Vilma à la Fédération des femmes cubaines. Elle était un peu en avance.

– Ton père est indigné !

– Bon.

– Quoi, bon ?

– Ben, rien de nouveau.

– Tu as créé des tas de problèmes à Interconsult et à deux ministres, sans parler de moi.

– Je ne voulais pas.

– Maintenant, il veut savoir qui est ton mari et pourquoi il s'est marié avec toi.

– Dis-lui que c'est pour la dot. Il pense que j'ai une dot monumentale. Comme les Borgia.

– Ne sois pas cynique et aide-moi.

– Ce ne sont pas de bonnes nouvelles...

1. En français dans le texte.

178

Mon mari fut introduit dans le bureau. La pièce s'emplit de la dignité virile et des ondes expansives de son inoubliable voix.

– Très bien, Fidel, félicitations. Je suis très heureuse de votre mariage, mais à vrai dire Fidel, je veux dire pas toi Fidel, mais Fidel le Commandant, n'est pas... Enfin, le Commandant en chef aimerait connaître tes intentions.

Mon Fidel avala la couleuvre et déclina une foule de bonnes intentions, dont certaines m'étaient révélées pour la première fois.

– Et comment voyez-vous la possibilité de travailler et de vivre ici, à Cuba ?

Mon mari n'avait jamais végété dans un bureau. Quand les impérialistes étaient devenus multinationaux, il avait gagné considération et respect, alors qu'il était très jeune, par ses prévisions et ses sages conseils, incitant sa famille à vendre son affaire avant de se voir ruinée. Et quant à vivre ici en permanence...

En un éclair de lucidité, il vit son existence ici, entre deux coupures d'électricité, de gaz et d'eau, obligé de recevoir à toute heure de la nuit ma collection de noctambules traumatisés et exigeants, qui m'avaient déjà cassé une fenêtre parce que je ne leur ouvrais pas la porte, contraint à de perpétuels va-et-vient au « diplo-magasin », les poches pleines de listes d'aliments et de semelles en papier mentionnant les tailles et les couleurs des chaussures pour les nécessiteux.

– Le Commandant veut autre chose. Il veut votre biographie par écrit.

Le Commandant avait décidé de lui gâcher la vie.

Il était temps de trouver des médiateurs.

Il ne pouvait en exister de meilleur que Gabriel García Márquez. Le montant du prix Nobel représente peu comparé à la prodigalité du numéro un cubain, qui non content de le déclarer son meilleur ami, fit construire pour lui l'Ecole de cinéma latino-américain et une fondation du même nom, institutions qui ne paient pas d'impôts et sont de perpétuelles pertes d'argent pour le fisc mexicain, pays où réside l'écrivain.

Pendant les séjours cubains de Gabo, Fidel met à sa disposition une Mercedes avec chauffeur, deux ou trois suites dans plusieurs hôtels, ainsi que la maison du Protocole n° 1, où il lui rend visite chaque soir, remplaçant l'amitié de l'entité bicéphale Núñez Veliz [1] par celle-là, plus utile dans les milieux intellectuels internationaux.

Quand Gabo offre un *réveillon* [2] de fin d'année, l'oligarchie communiste se met sur le pied de guerre. Elle organise des intrigues rocambolesques pour obtenir une invitation. Tel qui était présent l'an passé et dont l'invitation n'a pas été renouvelée voit arriver le nouvel an la mort dans l'âme, s'attendant à tout moment que l'épée de Damoclès s'abatte sur sa tête et qu'une unité de la Sécurité vienne l'arrêter, avec toute sa famille, pour quelque crime obscur que le système de délation mis en place par les CDR, et le tam-tam de Radio Bemba [3], auront révélé.

Grâce à sa médiation bon enfant, Gabo a fait sortir de Cuba d'innombrables prisonniers politiques signalés par Amnesty International. Lui seul semblait capable de faire entendre raison au génie des Caraïbes.

Il avait déjà honoré de son amitié et de son appui des amis communs et leur avait parfois trouvé un emploi, comme ce fut le cas pour Tony Valle Vallejo, qui fut son secrétaire particulier jusqu'à ce qu'il puisse trouver asile quelque part.

J'avais confiance en Gabo et en sa connaissance profonde des hommes dont ses livres témoignent.

J'allai le voir.

– Gabo, je suis tombée amoureuse d'un Mexicain et nous nous sommes mariés... Je lui racontai toute l'histoire.

– Avec Fidel, on ne peut pas parler de la famille. C'est un thème tabou. Merche, ma femme, pourrait peut-être essayer, mais moi... Je vais voir avec elle. Caramba ! J'ai fait sortir du trou des prisonniers au secret depuis vingt ans, mais je n'ai jamais imaginé une mission comme celle-là. Je l'ai déjà dit : Cuba est plus extraordinaire que Macondo. Tu sais ce qu'on donne à manger à l'éléphant du Zoo national ?

1. Allusion au couple formé par le spéléologue Antonio Núñez Jiménez et Lupe Veliz, amis de Fidel.
2. En français dans le texte.
3. Expression populaire qui se réfère à la divulgation de nouvelles de bouche à oreille.

– Non.

Je pensais que l'éléphant et moi avions deux choses en commun, vivre à Cuba et être végétariens. Je me trompais.

– On lui donne une omelette de quatre-vingt-dix-neuf œufs ! Pourquoi pas cent ? Mystère !

– C'est que le cuisinier n'ose pas en voler plus d'un. A chaque fou sa folie.

– Gabo, tu aimes la peinture ?

– Bien sûr !

– Tu aimes Wifredo Lam ?

Il l'adorait. Pour lui, c'était la rencontre d'un Chinois et d'une esclave caribéenne descendante d'Indiens Taínos, sublimée par le cubisme. Un tableau de Wifredo, *La Jungle*, était assuré pour un million de dollars au Metropolitan Museum de New York. Wifredo Lam est un mythe du réalisme magique. Si Gabo n'obtenait pas l'absolution pour mon mariage, au moins m'achèterait-il *La Femme Cheval* qui était accroché dans le salon de ma mère. S'il arrivait à faire franchir la douane à des prisonniers mis au secret, il parviendrait bien à faire passer un tableau.

Afin de n'être pas à court de défenseurs, j'allai voir Osmani Cienfuegos, le moins momifié de ceux qui trônent dans la salle à manger du palais de la Révolution. Nous avions de la sympathie l'un pour l'autre et c'était un homme courageux : il fut le seul à oser m'inviter à sortir sans me donner rendez-vous derrière le cimetière.

Osmani devait son poste de premier plan à son frère Camilo, un barbu charismatique qui devint une figure héroïque au début de la Révolution, quand son avion disparut mystérieusement en mer. Le bruit courait que Fidel s'était débarrassé de lui. En tout cas, son frère était encore là, membre du bureau politique, ainsi que les pittoresques parents du héros, qui avaient converti la mort de leur fils en rente viagère. Ils disposaient de gardes du corps, d'un chauffeur et d'une Alfa Romeo. Le vieux, surnommé Petit Crocodile, paradait à l'arrière de la voiture coiffé d'un chapeau semblable à celui que portait son fils disparu.

A chaque anniversaire de la mort de Camilo, les enfants interrompent joyeusement la classe et vont au bord de la mer pour jeter des fleurs en l'honneur d'un défunt dont ils ne se souviennent même pas.

Osmani me fit une réponse proche de celle de Gabo :

— Si l'occasion se présente, je verrai si je peux tenter quelque chose. Mais je me souviens de sa fureur quand tu as voulu te marier avec Yoyi. On aurait dit qu'il allait tuer tout le monde.

— Ça alors ! Moi, il s'est contenté de me parler de son goût pour les prisonnières politiques.

— Pars tranquille. Tu sais qu'il faut lui donner du temps. Certaines choses finissent par lui entrer dans la tête.

— Je sais. C'est le seul point commun qu'il ait avec ma mère.

Voici ce que fut la réponse de ma tante Vilma, de la part du Commandant :

— Fidel a dit qu'il vous donnerait une maison. Il dit que si ton mari t'aime, il peut rester ici pour vivre avec toi. Quant à toi, pas question d'aller au Mexique. Il dit que ce serait un problème politique. Il dit aussi que si ses parents sont trop âgés pour les laisser seuls, il n'a qu'à les faire venir. Ici ils auront les soins médicaux gratuits. Enfin, il dit qu'il vous donnera une voiture et qu'il se débrouillera pour trouver un travail à ton mari, car comme il est économiste, il ne voit pas bien où le placer.

— Mais, ma tante, comment je vais pouvoir lui dire tout ça ? Une maison et une voiture !

— Bon, la voiture, c'est moi qui l'invente, mais ça ne me paraît pas très difficile. Et elle raccrocha.

Pauvre de moi. Je m'étais mariée un 12 : le numéro du pendu à l'envers, d'après les arcanes du tarot.

Mon mari faisait des allers et retours entre le Mexique et Cuba. Il avait l'étrange manie d'explorer mon passé et chaque fois que je le laissais seul il fouinait dans mes affaires et lisait tout ce que j'écrivais. Il se mit à lire tout ce qu'il trouvait dans mes tiroirs et mes cartons secrets et parcourut mes livres soulignés, sans trouver autre chose que des poèmes d'amour et des lettres de passion désespérées qui n'étaient destinées à personne. J'eus beau essayer de le convaincre que je les avais peut-être écrites pour lui avant de le connaître, qu'elles étaient le meilleur et le pire de ce que j'avais écrit et que je pouvais les lui offrir, il n'y eut pas moyen de calmer sa curiosité dévorante :

– Tu dois avoir fait quelque chose d'horrible, d'ina-vouable, pour que ton père te traite de cette façon. Tu as participé à un attentat contre lui?

– Mais non. Il faut lui laisser du temps, c'est tout. Il joue. Il joue à la dissuasion. C'est une manie. Ça lui passera.

Les manies et le temps de mon père faisaient partie de ma stratégie.

Mon mari adorait que je lui raconte mes rêves d'âme voyageuse. J'avais rêvé de lui en train de descendre les escaliers bâchés d'un restaurant en compagnie d'un homme et d'une femme. Je lui décrivis les tenues de chacun et la couleur des cravates.

– Où m'ont-ils déposé dans ton rêve?

– A l'aéroport.

– Bien sûr! Et toi qui te l'a raconté?

– Je l'ai rêvé. Comme toujours.

Ce jour-là, il se réfugia à l'ambassade du Mexique, persuadé qu'un escadron de la mort à mes ordres le suivait partout pour le tuer.

L'absurde n'est pas un bon antidote contre la boisson.

Il se mit bientôt à revenir à la maison en position horizontale, en fin d'après-midi. J'étais paniquée à l'idée d'un choc frontal avec mon lutin.

Il arrivait avec sa veste de style prolétaire en loques, le foulard de soie tire-bouchonné, les bas du pantalon fleurant la fosse septique – qui trône depuis des années en face de mon immeuble – et d'une mixture de whisky, de mojito et de tom collins.

– Il faut que tu le saches. Je suis grand frère de la Loge Emeraude. Et à un grand frère de la Loge Emeraude, aucune femme ne fait de telles choses! criait-il à six heures du soir.

– Et moi je suis grande sorcière de la Prenda Conga Eteint Sept Lunes Cinq Empembe! je lui répondais en brandissant d'une main un fémur exhumé de la caisse d'ossements des carabins et agitant de l'autre un cocktail de vitamine B_{12} et de méprobamate que je tenais prêt à son intention pour les moments où le corps se met à réclamer à cor et à cri le sucre de l'alcool.

Chaque chose en son temps, me disais-je, espérant

qu'une maîtresse femme efficace, sensée et agressive comme la Merche de Gabo allait pouvoir, à la longue, venir à bout des émotions irrationnelles de mon père. Nul doute que le caudillo avait mieux à faire que de s'amuser à saboter mes relations amoureuses et mes mariages.

Mais mon pauvre mari était harcelé :

– A la mi-novembre, dit-il, j'ai reçu un appel bizarre où il était question de « faire sortir votre épouse de l'île ». Le type voulait qu'on se retrouve dans un café, à telle heure, près d'une fenêtre, à une table sur laquelle le *Washington Post* serait ouvert à la page deux... Il disait être de la CIA. Pas besoin de te dire que je n'y suis pas allé.

Une semaine plus tard, il reçut une invitation officielle du gouvernement cubain transmise par l'ambassadeur. Il ne sut jamais qui l'avait invité. Il était dans un état d'égarement total.

– Mais, Fidel, tous les services secrets du monde s'imitent les uns les autres, quand ils ne travaillent pas main dans la main. Tu ne vas tout de même pas penser que je cache des secrets d'Etat. La CIA et la Sécurité cubaine n'ont aucune raison de se crêper le chignon pour ma modeste personne.

– Je ne sais pas. Je ne sais plus qui tu es ni qui je suis. J'ai l'impression de vivre un cauchemar.

Je n'en doutais pas un seul instant.

Il m'appela pour la dernière fois de son pays.

– Il y a une ambulance à la porte de la maison. J'ai des douleurs terribles. Dans tout le corps. Le médecin dit que c'est à cause d'un accident traumatique. Mais mon seul traumatisme accidentel c'est toi !

Nous divorçâmes à travers une officine de droit international qui s'occupe, à Cuba, de faire payer en dollars la séparation légale de tous les conjoints déçus d'Amérique latine, officine souvent utilisée par les Cubains pour traverser la frontière de leur rêve et aller à Miami.

Je signai l'acte de divorce et filai tout droit à l'hôpital en proie à une crise d'asthme bestiale.

Quand je fus délivrée des aiguilles intraveineuses et des masques à oxygène, je filai à la maison. J'érigeai dans la rue un énorme bûcher funéraire avec tout ce que j'avais écrit jusqu'à l'âge de trente ans et je brûlai les pages de ma vie inventée et onirique. Puis j'allai chez un coiffeur et me fis raser la tête.

Je me fis tondre chez un barbier de la Sécurité, rue Kholy. C'était là qu'officiait ce boxeur qui m'avait sauvé de la dépression quelques années plus tôt en m'obligeant à courir et à faire des abdominaux.

Le coiffeur s'appelle Juanito. C'est un puits de science. Pour se débarrasser d'une forte odeur de transpiration, il préconise d'exposer à la pleine lune deux moitiés d'orange amère saupoudrées de bicarbonate, puis de les placer sous les aisselles une demi-journée.

– Et pour la vésicule, décoction de ragoût de cheval. Rien de mieux.

Je me détendis entre les mains de Juanito et son murmure de prescriptions paramédicales. Quand je rouvris les yeux j'avais la tête rasée ornée d'une petite houppe. Il avait oublié que je n'étais pas une recrue.

– Juanito, enlève-moi cette houppe ! Enlève tout.

J'étais toute mignonne dans une robe rose à bretelles, grâce à la générosité de Sandra Levinson, la directrice du Centre d'études cubaines de New York, qui revend ses vêtements usagés à ses amis cubains quand elle revient dans l'île pour nourrir ses chats, se voir confirmer son statut et toucher ses émoluments.

Quand je ressortis avec la boule à zéro, les recrues qui attendaient leur tour s'approchèrent lentement de moi pour me demander si j'étais malade.

L'affaire dut aller assez loin car ce même matin, après quelques coups de frein spectaculaires, le ministre Abrantes était assis en face de moi sur le canapé de la décadence et des mauvaises idées. Une étrange et impudente énergie semblait échauffer nos derrières. De toute évidence, il ne venait pas pour savoir si j'étais devenue une juive pratiquante.

– Tu n'as pas besoin d'épouser un étranger pour bien vivre. Si tu as besoin de quelque chose, demande-le-moi.

Il y a des gens qui ne savent pas ce qu'est l'amour-propre, aussi ne me sentis-je pas insultée. J'ai passé la moitié de ma vie la tête en bas et les yeux qui louchent, à me regarder l'épicentre de l'os frontal, la langue tordue contre le palais, essayant désespérément de faire entrer dans le troisième œil des images d'amour pour les gens qui me faisaient du mal. Une technique de yoga pour cultiver l'humilité.

Je ne vivais pas mieux qu'avant, exception faite d'une Lada, qui avait coûté à mon mari un peu moins de quatre mille dollars et qui servait d'ambulance de quartier et de taxi pour mes amis.

— Alors je vais te demander une seule chose.

Je le saisis, l'entraînai dans ma chambre et le poussai sur le lit.

— Baise-moi! Tu seras peut-être un peu moins obsédé et tu me laisseras tranquille! m'exclamai-je.

Mais il ne voulut pas.

— Je ne fais qu'obéir aux ordres!

— Il y a bien des façons d'obéir aux ordres. Je ne peux pas mettre un pied dehors sans avoir un Petit Poucet en uniforme qui me colle au derrière. Si je vais au cabaret trois fois de suite, on intimide les gens qui m'invitent. Je ne peux pas entrer plus d'une fois dans une ambassade. Et il m'est interdit de prendre un avion à l'aéroport...

— Qui t'a dit ça?

— Malgré tout, j'ai encore des amis. Si quelqu'un dort chez moi on l'expulse ou on essaie d'en faire un mouchard. Je ne peux pas trouver un travail si quelqu'un « ne donne pas son autorisation ». Si tu me vois avec une amie, elle devient ta maîtresse. Je suis une île au milieu de cette île heureuse. Tu veux que je finisse par me flinguer?

Ce soir-là, Abrantes était moins enclin aux aberrations qu'à l'autoflagellation.

Je me souvins que je l'avais surpris en train d'aborder des fillettes à peine pubères dans les rues, et des anecdotes scabreuses colportées par ses petites amies après un week-end passé en sa compagnie, à Cancún, et selon lesquelles le pistolet du ministre servait de second phallus, de consolateur en acier bruni qu'elles devaient se fourrer dans tous les orifices jusqu'à ce que l'exhibition recharge les batteries éjaculatoires du macho.

Et voilà que cette engeance toute-puissante venait se confesser à une de ses victimes.

— Moi aussi, j'ai des problèmes. Mon fils...

Et il me raconta que la prunelle de ses yeux était devenue une pédale. Tu parles d'une nouvelle! comme aurait dit Natica. A l'époque où Honduras était son assistant, je savais déjà qu'un des enfants avait une sensibilité exacerbée. Avec le temps il était devenu un frère pour moi, et j'en étais arrivée à l'aimer comme on aime rarement un ami. C'était un être généreux et fragile.

– Je lui ai rendu la vie impossible, mais il ne changera pas.

Voyez-vous ça! L'inquisiteur sur la sellette. Pourquoi me racontait-il tout cela? Y voyait-il un châtiment mérité? Faiblissait-il? Avait-il besoin de se délivrer de ses secrets? Lui fallait-il un médiateur? Il avait besoin de quelqu'un capable de convaincre son garçon de ne plus discréditer son père en arborant des faux cils et des blouses à dentelles. Il poursuivit sur le ton de la confession:

– C'est vrai que je t'ai fait beaucoup de mal.

– Je préfère ne pas connaître les détails. Je veux simplement vivre tranquille. J'ai besoin de mettre la voiture à mon nom. Et j'ai besoin d'un travail.

Quand les autorités se chargent de vous rendre la vie agréable, chaque minute est un plaisir.

Ceux qui transforment l'illégal en légal modifièrent les papiers de la voiture et me remirent un porte-documents flambant neuf.

La semaine suivante, j'avais un rendez-vous avec Rogelio Acevedo, vice-ministre de Raúl. Il me proposa de travailler à l'Ensemble artistique des Forces armées révolutionnaires.

C'était là que venaient échouer les danseurs rejetés par le Ballet national à cause de leur taille. Les femmes étaient des gnomes virtuoses et les hommes des échafaudages musclés dont la silhouette faisait oublier le brio.

Rogelio était marié avec Bertica, une ex-étoile du carnaval havanais, quand celui-ci existait encore, avant de se voir reprocher, dans les années soixante-dix, une tendance au « déviationnisme idéologique ». Rogelio avait dix ans de moins que ses « compagnons de lutte » et avait bien malgré lui gravi les échelons depuis que le ministre de la Marine de guerre avait été limogé à cause de son implication dans un trafic de drogue qui s'était développé dans toute l'île au moment où les étoiles du carnaval s'éteignirent.

Rogelio a un visage dominé par la bouche. Une bouche qui semble éternellement en train de sucer le sein maternel. Il suscite chez les gens des instincts de protection.

– Tu vas travailler à l'Ensemble artistique des FAR, tu t'occuperas d'abord des relations publiques. L'Ensemble est chargé de promouvoir, maintenir et consolider les relations culturelles entre les forces armées des pays du bloc socialiste, ainsi que d'élever le niveau moral de nos troupes stationnées dans des bastions de lutte du monde entier...

La prosopopée officielle éveilla en moi un monde de fantaisie. J'eus la vision d'un *guaguanco* endiablé dans le désert d'Arabie, le Yémen, la plaine d'Abu Bahr, l'Angola et La Mecque, dansé par des nymphes naines en costumes pailletés, la tête ornée de fruits tropicaux à la Carmen Miranda. Et les percussionnistes frappant leurs trois tambours Bata à Tala Mugongo, à Oncocua et Quimbele, dans les steppes de Sibérie, dans le port de Bakou et les jungles humides d'Amérique du Sud, au Nicaragua, au Guatemala, au Chili, au Salvador, partout où Cuba envoyait son armée former des « bastions de lutte ».

Quand je revins sur terre, on m'attribuait une solde de cent quatre-vingt-dix-huit pesos par mois, et peut-être, seulement peut-être, si ce n'était pas suffisant, je pourrais obtenir quelques traductions de français pour le Département des traductions techniques des Forces armées révolutionnaires.

– Demain, tu as rendez-vous avec le lieutenant-colonel Bomboust. Il te donnera tous les détails.

Le lieutenant-colonel Von Boust est un mélange créole de Chinois et de Maure. Il avait toujours une cravache à portée de main et, sous le ceinturon d'où pendaient pistolet et chargeurs, une panse naissante qui, disait-il, lui avait coûté « bien des efforts ».

– Je suis de la province d'Oriente. Quand je suis arrivé à La Havane je ne savais pas où dormir. Je me suis donc mis à travailler comme un fou. Mon pire cauchemar était de quitter le bureau, car je ne pouvais aller nulle part.

– Moi j'ai connu un type qui dormait aux pompes funèbres...

– C'est pour ça que j'avais un tel rendement. Je travaillais comme un fou. Je faisais plus d'heures volontaires que toute l'Emulation socialiste. Et que crois-tu qu'ont fait mes chers et admirés supérieurs ? Que crois-tu qu'ils ont fait, tous ces types exemplaires qui poinçonnaient religieusement leur carte de sortie à 17 h 30 ?

Je n'en avais pas la moindre idée. Cette année semblait vraiment celle des confessions. Les hautes sphères m'avaient convertie en dépositaire de leurs souvenirs les plus douloureux. Tout cela donnait envie de partir en courant.

– Eh bien, ils ont bousillé ma vie ! J'ai été accusé d'espionnage et on m'a trimbalé d'un conseil de discipline à l'autre. Tout ça parce que je travaillais plus qu'eux ! Alors je me suis endurci. Il m'en a coûté d'arriver ici et j'arrache la tête au premier qui essaie de m'emmerder.

Il marchait en frappant des petits coups de cravache sur ses bottes.

Ce n'était pas une menace. C'était une déclaration de principe. Une façon de dire : « On m'a fait bien pire que de m'obliger à me coltiner une fille à papa. »

– Croyez-le ou non, monsieur Von Boust, je ne suis pas ici, ni nulle part du reste, de ma propre volonté.

Et tandis qu'il méditait sa réponse, j'eus une vision identique à celle que j'avais eue des années avant au palais : l'homme changea de forme et de substance. Il se transforma en une masse sanguinolente, amorphe et perverse, et j'étais pétrifiée en découvrant que pour la deuxième fois je voyais le diable et que cette vision, qui faisait chavirer ma raison, était la même qui avait bouleversé Chucha quand, des années auparavant, contre tous les usages domestiques, elle avait ordonné à Natica de ne pas ouvrir la porte.

Il regarda ma tête, chef-d'œuvre de Juanito, champion du rasoir et des ciseaux et dit :

– Tout d'abord, ma fille, laisse-toi repousser les cheveux. Ça fait vraiment trop bizarre et on m'a dit que quand tu es entrée, les enfants de l'école voisine ont eu peur et se sont mis à hurler. C'est inconvenant.

Quand le diable décide de s'occuper de vous, n'en doutez pas, tout se passera bien.

– C'est promis, monsieur Von Boust.

La matinée commençait par cette libération du corps offert en sacrifice que sont le ballet et la danse, bien que dans la salle ne puissent se tenir plus de vingt personnes en file indienne.

Mon travail de relations publiques consistait à commander des chaussures, vérifier les costumes, m'assurer des repas et des transports, et cela fait, je m'asseyais pour me livrer à mon exercice favori : ouvrir toutes grandes mes oreilles.

Il manquait des chaussons, des maillots, des collants ; danser en Angola après avoir passé dix-huit heures dans un avion cargo et une semaine sur un navire marchand ne favorisait guère l'enthousiasme et le talent ; avoir fait huit ans d'études pour aller tortiller du derrière dans un désert perdu ; prendre tous ces risques pour pas un sou ; Un tel avait passé deux ans à la microbrigade de Construction pour obtenir un appartement qu'à la fin on ne lui avait pas donné, et il était vraiment injuste qu'Une telle soit première ballerine parce qu'elle couchait avec Tartempion. Bref, les problèmes de toutes les collectivités de la planète.

J'étais devenue la boîte à plaintes et à idées et si l'on pouvait compter sur ma compréhension et ma discrétion, il en allait différemment de la résolution des problèmes, mais à cela j'étais entraînée de longue date. La production de spectacles devint palpitante quand Rogelio París, un vétéran de Cinecittá, fut chargé de monter une œuvre d'inspiration patriotique pour un anniversaire du Minint et des Forces armées, avec le concours de tout l'Ensemble : théâtre, orchestre, chanteurs, danseurs.

Rogelio avait déjà monté *Le Songe d'une nuit d'été* à l'Ecole nationale d'art avec la même consigne, et il avait fait appel à des danseurs classiques, contemporains et folkloriques, des acteurs, des choristes et des élèves du cirque, et utilisé les superbes jardins de l'école. Mais la brume avait été envoyée à contretemps, les filets étaient tombés au mauvais endroit, les projecteurs n'étaient pas braqués sur le bon personnage, et tant d'effluves féminins avaient fini par tétaniser l'âne qui ne voulut plus bouger d'un pouce. Shakespeare aurait sans doute apprécié cet extraordinaire désordre qui rehaussait l'éclat de l'œuvre.

Rogelio avait la déplorable habitude des super-productions.

En comparaison des jardins de l'Ecole d'art, la scène du théâtre des FAR était un confetti. Je craignais que Rogelio qui voyait et faisait tout en grand – sauf se laver – n'installât Hollywood à La Havane, ce qui allait être un travail de production harassant car, si dans *Le Songe d'une nuit d'été*, il n'y avait pas de fusillades et de mitraillages anti-aériens, j'étais prête à mettre ma main au feu qu'il n'en serait pas de même dans une « œuvre d'inspiration révolutionnaire ».

Il voulut, bien entendu, des coups de fusil et de canon, et une débauche d'effets spéciaux, de fumées et de lumières en tout genre. Il réclamait à cor et à cri une machine infernale que le Théâtre national était seul à posséder et un palan capable de relever le Héros Tombé, une personnification de Che Guevara, qu'il comptait faire monter au ciel dans un filet, en une apogée stylistique.

Pour que la mise en scène soit chronométrée et parfaite, il exigea des talkies-walkies de la police.

Ce fut au cours de ces journées-là que la menace du sida s'abattit sur l'île. La nouvelle fut annoncée prudemment, car il ne pouvait y avoir d'homosexuels parmi les révolutionnaires, et les scientifiques respectaient encore l'idée que les châtiments de Dieu étaient sélectifs.

Dans ses harangues publiques, le Commandant accusait l'impérialisme d'avoir perpétré cette infamie *in vitro*, mais niait son existence à Cuba, tandis que dans les casernes on soumettait au test HIV tous ceux qui avaient mis le pied ou autre chose en Ethiopie et en Angola.

Moi, je n'étais allée nulle part, je me trouvais plongée dans la production cauchemardesque de Rogelio París, mais je connaissais le fléau par Nostradamus.

Je dépensais des trésors de civilité en réunions avec le chef de la Police et celui de l'intendance de la Sécurité pour obtenir leurs radios et leurs balles à blanc. Je me déplaçais dans La Havane à bord d'un camion militaire bourré de grenades d'exercice, de fusils et de caisses d'uniformes, de chaussures et de torches révolutionnaires. La seule fabrique de glace qui restait dans l'île se trouvait à plusieurs kilomètres de La Havane, mais j'avais besoin de glace ainsi que de ventilateurs géants pour apaiser l'angoisse de Rogelio.

Un samedi vers midi, alors que je goûtais un repos bien mérité, mes jambes dures comme du mortier posées sur la grille du balcon, et que j'étais sur le point de commencer avec mon lutin la cérémonie hebdomadaire de rafraîchissement des cheveux et des mains, je vis ma mère qui se dirigeait d'un pas hâtif vers la Vingt-Sixième Avenue.

– Où tu vas?

– Tous les membres du Parti ont été convoqués pour voir une vidéo de Fidel. Pour ceux du noyau dirigeant, c'est aujourd'hui au cinéma Acapulco. Il paraît qu'il y a une menace de guerre.

Je l'imaginai somnolant dans la pénombre de la salle, bercée par sa voix préférée sans que personne n'ose briser le charme.

« Mobiliser le peuple pour une cause commune » était un truc souvent utilisé par Fidel. A la longue, ça devenait ennuyeux : la crise des missiles, la mort du Che, le cordon de La Havane [1], la zafra (récolte de canne à sucre) de dix millions de tonnes [2], les « déchets » de l'ambassade du Pérou, le génocide angolais et les soi-disant violations de l'espace aérien et maritime.

Je guettai le retour de ma mère pour savoir quel nouveau catalyseur avait inventé le Commandant pour mobiliser les masses.

– Les Américains vont envahir Cuba!

– Pas possible! Quand?

– Le 16 novembre! C'est l'alerte nationale!

Pauvre petite maman, revenant à la maison tout excitée, toute crédule, prévoyant déjà les conséquences d'une guerre.

Elle allait sûrement dépoussiérer la lanterne chinoise que Fidel lui avait offerte il y a vingt-cinq ans, pour voir si elle fonctionnait encore.

---

1. Projet de plantation de café autour de la capitale, qui échouera.
2. En 1970, le gouvernement cubain fixa l'objectif de dix millions de tonnes de canne à sucre, ce qui devait être la récolte la plus importante de l'histoire de Cuba. Mais la Zafra ne dépassa pas huit millions et demi.

Mais elle ne fut pas la seule à y croire : à cause de la Grenade, de Gorbatchev et du sida, Cuba était en état d'alerte générale. Comme les gens sont naïfs !

Tout commença quand les Yankees envahirent l'île de la Grenade et qu'un journaliste s'enroua en relatant l'événement où tout n'était que deuil et apocalypse : notre mission internationaliste à la Grenade s'était sacrifiée en brandissant le drapeau cubain.

Pendant plus de soixante-douze heures, à la radio et à la télévision, Manuel Ortega raconta, avec force larmes et cris de rage impuissante, l'extermination des patriotes cubains par la mitraille impérialiste :

« Et le dernier de nos combattants a succombé ! Il tombe ! Notre drapeau tombe ! Il tombe en recouvrant le cadavre de notre dernier soldat ! Cuba a désormais un nouveau héros ! Un héros du communisme et de la paix mondiale ! »

L'île entière, plus anti-impérialiste et combattante que jamais, prit le deuil en l'honneur de ses morts, jusqu'à ce que les morts en question descendent de l'avion à l'aéroport de La Havane.

En tête venait le chef de la mission, Tortolo [1], euphorique, saluant la foule. Le seul et unique blessé parmi les Cubains était sur un brancard, la tête dressée et faisant lui aussi des gestes de salut.

Un homme d'affaires yankee et astucieux avait obtenu, grâce à l'appui d'un lobby de congressistes et de sénateurs, un budget pour déclencher un semblant de guerre, afin de pouvoir implanter à la Grenade des hôtels de deuxième catégorie.

Et la mission internationaliste cubaine, malgré le récit épique de Manuel Ortega, n'avait pas cru devoir se sacrifier pour empêcher la construction de quelques Holiday Inn deux étoiles.

1. Le colonel Pedro Tortolo, nommé par Castro, en octobre 1983, chef de la mission militaire cubaine à la Grenade (un millier de soldats). Tortolo avait pour mission de résister jusqu'au bout si l'île était envahie par les Etats-Unis. Dans les premiers moments de l'invasion, parvinrent à Cuba des nouvelles faisant état du sacrifice des soldats cubains. Peu après, on apprit que dès que les Américains commencèrent à occuper l'île, Tortolo abandonna ses hommes, qui furent faits prisonniers sans combattre, et qu'il se réfugia à l'ambassade soviétique de la Grenade.

De tout cela, rien ne fut dit ! Les hommes de la mission cubaine de la Grenade, où l'on avait construit un aéroport militaire avec l'argent des Cubains, descendaient de l'avion les bras chargés, comme d'habitude, de radiocassettes, de ventilateurs, de fers à repasser, d'aspirateurs et de lampes.

Les gens commencèrent à comparer les tennis Adidas avec ceux que portait Tortolo à sa descente d'avion. Ils inventèrent un slogan : « Avec les tennis Tortolo on court plus vite et plus loin ». Une semaine plus tard, on l'envoya tester la solidité de ses chaussures en Angola.

Gorbatchev, respectable Poisson à la tête ornée d'une tache rouge, commençait à inventer la Perestroïka, une espèce de transition du communisme étatique à une forme de société plus fructueuse et plus supportable. A Cuba, personne n'y faisait attention. Fidel non plus, car il pense que les transitions radicales ne peuvent pas se faire avec l'aide des gens ordinaires.

Mais pour ces gens-là, justement, le mythe de l'héroïsme au nom de la Révolution mondiale était en train de s'évanouir.

De là à se demander pourquoi il n'y avait pas un peu de *glasnost* à Cuba, et, puisque nous avions dû si longtemps nous contenter des restes des Russes, pourquoi ne pas déguster aussi un peu de leur démocratie, il n'y avait qu'un pas.

Et pour couronner le tout, voilà qu'une maladie inconnue menaçait nos parties honteuses.

Les masses avaient de toute urgence besoin d'un lavage de cerveau.

La folle alerte dura des mois.

En réponse à l'agression imminente, Fidel créa les Milices des troupes territoriales, recommença à habiller le peuple à la Mao et distribua quelques fusils chargés de balles à blanc.

Sous prétexte de manœuvres militaires, l'électricité était coupée pendant des heures. Les Russes cessèrent d'envoyer de la nourriture et la pénurie allait dramatiquement empirer.

Quand le sida devint une réalité incontrôlable et qu'on se mit à enfermer des milliers de malades dans une version moderne des léproseries rebaptisées « sidatorium », personne n'en tint compte. A l'école, Mumín était obligée de creuser des tranchées et des abris pendant les heures de classe, et à participer à des exercices militaires en fin de semaine. Elle avait un peu plus de sept ans. On lui apprit un hymne :

Bush tiene sida
nosotros pantalones
Y tenemos un gobernante
que le ronca los cojones [1].

Je ne fis pas attention à ce vacarme dément jusqu'à un dimanche matin : une rafale de tirs à côté de la fenêtre me jeta au sol. La révolte, enfin ? Mais je ne pouvais penser qu'à mon lutin. Coiffée de la casserole à griller le café, j'étais sur le point de courir chez Natica pour porter secours à ma fille, quand je compris que la situation ne pouvait pas être aussi grave.

Je sortis, les cheveux en bataille. Sur chaque trottoir, des types en uniformes de miliciens se tiraient dessus avec des balles à blanc sous les applaudissements du voisinage. Tel un cachalot échoué au bord de la fosse septique, un septuagénaire aux cheveux blancs faisait le mort.

J'étais furieuse.

– Vous, là, vous n'êtes pas un peu vieux pour faire le mariolle ? Qu'est-ce que vous faites, le nez dans la merde, espèce d'irresponsable ? Ici, il y a des vieux et des enfants ! Vous voulez en tuer un ou quoi ?

– Camarade, ce n'est pas ma faute. On m'a donné l'ordre. C'est un exercice des Milices !

– Et à votre âge, vous faites tout ce qu'on vous dit de faire ? Le prochain qui tire, je le vire de cette rue à coups de pied au cul !

Et je partis sous les applaudissements du voisinage.

Bientôt fut lancée une campagne d'information dirigée et digérée.

Les journaux télévisés ne tarissaient pas d'éloges sur les

1. Bush a le sida /nous des pantalons/ Et nous avons un président / qui lui écrasera les couilles.

nouveaux abris que la patrie avait créés pour protéger ses enfants contre l'invasion. Tunnels aménagés en dortoirs, infirmeries et salles de classe. Une vie souterraine, parfaite et organisée, dans le plus pur style vietnamien.

Des tunnels pour enfermer des millions d'individus d'un bout à l'autre de l'île.

Je commençai à me demander de quoi étaient faits les gens à l'intérieur d'eux-mêmes. Personne ne pensa qu'autant de tunnels ne s'improvisaient pas en trois semaines, ni qu'il suffisait de quelques navires déguisés en US Navy pour que les gens se terrent comme des agneaux *qui tollis peccata mundi* au fond de ces trous, jusqu'à ce que leur esprit patriotique se fortifie, au cas où ils auraient songé à se rebeller. Personne n'imagina que les tunnels pouvaient servir à enfermer des prisonniers. Personne ne pensa que le laboratoire de biologie de San José de las Lajas rejetait une fumée suspecte, dégagée par une production dirigée par un dévoué colonel des Forces armées, et que de là étaient sorties des maladies capables de décimer la population et de ruiner l'économie : épidémie de fièvre porcine et de dengue. Une autre des formules magiques du Commandant ?

Les gens continuaient de s'entraîner à plonger dans les abris dès que l'alerte serait déclenchée.

Ils avaient le cerveau plus ramolli que les petits fœtus en bocal de mon enfance.

A l'Ensemble artististique des FAR on me remit une tenue de camouflage pour m'entraîner à la défense de l'édifice.

Ce dimanche-là, j'arrivai donc, toute de cape et d'épée, coiffée d'une casquette verte. C'est curieux comme on se sent nu quand on n'a plus de cheveux. On m'affecta à une petite tour en carton-pâte au coin du bâtiment, avec un fusil en bois et des grenades en papier mâché. Herr Von Boust lança des ordres en se frappant les hanches de sa cravache. Je m'approchai discrètement de lui.

– Pardonnez-moi, chef, mais je trouve tout ça insupportable. Rendez mon armement à l'arsenal et acceptez mon humble démission.

Et je lui fis un clin d'œil. Pour la première fois, il me regarda déconcerté : il continuait à croire à la raison patriotique. Comme tout le monde, ni plus ni moins.

Je m'assis sur le canapé des mauvaises idées. Mes chromosomes paternels étaient empoisonnés. Les intentions de Fidel me semblaient d'une clarté cristalline. Il avait battu son propre record. Il avait mis au point une structure de domination absolue sur les gens qui pouvait servir en de multiples situations.

Que faire ? La fabrication de radeaux destinés à parcourir quatre-vingt-dix milles jusqu'aux côtes de Floride était devenue une industrie florissante, mais je n'avais pas le courage d'exposer Mumín aux requins tueurs.

On est parfois obligé de choisir entre une rude vie et une vie rude.

J'occupai mon inactivité par des activités agréables. Je prenais des cours de ballet tous les matins avec mon ami Papucho.

C'était le fils de Cachita Abrantes et le neveu du ministre de l'Intérieur. Il avait eu la vie dure : à l'âge de dix ans, il avait emprunté la voiture de sa mère, alors qu'ils étaient en vacances à Varadero, pour emmener ses copains en balade. Il eut un accident dans lequel mourut un gamin, un autre eut les oreilles tranchées et lui, Papucho, un peu moins mort que Lazare, ressuscita des années plus tard d'une prison de plâtre où ses os se remettaient en place. Comme il n'avait pas d'autre vice que le ballet, un conseil de famille décida de l'envoyer dans la meilleure académie moscovite. Expérience qui s'interrompit brutalement à cause d'un individu chargé de la discipline parmi les étudiants, un abruti de la Sécurité d'Etat qui s'occupait de détecter les éventuels déserteurs et de veiller à la bonne conduite des étudiants cubains, et qui ne pouvait comprendre qu'un estropié de dix-huit ans usurpât une place de danseur parce qu'il était le neveu du ministre de l'Intérieur. Il l'accusa d'androgynie maléfique et « d'insolite possession de devises ».

On ignore pourquoi l'oncle Abrantes abandonna subitement son projet de faire de son neveu un nouveau Noureev. Grâce au typique acharnement contre les privilèges de la hiérarchie, mon ami ne put terminer sa carrière de soliste.

Son père voulut le faire entrer chez les pompiers. Le

jour où il fut présenté à l'équipe, Papucho entra en un *saut de chat* dans le bureau de son géniteur, poursuivit par un *tombé pas de bourré* en diagonale, lança en l'air un sac à dos orné de *paillet* [1] et termina par les bras en quinte couronnant sa tête.

Il convainquit son père qu'il n'avait pas d'avenir chez les pompiers. Il voulait qu'on le laisse en paix.

Il était joyeux, sans complexes, et déçu. Une âme sœur.

Laura Alonso est cette femme énergique qui avait décidé un matin de l'avenir du père de ma fille et de son frère en faisant d'eux des danseurs classiques. Elle avait réussi à créer une école qui vendait la technique classique cubaine en dollars. Toujours solidaire, elle me laissa prendre des cours chez elle.

J'y introduisis Papucho.

— Laura, lui dis-je, sa mère dirige une corporation qui se fait payer en devises, comme toi. Vous pourriez faire du *bizness*. Le gamin a passé trois ans à Moscou. Il voudrait danser... Il lève bien la jambe droite et de toute façon il sera un bon maître. Il a en mémoire toutes les leçons et toutes les chorégraphies auxquelles il a assisté en Union soviétique.

Le génie est généreux. Laura accepta mon protégé, Papucho, qui allait bientôt devenir mon protecteur, quand j'allais tomber entre les mains de sa mère.

Ce fut Albita qui me fit revenir sur terre, quand je lui racontai que sans travailler on vivait bien, mais pas si bien que ça, et qu'après certaines dépenses l'argent provenant de *La Femme Cheval*, que Gabo avait achetée, semblait moins inépuisable.

— Ecoute, petite, en décembre on inaugure Cubamodas et La Maison recrute des mannequins à tour de bras, même s'ils les virent après... Va faire un essai.

— Je serais ravie. Mais je ne me vois pas entrer dans le royaume de Cachita Abrantes, alors que je suis la baby-sitter du fils indigne. Tu crois qu'on me laisserait être mannequin ?

— Tu ne risques rien de tenter le coup. Fais jouer tes

---

1. En français dans le texte.

relations. A quoi te sert de chaperonner tout le temps Papucho? Qu'il demande à sa mère et voilà tout!

– Je l'aime beaucoup. Il ne s'entend pas bien avec sa mère.

– Les histoires de famille finissent toujours par s'arranger.

La sélection des mannequins avait été confiée à Arelis Pardo. Veuve d'un des guérilleros du Che, elle aurait été condamnée à un éternel célibat, afin d'entretenir la flamme du souvenir, si elle n'avait pas eu l'idée de se remarier avec un héros de la Baie des Cochons. Au lieu de s'en offusquer, le Parti applaudit à un tel geste.

Pendant deux ans, elle promena tendrement dans sa voiture cet époux qui n'avait plus ni bras ni jambes.

Après un tel sacrifice, Arelis put se remarier et divorcer à sa guise sans que le Parti y trouve à redire.

– Voyons, montre-moi les coudes. Enlève tes chaussures, je veux voir tes pieds! Les genoux et les jambes sont bien... Demain à cinq heures de l'après-midi, je t'attends pour un essai. Et mets un maillot de bain, on verra si tu as de la cellulite.

L'estrade! Ce vide qu'il faut habiter avec du mouvement et de l'élégance, au rythme de la musique.

La Corporation Contex était dirigée d'une main de fer par Cachita Abrantes. Chargée d'injecter des dollars dans l'économie nationale pour résister au blocus, elle trompait la douane en faisant embouteiller le rhum Havana Club au Canada ou confectionner au Mexique des modèles en coton de toutes les couleurs et imprésentables.

Elle organisait chaque année Cubamodas, « événement international majeur », où elle tentait de commercialiser les modèles et les toiles. Elle avait réussi à attirer Paco Rabanne, et Vidal Sasoon avait succombé au charme d'un top-model. La Corporation avait dressé une liste de personnalités de gauche et même de stars d'Hollywood susceptibles de faire l'éloge de la mode cubaine. Des lettres bourrées de fautes d'orthographe étaient envoyées dans le monde entier.

La Corporation était propriétaire de La Maison, siège de la mode cubaine, qui restait ouverte toute l'année pour accueillir le corps diplomatique, l'élite du tourisme et les invités du gouvernement sensibles aux charmes de belles et sveltes créoles.

La Maison compte une bijouterie, des boutiques d'antiquités, de vêtements et de chaussures, un salon de coiffure, un salon de thé, une piscine, un gymnase, un restaurant privé et un jardin avec des sièges et des tables où les étrangers peuvent paresser du matin au soir à l'ombre des flamboyants. Vers neuf heures et demie, le défilé commence. Après un entracte, débute le deuxième show, où jouent les meilleurs groupes cubains et s'égosillent les meilleurs chanteurs.

A la sœur du ministre de l'Intérieur on ne refuse rien.

La préparation de Cubamodas dure plus de trois mois. Le petit groupe de modélistes remet ses dessins, les couturières ajustent les vêtements sur le corps et la nuit précédant le défilé, en pleine hystérie collective après plus de dix-huit heures d'essayages, on vous apporte les bijoux, le vêtement repassé et les chaussures arrivées d'outre-mer par la valise diplomatique. Cachita donne ses ordres dans un micro en utilisant tous les gros mots du répertoire cubain.

Mon premier Cubamodas fut plus pénible que glorieux.

C'était le début d'une ère où être associé à Fidel Castro ou à tout autre hiérarque revenait à être lépreux.

J'étais habituée aux surnoms et aux qualificatifs dont le Commandant était taxé, mais pas à me faire tirer la moustache et la barbe comme si j'étais son alter ego ambulant. On me fit la vie impossible.

Un agent de la Sécurité inspectait les estrades et en profitait pour se faufiler dans les loges et se rincer l'œil, ce qui rendait les mannequins folles de rage.

Une guerre froide commença, qui allait durer trois ans.

Au deuxième Cubamodas, j'arrivai bien mal en point.

Un matin, je me levai de merveilleuse humeur, car je devais préparer l'anniversaire du lutin Mumín. Mais dès que je posais les mains sur le volant de ma voiture j'étais envahie par un rêve de mort qui me faisait dodeliner de la tête à chaque feu rouge. Un mort était en train de me dire d'arrêter de conduire. Voilà ce que je pensais.

Je décidai donc de laisser la voiture au garage et, vous ne devinez pas ? J'acceptai l'offre de mon ami Papucho qui avait pris la voiture de sa mère et se proposait de me servir de chauffeur. *Sic transit gloria mundi.*

Trois minutes plus tard, il brûlait un stop de la Première Avenue, et un bus rempli de Russes emboutit la Lada.

L'autobus termina à la ferraille et je me réveillai à l'hôpital avec un bras cassé et l'autre suspendu par le coude.

Papucho était un monument en l'honneur de la poisse.

Et Cachita n'avait pas plus de chance : d'abord, son fils tue le fils d'un ministre, puis il démantibule la fille du Commandant.

Fidel n'envoya pas de fleurs, mais son nouveau chef d'escorte, Batman.

– Qui est responsable de l'accident ?

– Moi, dis-je.

Je me serais fait casser l'autre bras pour protéger mon copain. Et puis c'était moi qui avais laissé conduire ce kamikaze.

Une opération rapide me remit les os en place.

J'avais gâché l'anniversaire de Mumín et je trimbalais un sac en plastique qui drainait la blessure de mon bras, quand Albita vint me rendre visite.

Elle était d'une pâleur de marbre rose. Sa chevelure noire et brillante, son nez aquilin et sa silhouette élégante m'ont toujours fait penser qu'un cinéaste avait raté une muse.

Elle était indignée.

– Tu sais ce qu'a fait Tony Valle Vallejo ? Il a trahi Gabo ! Ce fils de pute le représentait à un festival de cinéma en Colombie et il y est resté ! Maintenant, il se répand en déclarations. Je viens te prévenir qu'il a parlé de toi.

– Tu ne devrais pas le prendre ainsi. Tony est un chic type. Il a donc... Enfin, tu ne t'y attendais pas ?

– Moi non !

Elle m'étonnait, car Tony avait toujours été très clair. Comme tous les jeunes adultes, il rêvait de quitter Cuba.

La sympathie de Cachita Abrantes et mon ascension à la Contex ne furent donc pas motivées par ma maîtrise particulière de l'orthographe. Cachita me nomma responsable des relations publiques, à charge pour moi de créer un département qui n'existait pas, dans une entreprise qui entretenait des relations commerciales avec la moitié de la planète.

Je continuais cependant à défiler tous les soirs. Je travaillais comme une démente. J'avais découvert l'univers de la promotion et je passais mon temps à envoyer des lettres à tout *homo sapiens* lié à la mode : photographes, journalistes, dessinateurs, fabricants, acheteurs et fournisseurs de textiles.

Ma soudaine ascension ne tarda pas à susciter l'envie.

La secrétaire avait interdiction de m'aider sous peine de répudiation générale. Les machines à écrire étaient détraquées et je ne recevais que de rares réponses à mes lettres : elles finissaient à la corbeille.

Lazarita, surnommée Petite Jarre parce que certaines parties de son corps ont une forme d'anse, dirigeait les mannequins. On m'avait chargée de la promotion de l'image et j'arrivai un jour sur le plateau de photographie. En me voyant, la Petite Jarre, dont toutes les anses étaient rouge vif, me hurla la plus impressionnante collection de mots orduriers que j'aie jamais entendus.

Il est difficile d'imaginer un endroit où le chef crée le chaos parmi ses employés. Cachita était capable de clore un défilé en grimpant sur le plateau pour danser un *guaguanco* avec les musiciens de la deuxième partie du spectacle – ce qui déconcertait les invités étrangers. Mais elle était incapable de faire respecter ses décisions. Elle continua à me faire crouler sous les responsabilités. Elle me chargea de planifier ses rendez-vous et ses rencontres. Je devais accueillir les invités illustres : négociants en lingerie espagnols et brésiliens, industriels du textiles, photographes célèbres et une catégorie indéfinissable que Cachita appelait « personnalités éminentes ».

Je devais m'occuper des membres du jury international, les installer confortablement, lancer une enquête d'opinion, la concevoir, la fabriquer, la faire circuler.

Les défilés commençaient par une exhibition de bijoux, que l'on vous accrochait sur un maillot une pièce en lycra. On éteignait tout et un faisceau de lumière vous transformait en une présence magique, une apparition scintillante, aux bras et aux hanches mouvants.

Cette année-là, je devais ouvrir le spectacle.

Le dernier Cubamodas 1988 dura plus de vingt-quatre heures et j'étais au-delà du bien et du mal, sur le point d'enfouir, derrière un paravent de la loge, toute la fumée, l'alcool et les flaccidités de mes trente-trois ans dans un maillot en lycra couleur chair, quand des cris s'élevèrent suivis de l'intervention éclair des agents de la Sécurité contre une horde de photographes et de journalistes qui avaient violé le sanctuaire de la nudité privée des mannequins.

Je ne connaissais pas encore la presse internationale. Et je ne portais rien sur moi sauf aux oreilles et sur la tête : des lobes jusqu'aux épaules pendaient des boucles coralliennes de l'artisanat de l'île et sur mon front reposait le bec d'un oiseau noir aux ailes ouvertes qui avait été jugé décoratif. Une ombre rouge partait de mes paupières jusqu'aux tempes.

Je ressemblais à la fée Carabosse.

– Où est Alina ? criaient-ils.

– *Who is she* ?

– *Laquelle est Alina* ?

Ils aboyaient aussi en langues nordiques.

– Eh ! Sortez-les d'ici ! Gardes ! Vous ne voyez pas qu'on est toutes nues ! Il n'y plus de respect ou quoi ? criaient les mannequins.

C'est comme ça que j'accédai à la célébrité : le derrière à l'air, un maillot à mi-jambes et un oiseau embaumé sur le front.

A la grâce de Dieu, pensai-je, épiscopale, sous mes paupières pourpres.

La musique retentit. Une musique marine. L'obscurité et le silence se firent. Je m'avançai sur l'estrade et me mis à danser comme un fakir, car le tapis était fixé par des agrafes qui m'écorchaient les pieds.

Huit heures plus tard, Magaly, la secrétaire, me conduisit à ma première interview.

– Pourquoi diable dois-je donner une interview ?

– C'est l'orientation qui a été décidée...

Je pris un bouquet de glaïeuls flétris et m'assis dans un fauteuil en osier indonésien, bien décidée à transgresser toute orientation qui me lierait à cette engeance tropicale de la mode.

Les « orientateurs » autorisèrent deux journalistes qui gardèrent leur plat de résistance pour la fin.

– Et comment se sent la fille de Fidel Castro en représentante de la mode cubaine ?

– Il doit y avoir une confusion. La mode cubaine a sa digne représentante en la personne de Cachita Abrantes, et mon défunt père s'appelait Orlando Fernández.

Magaly se sentit mal. Ainsi se déroula toute la semaine du Cubamodas. Il était onze heures du soir et, devant des journalites choisis, je niai toute parenté et représentativité, les traits tirés et les yeux gonflés de fatigue.

J'appelai Albita.

– Voilà les conséquences des déclarations de Tony ! dis-je. Depuis l'âge de onze ans, chaque fois que quelqu'un me demande si je suis la fille de Fidel, le « oui » s'étrangle dans ma gorge. Je n'arrive pas à le prononcer. On dirait un mauvais rêve, Alba.

– Bons ou mauvais, tous les rêves ont une fin.

– Entre nous, ça m'est égal qu'on me décrive comme la bâtarde indocile de Castro, mais qu'on fasse de moi la championne de la mode cubaine dépasse mon sens du ridicule. Les « yayaberas » de Delita ! Et ces tenues de camouflage baptisées « ligne Intrépide » ! Et ces sandales en torchon vert olive ! Et ces jupes aux impressions peau de poisson ! Elles sentent encore la marée et elles tiennent debout comme des abat-jour. Tout plutôt que de défendre les macramés de corde de Rafael et ces « Nautiques » made in Mexico de Marta Verónica... Ça c'est au-dessus de mes forces. On peut dire ce qu'on veut de moi, mais je refuse d'être l'ambassadrice de ces déguisements à la sauce Cachita.

Albita riait, mais Magaly se fâcha.

– Tu n'as qu'à le dire à celui qui a « orienté » les interviews. Moi, je n'y suis pour rien.

Le changement de stratégie prit la forme de quelques armoires à glace en costume et cravate qui repoussèrent les journalistes.

Quelques semaines plus tard, Magaly me tendait, triomphante, une revue. J'y étais photographiée, avec le bouquet de glaïeuls dans le fauteuil indonésien, et l'article disait plus ou moins ceci :

« La fille cachée de Fidel Castro promeut la mode cubaine. »

Et plus loin, dans un style édifiant :

« En fonction de critères d'exportation et en vue de consolider l'économie du pays grâce à une monnaie fortement convertible afin de bloquer le blocus de l'impérialisme qui fustige notre économie, nous avons voulu lancer une mode cubaine en organisant cette manifestation artistique réunissant nos meilleurs dessinateurs... »

Même Cachita après une bouteille d'eau-de-vie Coronilla ne parlait pas aussi mal. Tout au contraire, l'alcool la rendait vive et rigolote. Je ne pus deviner qui était l'auteur d'un tel fatras. Et comme l'article mentionnait l'adresse et avait dû être reproduit dans d'autres revues, un flux incessant de touristes commença à envahir le jardin de La Maison, dont je devins la meilleure attraction zoologique. Il fallut faire des défilés quotidiens et en organiser en fin de semaine. Les tour-opérators étaient débordés. Les mannequins ne m'en furent pas reconnaissantes et les loges bruissèrent de luttes sourdes.

Mais je fis le dos rond. Mon salaire avait doublé et je voulais continuer à vivre dans ce paradis du vol. C'était comme avoir les mains libres dans une banque : chaque jour, nous repartions avec des chaussures neuves à revendre et de superbes bijoux en argent ou en corail noir. Il n'y avait rien de plus facile que d'escroquer le magasin. Nous vivions comme des nababs. Pour me faire partir d'ici, il aurait fallu m'offrir la lune sur un plateau.

Ce qui n'allait pas tarder à arriver. D'après une indiscrétion de mon ami Papucho, sa mère, qui ne se montrait plus, considérait que la situation était devenue incontrôlable car les journalistes assiégeaient en permanence les bureaux.

Un soir, trois d'entre eux se faufilèrent dans la loge. La seule chose que je portais était une paire de bas. A la main.

Et c'est en tenue d'Eve que je leur donnai mon adresse avant qu'ils ne soient expulsés par les sicaires de service.

– Je vous attends là-bas dans une demi-heure. Faites attention. En bas de l'immeuble, il y a une fosse septique qui a débordé.

Quand ils arrivèrent, j'avais eu le temps de prévenir ma mère. Naty était mon dernier refuge. Elle eut l'art de les tenir en haleine, et au bout de deux heures de conférence de presse elle leur dit :

— Maintenant, je vous laisse avec Alina.

— Qu'est-ce que je pourrais bien ajouter ?

Ce fut Bertrand de la Grange qui parla le premier :

— Alors, tu ne veux pas être célèbre ? Tu n'aimerais pas être mannequin à Paris ?

Célèbre ? Mais célèbre pour quoi ? Et mannequin à Paris ! Il croyait sans doute que je n'avais pas de miroir. Mannequin pour la mode des petites vieilles ?

En fait, Bertrand s'intéressait aux dissidents politiques. Que pouvais-je dire à ces Européens ? Qu'il y avait à Cuba plus de souterrains que dans une fourmilière ?

La vérité c'est qu'assise ici, avec des bottes défraîchies en lamé doré de Sandra Levinson, une mini-jupe en crochet, un maquillage parfait, un chignon embaumé dans la laque et un poisson rouge sur la tête, je n'avais nulle envie de manquer de respect à Mario Chanes [1], qui a battu le record de plus vieux prisonnier politique détenu par Mandela, ni à Armando Valladares [2], enfermé et invalide depuis quasiment l'adolescence, ni à Llanes, ce chef d'escorte qui avait été la bonté même dans mon enfance, ni à aucun de ces hommes et femmes anonymes victimes du célèbre satrape, qui pourrissaient dans les oubliettes d'anciennes forteresses coloniales pour avoir dit et proclamé qu'ils en avaient marre de la Révolution et de Fidel, ou qui avaient simplement tenté de quitter Cuba. Ni aux femmes qui, comme moi, en quête de dollars, étaient arrêtées et parfois battues pour avoir eu recours à la générosité libidineuse des étrangers, afin de ramener chez elles quelques vêtements et un peu de nourriture.

1. Mario Chanes de Armas. Participant à l'attaque de la Moncada et à l'expédition du *Granma*. Il combattit au côté de Fidel Castro dans la Sierra Maestra. Après le triomphe de la Révolution, il fut accusé de conspirer contre Castro et condamné à trente ans de prison, peine qu'il a accompli intégralement.
2. Poète, peintre et prisonnier politique. Emprisonné, il fut amnistié grâce à la médiation du président François Mitterrand. Il fut ambassadeur des Etats-Unis devant la Commission des droits de l'homme de l'ONU.

Ni de gâcher le plaisir du bon docteur Ali qui revenait tout fier d'Angola parce qu'il avait réussi des amputations avec des instruments de la caisse à outils de son convoi militaire...

Le harcèlement dont j'étais l'objet, mon anticonformisme compliqué et loquace, et la conviction que mon père était un mauvais dirigeant, ne me donnaient pas le droit à la parole.

Cette nuit-là, je m'endormis fatiguée. Après mes réponses aux questions des journalistes, quelle surprise me réservait l'avenir ?

Mais les journalistes n'étaient pas satisfaits de mes réponses et l'avenir était bien loin.

– La Maison a été choisie par le Haut-Commandement comme siège de l'anniversaire de Prensa Latina, dont García Márquez et Jorge Timossi sont deux des pionniers fondateurs. Ils seront présents avec le Commandant. Et ce soir-là, je veux un défilé impeccable. Avec les bijoux, les vêtements pour enfants, les maillots, tout ! aboya Cachita.

Gabo n'a pas besoin d'être présenté. Timossi est un journaliste argentin, un grand gaillard à la voix profonde qui a été immortalisé par le dessinateur humoristique Quino. « Avoir écrit tant de poèmes et d'essais pour entrer dans l'histoire de la littérature en ami de Mafalda ! », dit-il. En effet, Quino et Timossi étaient amis depuis leur tendre enfance.

Mais j'avais du mal à comprendre qu'un monsieur qui portait depuis trente-cinq ans les mêmes vêtements s'intéressât subitement à la mode. De nombreux journalistes étrangers avaient été invités, lesquels, selon Radio Bemba, étaient à ma recherche et souhaitaient vivement me capturer.

C'était vraiment bizarre... Je devais ouvrir le défilé en évoluant sur l'estrade en maillot et parée d'une profusion de coquillages, de morceaux de corail noir. Et d'un oiseau embaumé.

J'étais parfaitement moulée dans ces maillots grâce à une inhabituelle absence de cellulite. Quant à Mumín, elle était une des vedettes du show des enfants.

Il me vint à l'esprit qu'on voulait provoquer une congestion cérébrale au Commandant. J'arrivai suffisamment tard pour que la garde prétorienne ne me laisse pas entrer. Je ne perdis rien : Fidel eut à peine foulé de ses bottines le seuil de La Maison, qu'il envoya quelqu'un interrompre le défilé. Il était, semble-t-il, peu disposé à m'applaudir et à crier à son tour « Viva ! Viva ! »

Cachita s'excusa auprès de ses mannequins :

– Le choix de La Maison a été une erreur du chef du protocole du palais.

Je ne sus jamais qui eut la brillante idée de parler dans la presse du cœur du Líder Máximo rendant hommage à sa descendance féminine bâtarde dans le temple de la mode cubaine. Cachita ? Son frère ? Ou le chef du protocole, dont j'avais remis le fils à sa place à l'époque de l'acte de répudiation, à l'Ecole de diplomatie ? Après tout, ces animaux-là mangeaient au même râtelier.

Un soir pourtant, je vis arriver Delita, la coupable dessinatrice de la ligne Intrépide, composée de toile de camouflage, de jupes impliables en peau de poisson et de chaussures abominables. Elle installa son imposant derrière sur une chaise à côté de moi, déterminée à me faire parler.

– Tu sais, Alina, je crois qu'on va monter en grade ! Le Commandant, enfin, ton père, a envoyé ses collaborateurs pour faire une enquête. La vérité c'est que nous, les créateurs, nous n'avons jamais été soutenus, mais cette fois... Je pense que ça va changer ! Parfaitement !

Les gens s'imaginent que je suis « fidélologue ». Tout ce que je sais, par expérience, c'est que quand je suis quelque part et que le Commandant vient y fourrer son nez, c'est pour tout gâcher.

– Très bonne nouvelle, en effet ! Tout va aller mieux maintenant. Tu vas voir !

Et j'allai aussitôt au bureau pour y prendre toutes mes affaires. Je n'hésitai pas une seconde à deviner le cap qu'allait prendre ce bateau en carton-pâte appelé La Maison : droit au fond de l'eau. Le Commandant semblait avoir gardé l'habitude d'enquêter sur les eaux où nageait son poisson.

Un ouragan de mauvais instinct me balaya la comprenette. Obligée de dépenser mon énergie quelque part, je

me rendis à la nouvelle clinique d'Ezequiel le *Curandero* [1].
Mais elle était déserte et abandonnée.

Ezequiel le Curandero se dit biologiste et virologiste, en
tout cas, il a appris les vertus des plantes médicinales au
cours de ses interminables périples dans la marine mar-
chande, avant que son appartenance à la Sécurité et sa
science ne le condamnent aux guerres internationalistes et
à un cumul d'obligations obscures.

Un mélange d'intuition et d'expérience lui apprit à soigner en Afrique, au Vietnam et en Amérique latine, où il
trouva ses meilleurs exégètes et patients. Il parlait du général panamien Noriega comme d'un bon copain et de son
énorme maison grouillante de servantes cubaines, fédé-
rées, cela va de soi, comme d'une seconde patrie. On sait
que Cuba est une puissance médicale. De temps en temps,
Ezequiel était chargé d'une culture de bactéries envahis-
seuses et imparables destinées à stopper net les déborde-
ments vocaux de quelque indésirable, mais cela n'était
qu'une rumeur sans preuves.

Abrantes l'avait sanctifié en lui faisant construire un
petit hôpital sur les flancs du Cimec, une espèce de prolon-
gation de cette unité chirurgicale où les chambres avaient
des dimensions de salle de bal et où les infirmières propo-
saient un menu gastronomique aux touristes de la santé.

Devant l'établissement s'étirait en permanence une
queue ininterrompue de gens venus des quatre coins de
l'île munis d'une synthèse autorisée de leur histoire clinique, en quête de guérison ou de soulagement de maux
plus ténébreux et variés les uns que les autres : depuis des
tumeurs irréversibles jusqu'à des enfants écorchés vifs par
une espèce de pyorrhée.

J'apportais parfois à Ezequiel des caisses de bouchons et
de bouteilles vides. Il travaillait du matin au soir à remplir
les récipients de potions, d'onguents ou de cendres mystérieuses où palpitait imperceptiblement la guérison.

Ce soir-là, quand j'arrivai au petit hôpital, il ne restait
plus trace de la moindre activité et les plantations d'herbes
étaient arrachées.

1. Guérisseur.

– Il a été arrêté il y a trois mois et on a fermé la clinique. Il paraît que c'était un ordre du Commandant.

Mon ami Ezequiel avait disparu. Demander ce qu'il était devenu à son ancien domicile rendait ses voisins sourds et muets.

Apparemment, il n'y avait pas que Cachita sur les charbons ardents. Mon ministre de l'ombre était lui aussi impliqué dans un dossier dévastateur.

Le Commandant est déconcertant, mais pas imprévisible. Quelque chose d'énorme se préparait. Une sensation de défaite me renvoya, découragée, à Nuevo Vedado.

TROISIÈME PARTIE

Le procès numéro 1 de 1989, pour trafic de drogue, commença brutalement, dans une édition spéciale de *Granma*, le journal du comité central du Parti. Ce jour-là, au lieu de quatre pages, le journal en comptait six.

J'étais en train de jouer au poker à l'ambassade de Grèce, en compagnie d'autres invités. L'ambassadrice avait son propre semis de menthe et les mojitos allaient et venaient quand je fus prise de l'étrange envie de feuilleter *Granma*. Je n'aimais pas beaucoup ces quatre pages truffées de bobards et de prétendues grandes réussites dans la récolte des bananes. Je fus pétrifiée par ce que je lus : « Ont été arrêtés pour avoir trahi la Révolution les éléments suivants... »

Le général Ochoa [1], héros de la patrie et vainqueur de la guerre d'Ethiopie et d'Angola, avait été arrêté.

Arrêté, Diocles Torralba, ministre des Transports, qui n'avait rien à voir avec le métier des armes. Arrêtés, les jumeaux de la Guardia. Patricio avait combattu sous les ordres d'Ochoa en Angola ; Tony, dans le civil, était à la tête du département MC (monnaies convertibles), un service chargé de contourner le blocus au moyen d'appareils ménagers, de voitures occidentales et de stocks de vête-

---

1. Le général Arnaldo Ochoa Sanchez commença sa carrière militaire dans les rangs des rebelles de la Sierra Maestra. Il dirigea les troupes cubaines en Ethiopie et en Angola. Il avait le titre de Héros de la République de Cuba. En 1989, lors du procès numéro 1, il fut accusé de trafic de drogue. Il fut condamné à mort et fusillé.

213

ments et de chaussures astucieusement manufacturés à Panama ou à Hong Kong destinés aux magasins pour diplomates. Et plus secrètement, bien sûr, du trafic de cocaïne. Tout le monde savait pour qui travaillait cette officine : le gouvernement.

On avait envoyé en prison une incompréhensible brochette de soldats du ministère de l'Intérieur, de civils et de généraux.

Le lendemain, un communiqué de Fidel accusait la quasi-totalité de son gouvernement dans une diatribe où se mêlaient pédérastie, corruption, cocaïne et subversion.

Une semaine plus tard, la radio et la télévision diffusaient huit heures d'un programme ininterrompu : le procès numéro 1. Un procureur militaire, une Patek Philippe au poignet, accusait ces soldats et mercenaires, qui avaient plus de trente ans de carrière, d'avoir organisé un réseau de trafic de cocaïne dans certaines régions d'Afrique et d'Amérique latine, réseau qui s'étendait jusqu'à New York. Sexe, perversion, cocaïne et trahison ! dénonçait le procureur au nom de la Révolution, du Parti et de la Patrie. Fidel et son frère Raúl assistaient au procès cachés derrière les vitres de la cabine de régie du Théâtre universel des FAR, là même où j'avais réussi à faire monter le Che au ciel dans un filet.

Menottés et humiliés, les héros légendaires avouaient, ou n'avouaient pas, leurs méfaits devant quelques membres de leur famille triés sur le volet.

Les avocats de la défense n'osaient pas parler, et du reste le procureur ne leur donnait pas la parole.

Le procès glissa sur la pente savonneuse des plaisirs : aventures sexuelles, orgies filmées et autres cérémonies du culte de la dissipation. Il semblait que les hauts dirigeants de la Patrie avaient passé leur temps à faire la bamboula.

Quand cette farce s'acheva, des accusés furent condamnés à mort, d'autres à la prison à vie. Fidel eut le dernier mot. Lors d'un plénum du bureau politique il enjoignit toutes les vaches sacrées de l'opportunisme de se prononcer dans le même sens que lui. Il fallait voir ce bouquet de faces d'hypocrites !

« Arnaldo Ochoa, traître à son rang de héros national, avait en sã possession, dans les eaux angolaises, un bateau contenant cent tonnes de cocaïne... Son intention était d'échanger la drogue contre des armes afin de faire un coup d'Etat militaire contre notre Révolution... »

Quelle imagination ! Avec une telle quantité de drogue, Ochoa pouvait faire la guerre contre des galaxies ! Et quel cynisme !

La cocaïne était partout à Cuba. Quelques mois plus tôt, mon ami Roger était arrivé à la maison avec une éprouvette remplie de drogue, dont il avait découvert toute une cargaison sur l'îlot où son chef, Guillermo García, le voleur d'eau du quartier, l'avait envoyé pour y capturer du gibier destiné aux touristes.

Il y avait tellement de cocaïne à La Havane qu'elle finit par remplacer la marijuana angolaise ou colombienne et qu'on vit bientôt des gens en proie à une activité fébrile comme s'ils voulaient faire grimper la courbe de la production.

Il y avait plus de cocaïne que s'il avait neigé et elle était à ce point tolérée que les gens l'achetaient et la transportaient dans des sacs de sucre de dix livres d'un quartier à l'autre, d'une province à l'autre. Il y en avait tellement qu'on en arrivait à penser que les innombrables manifestations révolutionnaires et l'agitation incessante des Milices des troupes territoriales ne s'expliquaient pas autrement.

Ce n'était un secret pour personne. La cocaïne faisait partie du folklore quotidien depuis un bon moment et en faire porter la responsabilité à des soldats qui vivaient et mouraient sur un autre continent était infâme.

Ochoa nourrissait son armée en Angola grâce à des petits trafics de pierres précieuses ou de défenses d'éléphant, et en faisant payer ses hommes à l'heure par Agostinho Neto.

Le cas de Tony était différent. Comment pouvait-il payer ses « électro-domestiques », ses Nissan et ses Mercedes d'importation, sinon grâce au trafic de drogue ? Il y avait belle lurette que Tony faisait des allers et retours à Miami.

Et avec quoi les guérilleros latino-américains achetaient-ils leurs armes ? Avec de la cocaïne ! C'est avec de la cocaïne que le Département Amérique se faisait payer son aide militaire et technique.

Ochoa, Tony et Amadito Padrón furent condamnés au peloton d'exécution. A une date qui ne fut pas divulguée.

Pendant une semaine entière de tragédie, je restai clouée devant la télévision, comme une suppliante. Je n'arrivais pas à croire que Fidel allait faire fusiller d'un geste ses amis de toute une vie.

– Ton vieux est vraiment un salopard! déclarèrent mes voisins.

Je pensais aux parents des jumeaux, les adorables Mimí et Popín, et à leurs petits-enfants que j'avais vus grandir. Je pris mon courage à deux mains et j'allai les voir.

Ils vivaient dans une maison au bord de la mer. Des files de voitures encombraient naguère la rue. Ce soir-là, elle était vide. Les petits-enfants déambulaient dans la maison comme des fantômes, ainsi que des petites vieilles murmurant des mots de consolation.

Popín était anéanti. Il ne voyait ni n'entendait rien. C'est Mimí qui me demanda :

– Alina, tu sais quand ils vont fusiller mon fils ?

Je n'en savais rien.

C'est avec un grand courage que fut refusé cette année-là le prix de meilleure étudiante à la fille de Tony. Les garçons des autres furent, eux, insultés et expulsés des écoles et des universités où ils étudiaient. En guise de compensation, le ministère de l'Intérieur leur fournit une assistance psychiatrique : des médecins en uniforme s'efforcèrent de persuader les enfants que leur père avait reçu un juste châtiment. Ils n'en convainquirent aucun.

Peu après, Abrantes fut à son tour arrêté. Un mois plus tard, il eut une crise cardiaque. Une Lada de la prison l'emmena faire un tour dans une direction opposée à celle de la polyclinique. Il mourut d'un infarctus foudroyant.

Le matin même de sa mort, un de ses fils vint me chercher. Le corps de l'ex-ministre de l'Intérieur, naguère honoré, fut veillé par sa proche famille et par moi – je dois souffrir du syndrome de Stockholm. Son arrestation l'avait rendu notoirement impopulaire.

Le lendemain matin, la caravane de Fidel roulant à contresens dépassa la rue Zapata et passa par hasard devant les pompes funèbres.

216

Les voitures ralentirent. Le petit groupe en deuil lui cria : « Assassin ! Assassin ! »

Inspirée par mes prouesses littéraires du temps où j'étais promotrice de la Contex, Cachita voulut me faire prononcer au cimetière l'éloge funèbre de son frère décédé. Mais il aurait fallu être très masochiste pour dire publiquement du bien de quelqu'un qui m'avait fait tant de mal.

L'enterrement terminé, je ramenai mon ami Papucho chez lui.

– Ton père a fait tuer mon oncle, dit-il. Ma famille ne pardonnera jamais.

Et il brisa notre amitié.

Un matin, peu après les exécutions, ma voisine Estercita vint me voir pleurant à chaudes larmes.

– On est très inquiets dans le quartier. Le fils d'Amadito Padrón s'arrête tous les soirs au coin de l'école pour guetter Mumín. Ce n'est pas sa faute si ton père a fusillé le sien, mais les gens sont méchants. On ne sait pas à qui le dénoncer. Il faut que tu préviennes quelqu'un !

Moi non plus je ne savais pas qui prévenir.

Nous étions devenues la famille du Bourreau. Ce n'est pas pour rien que les bourreaux portent toujours une cagoule quand ils exercent leur métier.

La morphologie sociale changea radicalement : la moitié des Cubains ne se remirent pas de cette hécatombe de héros. Des groupes dissidents virent le jour. Le gouvernement ne convainquait plus les gouvernés.

Et moi moins que tout autre. J'étais persuadée que dans un étrange concubinage avec Fidel, la CIA avait passé sous silence toutes les preuves de l'implication de Cuba dans le trafic de drogue.

J'imaginais le marchandage : « Je vous désarticule telle ou telle guérilla en Amérique latine, ou ailleurs, et vous fermez les yeux sur le trafic de drogue et, surtout, vous maintenez l'embargo. »

L'embargo, mesdames, messieurs, est le grand prétexte anti-impérialiste. Mais l'empire américain se fiche éperdument de l'opinion publique mondiale. La seule chose qui l'intéresse est d'avoir à Cuba un dirigeant malléable et coopératif. Cuba est la prochaine Grenade. Cuba se remplira d'Holidays Inn et de McDonald's.

Et comme si mes spéculations s'avéraient justes, après le procès numéro 1, Noriega tomba, le Sentier lumineux tomba au Pérou, et César Gaviria tomba.

Mais Fidel conserva son aura internationale...

Le mur de Berlin et le camp socialiste s'effondrèrent un soir à la télévision. Il n'y eut pas d'autre répercussion à Cuba que la suppression de la licence de russe à l'université.

Fidel remplaça le russe par l'anglais.

Puis il s'installa à l'écran pour expliquer la Période spéciale[1] et l'Option Zéro, qui n'a pas besoin d'explication : électricité zéro, nourriture zéro, transport zéro. Rien. Des clous !

Afin que les gens ne protestent pas trop, il suggéra le modèle des « soupes populaires »; c'était la première fois que la mode française entrait à Cuba depuis 1959.

Cela consistait en une espèce de ragoût communautaire organisé par le Comité de défense de la révolution. Chacun était convié à apporter sa pomme de terre, sa gousse d'ail, sa moitié d'oignon... Et en guise de complément alimentaire, le CDR se proposait de distribuer des vitamines à domicile.

Et pour que les gens ne se délectent pas de désespoir, il leur fut également suggéré d'élever des poulets chez eux.

– L'impérialisme a ruiné nos élevages de volaille. Chaque habitant recevra trois poussins, qui seront sous son entière responsabilité. Mais l'Etat ne peut pas fournir l'aliment.

Les gens se lancèrent donc dans l'élevage des poulets et les nourrirent avec des peaux de pamplemousse hachées et séchées au soleil. Mais les enfants déjeunaient d'eau et d'un sucre grisâtre qui fermentait dans des bocaux et dont les cafards ne voulaient même plus.

Les poussins grandirent comme des animaux domestiques, les enfants leur donnaient un nom et s'amusaient

---

1. Nom que le gouvernement cubain a donné à la crise économique aiguë qui, avec la pénurie, s'est produite à Cuba à cause de la disparition du camp socialiste européen – avec lequel Cuba maintenait la plupart de ses relations commerciales – et surtout de la désintégration de l'Union soviétique, qui soutenait l'économie cubaine avec une aide annuelle de plus de cinq milliards de dollars.

avec eux, de sorte qu'il fut parfois difficile de les tuer et de les manger.

Après les poulets, arrivèrent à La Havane les porcs et les chèvres. Les chèvres s'approprièrent l'herbe de la Cinquième Avenue et les porcs les cours et les baignoires. Afin d'éviter les dénonciations, les propriétaires les maintenaient endormis sous Benadryl. Certaines familles plus sophistiquées leur tranchaient les cordes vocales.

Ce fut ainsi que le paysage et les odeurs de ma ville changèrent à vue d'œil, comme à l'époque où Tata Mercedes m'écartait des fenêtres des Makarenko et des Ana Betancourt afin d'éviter de recevoir une serviette hygiénique souillée sur la tête.

La ville sentait le fumier.

Un concert de grognements et de caquètements accompagnait les cris de joie des impératrices du carnet de rationnement :

– La pâte de viande est arrivée ! Aujourd'hui c'est pour les cent premiers numéros du premier groupe.

– Il y a du pain de boniato [1] !

Ce pain-là, une boule d'une centaine de grammes, était fait avec de la farine de boniato et développait un champignon mortel le troisième jour.

La pâte de viande était un infâme hachis de soja, de cartilages et de farine de maïs. J'aimerais bien qu'un de ces gentils défenseurs du régime cubain déguste un jour les recettes de la misère : hachis de peaux de bananes bouillies, pain de boniato à la serpillière (faire mariner la serpillière plusieurs jours dans l'huile jusqu'à ce que la fibre se détache, paner si possible et servir). Personne n'a goûté les limaces grillées ? Et le civet de chat ?

Les gens promenaient leurs poulets comme des chiens, en laisse afin de les protéger de la faim vorace des chats. La livre de chat était cotée au marché noir.

Pour comble de malchance, une épidémie de névrite optique se déclara et des milliers de Cubains restèrent aveugles. Bien que Fidel déclarât avec insistance que le virus était un nouveau cadeau de l'impérialisme, la vérité demeura à l'abri d'un laboratoire de bactériologie du ministère des Forces armées révolutionnaires, où se miton-

1. Variété de patate douce.

naient les maladies nécessaires à la bonne santé politique des Cubains, lesquels en la circonstance étaient simplement empoisonnés par le thallium d'herbicides et de pesticides improvisés.

Mais malgré tout cela, on persistait à interdire aux paysans de vendre librement leurs récoltes, qui pourrissaient en lisière des champs : l'Etat ne les ramassait pas à temps.

Alors les gens se tournèrent vers Dieu, et le désordre religieux s'accentua quand Fidel remplaça son slogan, « La Patrie ou la Mort », par « Le Socialisme ou la Mort ».

Et comme le Commandant prévoit tout, même le désordre, il créa les Brigades d'action rapide qui dispersaient les manifestations religieuses à coups de matraque. Puis il se mit à réunir la jeunesse en assemblées civico-culturelles autour de grands feux de bois, dans un climat tropical où on aurait pu faire cuire des poulets sur l'asphalte.

C'était un monde affolé et triste, d'un surréalisme humiliant.

Une nuit, pendant cette étrange période, ma mère m'appela :

– Descends. Dans la rue il y a quelqu'un que tu aimes beaucoup qui t'attend.

C'était Ezequiel, le *Curandero*. A l'abri des regards, dans une ruelle du trottoir d'en face, je le serrai très fort dans mes bras.

– Pourquoi as-tu disparu comme ça ?

– C'est une longue histoire...

Il ne voulut pas me la raconter tout de suite. Il voulait que j'aille le voir dans une ferme qu'on lui avait attribuée afin qu'il reprenne ses recherches.

– Il n'y a pas encore l'électricité, mais un terrain et une bâtisse sans électricité sont un bon début pour une clinique de médecine alternative. Je suis venu te voir parce que tu as toujours cru en moi et je suis sûr que tu vas m'aider. Viens me voir la semaine prochaine. Prends le chemin de l'église San Lázaro. Là, demande où est le sidatorium. Quand tu le verras, demande l'élevage de coqs de Guillermo García. Et ne te trompe pas de sidatorium. Je te parle de celui des gens ordinaires, qui est sur la gauche.

Celui qui est sur la droite appartient au ministère de l'Intérieur.

– Et l'élevage de coqs?

– Là-bas, tout le monde le connaît. C'est une ferme où Guillermo García élève des coqs de combat.

– Mais les combats de coqs sont interdits à Cuba!

– Ils sont destinés à l'exportation.

Que Guillermo García, ex-ministre des Transports inexistants, élevât des coqs de combat pour l'exportation, était un réconfort national.

Le sidatorium était un éden où l'on parquait les malades du sida, auxquels on autorisait une sortie hebdomadaire selon leur « degré de dangerosité », car certains condamnés à perpétuité, qui s'y trouvaient, avaient été contaminés lors d'une transfusion sanguine ou avaient volontairement contracté la maladie afin de mourir à l'air libre avec une libre sexualité, tout comme certains adolescents choisissaient le sida plutôt que la vie qu'on leur proposait.

Ce n'était pas comme les honteuses léproseries d'autrefois. Rien de tel : les malades se voyaient proposer des activités culturelles et pouvaient même se marier. Il y avait de nombreux documentaires montrant combien ils étaient heureux, bien nourris et disposant même de la climatisation quand ils arrivaient en phase terminale, et combien ils étaient reconnaissants envers les étudiants de première année de médecine, qui avaient l'obligation de les accompagner en fin de semaine, de manger et de dormir chez eux, comme une garde prétorienne douce et familiale...

– Et qu'est-ce que tu as fait pendant deux ans dans ce sidatorium?

– Je t'expliquerai.

Et il disparut dans la nuit privée d'électricité et l'odeur de kérosène des lampes.

Je n'avais guère le temps de m'ennuyer, car la presse ne s'était pas découragée comme je l'avais pensé le soir où j'avais donné mon adresse aux journalistes en tenant dignement mes bas dans la main.

Certains campaient dans les miasmes fétides de la fosse septique, d'autres se balançaient, imperturbables et enthousiastes, dans les fauteuils métalliques sous le porche.

Deux d'entre eux venaient régulièrement de France pour me demander un poil de la barbe du Commandant, dont une analyse spectrologique pouvait, selon eux, dévoiler les arcanes de sa personnalité. Comme ils ne voulaient pas croire que je ne possède pas un tel reliquaire, je finis par leur donner quelques-uns de mes poils pubiens.

A cette époque, j'étais devenue la seule personne de l'île jouissant d'une relative liberté d'expression. Je pouvais parler de l'absence de liberté sans qu'un escadron de police vienne me sortir du lit, me rouer de coups et me conduire en prison.

Mais il me fallut surmonter ma peur pour assumer cette étrange responsabilité.

C'est grâce à ces journalistes que les biographes commencèrent à arriver. Et que me revenaient mes amis en exil. Je me rappelle avec émotion le soir où arriva un éphèbe bouclé, au regard bleu débordant d'une douceur respectueuse. Il venait de la part de mon ami Osvaldo Fructuoso, fils d'un martyr de la Révolution et désabusé comme toute ma génération. Il me tendit une petite carte : « Carlos Lumière. Photographe de *Vogue*. » Lettres dorées sur fond noir. Sans adresse ni téléphone. Un peu comme si je faisais imprimer sur une carte : « Alina Fernández. Conseillère du président Reagan. » Mais, dans un élan de foi incurable en l'amitié, j'acceptai de faire quelques photos.

— Si on les vend, Osvaldo se débrouillera pour t'envoyer de l'argent.

J'empruntai quelques chiffons à mon amie Albita.

Il ne se passa guère plus de deux semaines avant que je ne me découvre dans un magazine espagnol, portant les vêtements les plus modernes que l'on puisse trouver à La Havane et commentant le prix de l'huile, de la livre de chat au marché noir et les horreurs de la prostitution.

On me voyait, langoureusement allongée sur les rochers de l'inoubliable Malecón, face à la mer, telle une Lady Di érotisée en body de dentelle noire, en train de parler de la misère au Bénin...

Il fallait le voir pour le croire ! Le texte était un morceau d'anthologie écrit dans le meilleur style de Fernando, un ami d'Osvaldo, et bien que tous deux se déclarent consternés, je ne crus jamais à leurs bonnes intentions, pas plus que je ne les pris au sérieux, quand ils projetèrent de me faire sortir de l'île.

Mais tous mes amis ne se ressemblent pas.

Quelques jours plus tard, je reçus une lettre codée de mon ami Alfredo de Santamarina. Il me proposait l'exil en Suède. Alfredo est un être profondément humain auquel je me sens liée par les valeurs de l'enfance. J'ignorais comment il s'y était pris pour que le gouvernement suédois accepte de m'accueillir. Je devais lui répondre « oui » au moyen d'une phrase codée mentionnant un arc-en-ciel.

Je lui écrivis une lettre délirante dans laquelle je lui parlais de l'arc-en-ciel comme d'un rêve à remettre à plus tard. J'étais trop exaltée par ma mission de porte-parole. Je me sentais des devoirs envers tous ces gens réduits au silence. Pour eux, je me serais fait étriper place de la Révolution. Par ailleurs, je ne voyais pas comment le prétexte d'un ulcère galopant pouvait justifier l'asile politique. Enfin, j'avais beau passer des nuits blanches et angoissées et sentir mon cœur bondir chaque fois qu'une voiture s'arrêtait dans la rue, je n'avais jamais été embarquée par la police, comme tant de dissidents, pour être passée à tabac dans une prison.

Et comme si toutes ces raisons n'étaient pas suffisantes, la visite d'un militaire de la nouvelle génération acheva de me convaincre.

– La Suède cherche un prétexte pour rompre ses relations avec Cuba et retirer l'aide qu'elle nous donne au titre de pays du tiers-monde : matériel scolaire, assistance technique, etc. Si tu acceptes l'asile politique, tu portes préjudice aux enfants cubains. De toute façon, ne t'inquiète pas, tu n'iras nulle part.

Quand Alfredo lança malgré tout sa campagne, un Viking de l'ambassade de Suède me donna rendez-vous au bar de l'hôtel d'Angleterre, un centre commercial deux étoiles aux meubles d'osier en plein cœur de la vieille ville et centre de rencontres clandestines pour tous les naïfs de l'espionnage diplomatique. Je lui répondis un « non » très ferme assorti de serviles remerciements. Et nous ne parlâmes pas de crayons et de cahiers, ni de livres de contes animés d'où était né le merveilleux nom de mon troll, Mumín.

Mon ami Alfredo ne me l'a pas encore pardonné.

J'arrivai à la ferme d'Ezequiel derrière la procession annuelle au sanctuaire de San Lazaró, où les gens se rendent en pèlerinage sous l'œil attentif de la police. J'apportais, outre des ustensiles de ménage, une bouteille de rhum, de la vaisselle jetable et une cafetière italienne.

La future clinique de médecine alternative était une baraque abandonnée au milieu d'un jardin tellement caillouteux que les touffes de plantes médicinales semblaient miraculeuses. Comme si les mains vertes de grand-mère Natica étaient passées par là.

Ezequiel préparait ses potions dans trois marmites sous les arbres de l'arrière-cour, en utilisant faute de bois des écorces de noix de coco séchées. Un adolescent dégingandé l'aidait dans sa tâche.

Un druide assisté d'un elfe.

A la nuit tombée, voici ce qu'il me raconta :

– Tu sais qu'après avoir liquidé Abrantes ils ont démantelé ma clinique. Ils m'ont gardé quelques jours prisonnier à Villa Marista...

– Tu n'as pas été violé par un tortionnaire ?

– Non. Ils ont respecté mon cul, mais ils m'ont foutu le moral à zéro. Toutes ces années au Minint à travailler pour la Révolution, pour Fidel ! Le comble, c'est qu'ils ont besoin de moi pour la même chose.

J'étais un peu perdue. Fidel avait, bien entendu, survécu au désastre qui avait ravagé le ministère de l'Intérieur et sa garde personnelle au moment du procès numéro 1. Nul ne sait comme lui transformer une défaite en victoire et les sols tropicaux en champs de vigne. Sa nouvelle génération de sicaires s'annonçait pire que la précédente, petits-fils de la double morale et de l'opportunisme idéologique.

Ils avaient de nouveau recours à Ezequiel, mais en sens inverse : au lieu de l'envoyer soigner les narco-trafiquants à domicile, ils le chargeaient de concocter des bouillons de culture mortels et des potions létales pour éliminer, à l'intérieur comme à l'extérieur de l'île, les témoins gênants de ce désastre. Voilà pourquoi il avait eu la vie sauve. Mais il était en profond désaccord avec ce qu'on lui demandait de faire.

– Je suis dans la merde jusqu'au cou, dit-il.

– Où étais-tu pendant ces trois ans ?

– Au sidatorium.

Avec l'ordre de trouver une solution. Au moins avait-il obtenu une mixture qui maintenait un haut degré d'immunité. Mais il n'était pas venu me voir pour me révéler la formule secrète. Le gouvernement l'avait vendue à l'Allemagne de l'Est.

– C'est un endroit horrible. Tout le personnel appartient à la police. Et ils touchent une prime. Les deux années qu'ils y passent sont considérées comme un travail internationaliste... Je te remercie beaucoup pour le ménage et toutes tes attentions. Reviens la semaine prochaine. Je vais préparer quelque chose pour Naty.

Naty avait depuis peu une grosseur sur le côté gauche du cou et elle me rendait folle d'angoisse en refusant obstinément de consulter un médecin. J'étais arrivée avec un balai, de la lessive, des gants et de la vaisselle, mais je venais surtout supplier Ezequiel d'inventer un remède contre n'importe quelle tumeur susceptible d'attaquer l'inébranlable santé de maman.

Je revins le voir la semaine suivante. Je lui apportais des bouteilles vides pour ses mixtures. J'avais un mauvais pressentiment et la sensation d'aller à la découverte d'une nouvelle catastrophe. En guise d'alibi pour pouvoir repartir rapidement, je vins avec une dame de la *high society* américaine qui était arrivée à Cuba avec le projet d'écrire l'histoire des quatre générations que nous représentions Natica, ma mère, moi et Mumín. Elle faisait partie de la nichée de biographes qui voulaient à tout prix raconter comment et avec qui Fidel avait engendré une fille bâtarde, mais elle était la seule à offrir pour cela une somme alléchante. C'était une douce alcoolique apparemment inoffensive qui, à cinquante ans, semblait vivre pour imiter Jackie Kennedy.

Mais sa présence ne me servit à rien, car deux individus m'attendaient dissimulés derrière la fumée des marmites.

Ezequiel expliqua :

– Ça ressemble à un guet-apens, mais quand tu auras parlé avec eux, tu me pardonneras.

C'étaient des malades échappés du sidatorium. Ils allèrent droit au but :

– Lui c'est Oto et moi Reniel. On a besoin de ton aide.

Oto était noir et grand comme un guerrier Masaï et il s'était sûrement appelé Barbarito jusqu'à ce que le Minint le recrute et change son nom. Reniel est le pseudonyme préféré de la Sécurité. A Cuba, si un homme vous dit qu'il s'appelle Reniel, aucun doute, il appartient à la police secrète. Tous deux avaient la gueule de l'emploi.

Le grand Noir prétendait avoir été l'homme de confiance de Fidel en Angola. Le petit costaud appartenait au contre-espionnage militaire. Et ils étaient condamnés au sidatorium alors qu'ils n'avaient pas le sida.

On leur faisait passer des tests trimestriels chaque fois qu'ils rentraient à Cuba, et ils avaient été autorisés à quitter l'Angola bien après avoir reçu le feu vert médical. Leur thèse était qu'Ochoa, Abrantes, Tony et compagnie morts et enterrés, le nouvel appareil policier dirigé par Furry avait décidé de se débarrasser d'eux, d'abord en leur infligeant la honte de passer pour homosexuels, puis en les reléguant dans cette espèce de prison qu'était le sidatorium, d'où les malades étaient renvoyés chez eux deux ans après sans traitement.

Ils étaient convaincus que Fidel ne savait rien de cette affaire, et après deux tentatives avortées de faire analyser leur sang à l'étranger pour prouver qu'ils n'étaient pas contaminés – tentatives au cours desquelles Ezequiel s'était fait arrêter en possession des prélèvements sanguins – ils avaient besoin d'un proche du Commandant pour l'informer de leur situation.

Je leur expliquai que j'étais la personne la moins indiquée pour dialoguer avec le Commandant, car nous avions rompu toutes relations personnelles à la suite d'une anecdote sur le tourisme international.

Jackie Kennedy *bis*, la biographe, apparaissait de temps à autre en tanguant, imbibée de *saoco* (rhum, lait de coco et citron), me pressant de repartir, car elle avait organisé ce soir-là un dîner avec des personnalités du cinéma cubain et un après-dîner avec un fabuleux beau gosse.

226

Mais j'étais de nouveau sur le chemin de la tristesse :
— Si vous avez été des hommes de confiance de Fidel, il
ne peut rien vous arriver sans qu'il le sache. Si vous êtes
enfermés dans le sidatorium, accusés, comme vous le dites,
d'être des homosexuels, c'est qu'il l'a voulu. Et plus
encore, si tout cela est lié au procès numéro 1 de 1989. Il a
fait tuer ses propres amis.

Mais je ne pus les convaincre. On ne peut pas se contenter de dire non devant une tragédie. Je revins à La Havane
déterminée à faire parvenir le message au Leader
Suprême. C'était la première fois que je lui écrivais depuis
dix ans : « Deux patients du sidatorium se disent sains et
victimes d'une erreur. Des durs de la guerre d'Angola. Ils
prétendent qu'on les a envoyés là sans que tu en sois
informé... »

Sachant que le Commandant avait pour principe philosophique de laisser les problèmes trouver seuls leur solution, j'ajoutai quelque chose sur le risque de voir exploser
l'arsenal et le dépôt d'essence voisins, au cas où les
malades désespérés feraient sauter l'hôpital.

Pour lui faire parvenir le message, j'eus l'idée de
m'adresser à l'un des Cinq Légumes (mes petits frères), un
malade de la cybernétique et du marathon, qui partageait
ces deux obsessions avec un ami commun.

Après avoir expliqué l'affaire à mon pauvre petit demi-
frère lors d'une rencontre clandestine, je lui remis le message.

Comme je m'en doutais, le Commandant s'en contrefi-
chait.

Il était trop occupé.

L'Option Zéro supprimait l'essence et par conséquent
tout transport public ou privé. La moitié des fonctionnaires, inutiles en période de crise, avaient été licenciés, et
renvoyés chez eux à la retraite anticipée, avec mission de
surveiller leurs voisins et de dénoncer les fraudes.

Et comme les transports publics avaient cessé d'exister,
on distribua des bicyclettes afin que les élèves continuent à
aller en classe et les gens au travail.

Les bicyclettes étaient chinoises, fabriquées selon un
brevet que les Anglais avaient vendu aux Chinois à la fin
de la Seconde Guerre mondiale, vers 1946. Les mêmes en

tout cas que celle que m'avaient apportée les Rois Mages trente ans plus tôt. Le jouet « basique » des quincailleries... Pour trois générations, c'était un retour à l'enfance frustrée, mais cette fois le père Noël comblait enfin leurs désirs en distribuant à tour de bras des bicyclettes aux membres du Parti et des Jeunesses communistes.

La bicyclette chinoise de la Seconde Guerre mondiale révélait des capacités de traction insoupçonnées : des familles entières y prenaient place sur des selles rajoutées, et des remorques improvisées débordaient de frigos, de gâteaux de mariage, de matériaux de construction et de tout ce qu'on trouvait au marché noir.

Maman était heureuse et admirative de l'inépuisable créativité cubaine. Elle se promenait avec son appareil photo en bandoulière.

Quant à moi, le spectacle d'un homme rachitique traînant comme un bœuf ses deux enfants et sa femme aux fesses rebondies, me rendait aussi triste que lorsque je voyais passer une jeune mariée voilée en route vers le Palais des Mariages, sur le porte-bagages d'un vélo conduit par un père en nage au bord de l'infarctus. En même temps que cet « élan heureux », fleurissait le crime, car les Chinois n'avaient pas prévu de pièces de rechange pour ces machines préhistoriques, de sorte que les voleurs déployèrent des trésors d'imagination pour s'emparer des bicyclettes. La technique la plus commune consistait à tendre un fil de fer au milieu de la rue en mettant à profit les coupures de courant qui plongeaient les quartiers dans l'obscurité. De nombreux enfants moururent ainsi la nuque brisée.

Mumín grandissait heureuse, bourlinguant entre ses deux maisons. Elle commençait à marcher les pointes des pieds vers l'extérieur et elle avait la tête fleurie de rubans. Elle devenait une vraie ballerine. Mais à la fin de la deuxième année, elle fut renvoyée.

Deux années auparavant, mon demi-frère Fidelito avait imposé sa fille – une enfant russe grosse et grande qui se promenait parmi les élèves de l'école primaire en uniforme pré-universitaire – avec l'aide de deux sbires qui menacèrent la directrice des fureurs du ciel. Celle-ci préféra prouver sa force avec la petite-fille numéro 2 du Commandant.

Ma fille avait tout juste dix ans, mais il n'est jamais trop tôt pour commencer à payer pour les autres.

Le rêve de l'Ecole à la campagne finit par devenir une terrible réalité quand Fidel déclara les travaux des champs obligatoires et ferma tous les collèges et toutes les classes préparatoires à l'université.

Prétextant le manque d'essence, il décida que les garçons ne pourraient passer que trois jours par mois chez eux.

Les téméraires qui élevèrent des protestations dans les assemblées du Parti furent réduits au silence et les gens finirent par se résigner.

La pénurie imposa dans les écoles des règles dignes d'une prison : les élèves se déplaçaient comme des escargots, avec leur brosse à dents et leur morceau de savon dans la poche, dormaient avec leurs chaussures aux pieds et devaient se défendre bec et ongles contre le vol et les agressions.

Un avis de l'Ecole nationale d'art régla le problème scolaire de ma fille, qui troqua les chaussons à pointes contre la danse contemporaine. Grande, le cou long, les épaules parfaites, le pied cambré comme un croissant de lune, elle faisait plaisir à voir.

La première année, je pus l'emmener à l'école et venir la chercher, car il y avait parfois de l'essence. La deuxième année, l'essence disparut complètement et la gamine marchait matin et soir le long de l'avenue en tentant de s'accrocher aux grappes d'épaules qui sortaient de la porte du bus. La troisième année, elle prit ma vieille bicyclette.

L'angoisse commença.

C'était pour elle un trajet de vingt kilomètres ; pour certains professeurs un peu plus de trois heures à pédaler avec un peu de sucre fermenté dans l'estomac et une bouchée des trois cents grammes mensuels de pâte de viande. L'absentéisme fit son apparition.

Pour couronner le tout, Mumín eut son premier ennui politique à cause – qui l'eût dit ? – de la Panthère Rose. Crier des slogans le matin, en rangs, est une habitude révolutionnaire qui n'a pas disparu. Chaque matin la classe doit innover.

Mumín, qui avait vu la veille, chez une de mes amies, une carte postale de la Panthère Rose, pensa que le texte pouvait servir. Si bien qu'elle et ses camarades crièrent en chœur :

Le matin je ne mange pas
Je pense à toi
Le soir je ne mange pas
Je pense à toi
La nuit je ne dors pas
J'ai faim !

Ce qui me valut une convocation immédiate de la direction de l'école, afin de discuter des allusions insolentes de ma fille à un grave problème national.

Je retournai chez mon amie :

– J'ai besoin que tu me prêtes tout de suite la carte postale de la Panthère Rose. Je te la rends demain.

Je pus ainsi épargner à Mumín une appréciation désastreuse dans son dossier scolaire.

Voir mon lutin se rendre chaque jour dans une école sans professeurs me serrait le cœur. Et finit par la déprimer.

Plus on distribuait de bicyclettes, plus les crimes et les accidents fleurissaient.

Dans mon immeuble, la petite amie d'un voisin se tua un soir de pluie où les freins de la mécanique chinoise ne répondirent pas ; la jeune fille fonça dans l'arrière d'un autobus et passa dessous.

– Il ne lui restait plus rien, Alina. Plus de fesses, plus de ventre, rien ! pleurait le garçon.

Chaque jour une nouvelle tragédie endeuillait le quartier.

J'allai faire un tour au cimetière Colomb. Je me renseignai au sujet d'un mort imaginaire.

– Vous pouvez me dire où a été enterré Mamerto Navarro ?

– Quand l'a-t-on amené ?

– Hier.

– Hier, mais à quelle heure ? C'est que ça n'arrête pas !

Ici, l'ordre régnait. Les morts entraient toutes les dix minutes.

– L'après-midi, je crois. Vous avez beaucoup de travail ?

– On n'a jamais vu ça !

Il avait l'air heureux, le petit vieux. Jamais il ne s'était senti aussi utile depuis qu'il avait commencé à tenir le registre, en 1960. Ce que ne pouvait pas dire l'embaumeur de Lénine, privé de raison d'être depuis que le camp socialiste s'était effondré.

– Qu'est-ce qui se passe, les gens ont envie de mourir ?

– Tais-toi, fillette. Depuis la période spéciale et les bicyclettes, on en a plus de quarante-cinq par jour. Avant, il y en avait une quinzaine à tout casser.

Le jeu capricieux de mon père avec le communisme avait triplé le nombre de morts en moins de deux ans. Il était en train de décimer Cuba.

Je notais tout sur un carnet d'adresses noir, je réunissais toutes ces faits en vue d'écrire un livre. Des faits qui comprenaient la vaste gamme des statistiques du désarroi. Ce n'était pas la première ni la dernière fois que je retrouvai Mumín en train de pleurer. Je la suppliai de penser à abandonner son école. Cela ne valait vraiment pas la peine de risquer sa vie pour suivre des cours donnés par des professeurs invisibles.

Je tombai dans une époque de distraction perfectionniste. Résignée à vivre jusqu'à la fin de mes jours dans ce placard de succursale de presse de la 35e rue, et par respect pour les gens qui venaient me voir en traînant leurs misères comme s'ils traversaient la salle des urgences d'un hôpital, par respect pour Mumín clouée ici à cause des bicyclettes défaillantes et de l'attitude antisportive de ses professeurs, je décidai d'arranger l'appartement. On ne peut pas faire de massages thérapeutiques, lire le tarot, recevoir les amis et les provocateurs, calmer l'angoisse des dissidents, élever une fille et faire l'amour dans un endroit pareil, où tout n'était que cris, désordre et amertume. Mais telle n'avait pas été mon intention première.

Tout arriva à cause du w-c bouché, on ne savait pas trop pourquoi. Impossible de faire appel à un toilettologue : ce genre de services n'existait pas à Cuba. C'est ainsi qu'apparut Alberto le Magicien.

Après un exorcisme magique à la lueur des bougies, je

restai là, désolée, à regarder ce w-c inutilisable et à le supplier qu'il recommence à avaler, comme si je m'adressais à un grand-père malade.

Je fis heureusement la connaissance d'Alberto le Plombier, qui me présenta son collègue Idulario, lequel me présenta Armando qui était mécanicien et qui m'adoucit l'existence. Ils travaillaient tous sur la route 27 du transport urbain, où ils n'avaient pas grand-chose à faire car il n'y avait plus que deux bus en circulation. Ils avaient du temps à revendre. Dès qu'Alberto eut extrait du fond de la cuvette l'emballage en plastique d'un déodorant qui bouchait le w-c, je respirai mieux.

— Il faut repeindre de temps en temps la maison où l'on vit, pour qu'elle soit plus jolie, conseillait le Magicien.

C'était le premier être humain que je connaisse qui au lieu de problèmes apportait des solutions. Dieu le bénisse ! On peut oublier la merde des autres, mais il est difficile de se débarrasser de la sienne sans tirer la chasse d'eau. Des ateliers de la route 27 commencèrent à arriver des outils miraculeux : une ponçeuse capable de couper le fer et la pierre, un chalumeau préhistorique et tout un assortiment de spatules. Jamais je ne fus plus heureuse que dans mon rôle de menuisier, jamais je n'avais autant savouré brûlures et blessures. Et j'en étais là quand s'avança dans le couloir une fragrance de liberté d'assez belle allure : un play-boy sans âge, d'un blond cendré dissimulant ses cheveux blancs, impeccablement cravaté, costume en lin et petites rides de soleil des ponts de yachts et des piscines.

Persuadée que c'était encore un journaliste, je le menaçai avec la ponçeuse.

— *Oh! Don't worry! Il didn't come for an interview. Others plans! We, friends!*

On pourrait penser qu'une femme masquée, au pantalon tenu par des épingles à nourrice, en train de brandir une ponçeuse, devait avoir l'air un peu cinglée. Cela ne le découragea pas.

— *My name, Marc. Me and you, food. Me here at nine.*

J'arrêtai la ponçeuse et refusai catégoriquement. Je n'avais plus qu'une seule obsession. Contaminée par l'optimisme existentiel de mon plombier, je voulais arranger la prison qu'était mon appartement, car en sortir ne faisait que m'exposer davantage. Et me faisait de plus en plus peur. Il y avait belle lurette que je violais la loi et que j'avais renoncé à une promenade agréable dans La Havanc. Car j'étais la fille du Lord des coupures de courant, de la faim et de la misère. Il n'était pas question que je sorte pour aller dîner dans un « diplo-restaurant »...

Mais il n'y fit pas attention. Une mauvaise habitude qu'il acquit immédiatement.

Il m'emmena au Tocoloro, le restaurant préféré de Gabo et de tous les personnages importants en visite à Cuba. Du chef jusqu'au plongeur, tout le personnel appartient à la Sécurité, et l'endroit est truffé de micros jusque dans les glaçons.

Marc dut penser que j'étais muette et attardée mentale. Lui débordait de projets : il se voyait aussi bien publier un livre de recettes de langouste, chanter et produire des chansons cubaines, que vendre des dauphins dressés aux hôtels touristiques de Varadero. Fendre les eaux à dos de dauphin, pour cinquante dollars aller et retour, était, paraît-il, le rêve érotique des touristes, mais en vérité je connaissais bien mal les émotions complexes recherchées par les habitants de ce monde.

J'essayai de lui vendre grand-mère Natica, la cuisinière, et sa recette de langouste au chocolat amer, ainsi que maman, à qui rien de cubain n'était étranger, pour sélectionner ses chansons, mais je ne savais que faire avec les dauphins. Ce qui nous conduisit, une fois sortis du paradis gastronomique, à évoquer mes problèmes.

– Tu n'aimerais pas écrire un livre ? me demanda-t-il.

– Si, bien sûr ! J'ai des petits carnets où je note tout !

– Comment ça ? Tout quoi ?

– Eh bien, les milliers de prisonniers politiques détenus pour propagande contre-révolutionnaire, et dans quelles prisons, les expériences dans les hôpitaux, les tests de vaccins sur les enfants, les canaux du trafic de drogue à Cuba... J'ai tout noté, les noms, les prénoms...

– Bien, très bien... Mais je pensais à quelque chose de plus personnel. Où tu raconterais comment et où tu es née, des choses comme ça. Les sujets politiques n'intéressent personne, tu sais. Les gens se lassent des tragédies et Cuba n'est pas pire que l'Algérie ou la Palestine, sans parler de l'Afrique...

– Mais la subversion et le désordre en Afrique ont commencé quand le Che et les Troupes spéciales cubaines ont fabriqué des héros comme Lumumba...

– Oui, oui... Je veux bien le croire. Mais tout cela date des années soixante et on est dans les années quatre-vingt-dix. Les gens s'intéressent plutôt à la vie de ton père...

– Bien sûr ! C'est lui qui est responsable de tout !

– Oui, oui... On le sait, mais ça n'intéresse plus grand-monde. Les gens sont curieux de choses plus personnelles.

– Personnelles ? Qui se soucie de savoir si les caleçons du Commandant sont en lycra ou en coton ? Ou si au lit il préfère être dessus ou dessous et s'il aime le 69 ! Je n'ai pas la moindre idée de ses goûts sexuels. Demande donc à ma mère, espèce de salaud !

Qui allait oser me dire, à moi, plongée dans ce que je considérais comme une tragédie, que le monde entier n'avait de curiosité que pour les faits et gestes du Commandant et que Cuba n'était qu'un prétexte douteux pour maintenir la gauche du monde entier dressée contre l'impérialisme ?

Ah ! pauvre de moi ! Pauvre malheureuse, convaincue que nous les Cubains étions une partie du monde visible.

– Ne te fâche pas. Les gens veulent aussi en savoir plus sur toi. Ta naissance...

– Allons ! Tout le monde sait que mon vrai père n'était pas là à ma naissance. Et tu me demandes encore pourquoi ? Comme si ça n'était pas clair ! Même en Terre de Feu les gens le savent !

– Oui, oui... Mais il y a beaucoup de choses que tu ignores : comment réagit l'opinion publique, quels sont les thèmes à sensation. Le livre qu'on attend de toi n'est peut-être pas celui que tu veux écrire.

Venez donc à Cuba et vivez-y – depuis 1956 – pour constater où en est cette liberté de la presse, avec laquelle jouent un Ted Turner et un Rupert Murdoch, le premier pour embêter l'establishment américain, le second pour détruire la monarchie britannique.

La partie détériorée de mon occiput ne savait rien de la littérature et de la presse. Je ne savais pas qu'il existait des gens capables de vous voler votre histoire simplement pour passer à la télévision. J'ignorais tout de ce harcèlement auquel se livrent quelques *homo sapiens* dont l'intention et le mode de vie consistent à fouiller dans les poubelles des autres pour obtenir argent et célébrité. Même ma biographe alcoolique et distinguée ne semblait pas assez malintentionnée et dangereuse pour suspendre au grand air le linge sale de toute ma famille, de ma grand-mère jusqu'à ma fille. Je ne savais pas encore quelle tournure allait prendre tout cela et je continuais à penser que l'initiative de Carlos Lumière et de mes chers amis Osvaldo et Fernando avait été une erreur regrettable.

— Je ne sais pas, Marc. Ce que je veux écrire se trouve dans mes carnets. Ce sont des chiffres, des statistiques.

— Je reviendrai avec une proposition. Prends soin de toi. On te trouvera un bon « nègre ».

— Qu'est-ce que c'est un « nègre » ?

— Un type qui raconte ton histoire comme si c'était toi. Son nom n'apparaît pas dans le livre. Un écrivain fantôme. On fait appel à eux pour les gens qui ne savent pas écrire.

J'ignorais que l'escroquerie faisait partie de la littérature actuelle. J'ignorais un tas de choses. Mais j'ai fini par apprendre et par devenir raisonnable.

Faire sortir de Cuba le sang de cinq hommes accusés d'avoir le sida et enfermés pour cela dans un sidatorium fut plus pathétique que risqué. J'avais demandé l'aide d'un journaliste en échange d'informations écrites sur les incidences de la plaie du siècle sur notre éden, et sur le traitement qui les maintenait en bonne santé. L'homme promettait de m'attendre sur la route de l'aéroport et de faire sortir les échantillons de sang.

Il était cinq heures du matin et l'agitation matinale des rues indiquait le début des pérégrinations vers les lieux de travail.

Quelques jours plus tôt, j'avais dérobé des seringues jetables et des éprouvettes afin que les soi-disant malades puissent se faire les prises de sang.

Ce matin-là, Mumín était avec moi. Quand je la vis aux premières lueurs de l'aube, portant une boîte de Nescafé nicaraguayen pleine d'éprouvettes enfouies dans de la glace, je me rendis compte que j'avais dépassé les limites du bon sens et que mon complexe de culpabilité m'avait à ce point aveuglée que j'étais capable d'exposer ma propre fille à une contamination mortelle.

Comme prévu, le journaliste mit les éprouvettes dans la poche de sa veste et revint quinze jours plus tard avec une liste de résultats positifs, identiques pour les cinq hommes, dont le sort était en mon pouvoir.

Je revins à la ferme d'Ezequiel avec la mauvaise nouvelle.

– Ils les ont baisés, lui dis-je.

Le Masaï et le contre-espion répliquèrent tranquillement.

– Invraisemblable. Aucun malade n'est identique à un autre. D'après ces papiers, nous serions des quintuplés.

– On a fait tout ce qui était possible. J'ai promis des informations sur les irrégularités du sidatorium et le nom de la plante que les Allemands transforment en comprimés pour augmenter l'immunité.

Ils me remirent des listes. Je ne sus jamais ce qu'en fit ce marchand d'informations. Les comprimés allemands n'étaient rien d'autre que de la racine de palétuvier rouge.

Grâce à ma mauvaise habitude de faire analyser des prélèvements sanguins, de visiter les prisons, de participer aux actes de répudiation et à ma langue bien pendue, la Sécurité fit de moi une vedette. Une caméra fixe installée dans l'immeuble voisin filmait mes entrées, mes sorties, mes visites et mes fréquentations. Le nouveau ministre de l'Intérieur avait des tactiques moins personnalisées que celles de mon défunt ministre de l'Ombre et j'offrais aux policiers voyeurs le plaisir de la désinformation par des danses folkloriques ou des porno-shows en ombres chinoises pendant les coupures de courant.

A cet effet, je changeai le canapé de place. Si j'étais seule, je leur présentais un solo masturbatoire dont ils doivent encore se souvenir.

Mon ulcère, obstiné, remontait sur l'œsophage, quand Marc revint avec une proposition. Il connaissait un agent qui était en contact avec un éditeur. Et cet éditeur était disposé à prendre à sa charge tous les frais nécessaires pour me faire sortir du pays avec un faux passeport et, en tout cas, à payer pour avoir le droit de publier le récit de mes joies et de mes cauchemars.

Je décidai de rester à Cuba et d'écrire ici. J'étais comme Tortolo à la Grenade : possédée par l'envie de me sacrifier avec toutes les dénonciations contenues dans mes petits carnets.

J'expliquai à cet exalté qui voulait à tout prix me faire changer de vie qu'il fallait prendre quelques précautions.

– Si on doit faire un livre, la première chose est de ne pas se faire remarquer. Je ne veux pas que toi et le « fantôme » soyez ensemble dans l'île. Lui, il s'arrangera pour avoir un visa de journaliste et c'est moi qui déciderai des rencontres, des lieux et de la sortie des cassettes et des notes manuscrites. Il faudra qu'il ait du matériel préparé pour tromper la Sécurité quand ils le fouilleront, des questions et des réponses préenregistrées...

– Eh! Qu'est-ce qui te prend? Ce n'est pas une opération de la CIA.

– Il ne vaut mieux pas. Ils se font toujours prendre. Et c'est Fidel qui les intéresse. Ecoute-moi, s'il te plaît! Vous éviterez des problèmes et moi je dormirai sur mes deux oreilles.

Un Latin est incapable de convaincre un Nordique. Ils ont, semble-t-il, un complexe de supériorité inébranlable.

Marc, comme Pepe Abrantes, aimait ce qu'il y avait de mieux. Pour « travailler », il loua une maison à la Marina Hemingway, le site touristique le plus cher de l'île, où les Cubains ne peuvent entrer qu'en montrant patte blanche. Et pour se reposer, il réserva, pour lui et mon fantôme, deux chambres à l'Hôtel National.

Dociles, ils rangèrent enregistrements et films dans le coffre-fort de leur chambre...

Une semaine plus tard, ils était arrêtés, interrogés et expulsés.

Le fantôme ne voulut jamais revenir et Marc pensa qu'en logeant à Varadero et en allant à La Havane la nuit, dans une Ford Mustang de location, il passerait inaperçu...

Il arrivait au milieu d'une coupure de courant, ses yeux bleus luisants de peur. Je me lançai aussitôt dans une logorrhée insipide destinée à distraire l'officier de la Sécurité qui passait des heures à déchiffrer ce fatras incompréhensible de néologismes mastiqués en anglais et ponctués de gestes éloquents.

Après trois arrestations et expulsions, Marc ne revint plus.

La dernière fois, il m'appela de Milan. On l'avait mis de force dans un avion.

– Profites-en pour aller à la Scala !

Le même procédé expéditif fut désormais appliqué à tout journaliste qui s'approchait de chez moi.

J'étais totalement immergée dans la dénonciation des multiples crimes de mon père, quand celui-ci eut un de ces gestes montrant qu'il appliquait le cubisme aux choses quotidiennes bien mieux que Picasso à sa peinture.

Un soir, ma mère m'appela.

– Un lieutenant-colonel du bureau de Fidel doit passer me voir. Qu'est-ce qu'il peut bien me vouloir ?

J'étais en plein désarroi. De sorte que je guettai l'arrivée de cet émissaire, le guidai dans l'escalier et le laissai avec ma mère qui était au bord de la crise de nerfs.

Il put enfin placer un mot :

– Le Commandant m'envoie parce que demain c'est l'anniversaire de sa petite-fille et il est embêté parce qu'il ne sait pas quoi lui offrir.

Ma mère sombra dans un mutisme d'adoration.

– Il doit être un peu perdu, le pauvre. Cela fait treize ans qu'il ne l'a pas vue... dis-je.

– Voilà ! J'ai pensé... c'est sur mon initiative, vous savez, puisqu'il est difficile de faire des photos... plus de pellicules, plus de papier... nous, au bureau, on a encore du matériel et de bons photographes... j'ai donc pensé que ce serait bien de faire quelques photos du quinzième anniversaire de la petite. Qu'est-ce que vous en dites ?

Je voyais déjà Mumín avec une capeline en plastique, allongée les mains sous le menton et les pieds croisés, sur un dessus de lit en satin au milieu de coussins brodés. Ou posant devant un miroir de l'hôtel Riviera, avec une robe en dentelle de nylon louée au Palais des Mariages. C'est le rituel auquel des milliers de pères cubains soumettent leurs filles de quinze ans.

Mumín détestait qu'on lui tire le portrait.

– Ma fille n'aime pas les photos. Dites au Commandant qu'un simple bouquet de fleurs fera de lui un gentleman.

Puis je laissai maman énumérer la liste de tout ce dont elle avait un besoin urgent : des sacs de chaux et de ciment pour replâtrer les murs, de la peinture blanche, quelques dizaines de briques pour renforcer un mur.

Le lieutenant-colonel prenait consciencieusement note, sachant pertinemment que rien de tel n'apparaîtrait dans son rapport.

Le jour de l'anniversaire de Mumín, le téléphone de l'appartement ressuscita d'une longue agonie qui avait duré trois ans.

Le Haut Commandement voulait savoir s'il y avait quelqu'un à la maison. En début de soirée, un officier se présenta avec un bouquet de fleurs :

– J'y ai passé toute la journée, dit-il.

– Mais, pourquoi ? C'est un simple bouquet de fleurs !

– C'est qu'on ne trouve plus de fleurs à La Havane. J'ai dû aller les chercher à Pinar del Rio.

J'avais oublié que la disparition des fleurs fut le premier geste rebelle de l'écologie. Je me jurai que ma fille ne finirait pas son adolescence dans l'île.

Ma Havane continuait à changer de bruits et de textures.

Les murs des maisons éclataient en fistules morbides, accusant une négligence de quarante années.

Une façade complète d'un immeuble du Malecón s'effondra révélant des conditions de vie infra-humaines.

Les arcades – cette gloire de la ville, ce refuge d'ombre qui faisait le bonheur des joueurs de dominos et offraient aux promeneurs la paix d'une déambulation à l'abri du soleil des tropiques – étaient étayées de planches et de vieilles poutres qui menaçaient de s'écrouler.

La nuit, pour fuir l'obscurité des coupures de courant qui duraient huit heures, les gens occupaient les trottoirs, surmontant la fatigue et repoussant le moment d'aller au lit dans une chaleur épaisse chargée de moustiques où le mot intimité n'avait plus aucun sens.

C'est pour cela que les bruits et les sons avaient changé, parce que La Havane était devenue un nid déchaîné de passions nocturnes et, à l'abri des postes de radio à plein volume et du vrombissement des ventilateurs, réfugiés dans une bulle illusoire, les couples faisaient l'amour sans retenue, au point que l'on pouvait marcher sur les trottoirs bercé par les cris et les gémissements, les rires et les soupirs de plaisir. Et jusqu'aux bancs des parcs publics accueillaient les amants.

En cette année 1993 on ne vivait que pour étouffer l'angoisse.

Salivant au souvenir d'une tasse de café frais – affaire de vie ou de mort dans cette île – ou d'une gorgée d'eau-de-vie de canne – autre affaire tout aussi importante –, les gens s'asseyaient dehors pour bavarder de tout et de rien, histoire d'atténuer le désagrément d'être dans l'obscurité.

J'avais survécu la moitié de l'année dans un état de semi-aliénation méditative. L'ulcère me pliait en deux de douleur, je vomissais du sang et maman avait inutilement dépensé une jambe de *La Femme Cheval* en médicaments pour la cicatrisation, l'acidité et la douleur.

Elle était terrorisée par ma fille à laquelle j'avais enseigné des techniques de gourous indiens, japonais ou tibétains pour se défendre contre les gens et l'absurdité de journées d'inactivité forcée.

Nous affrontions chaque soir les coupures de courant perchées toutes les deux sur la terrasse de la maison de ma mère en nous saoulant de lueurs sidérales, d'énergies cosmiques et polaires bricolées et autres respirations universelles, quand je ne la torturais pas en essayant de transformer ses tibias et ses cou-de-pieds en armes défensives, en lui imposant des abdominaux ou en mesurant la résistance de ses articulations.

Mais il suffisait de redescendre de notre refuge pour entendre de nouveau la rumeur sourde du mécontentement.

C'était une situation de fous et pourtant rien ne me poussait sur la voie de la schizophrénie, bien que j'eusse gavé les *orishas* africains de tant d'eau-de-vie et de cigares fumés à l'envers, qu'ils devaient être tous malades ou complètement saouls.

J'étais désespérée et lucide. Je voulais faire sortir Mumín de Cuba et la délivrer de toutes ces lourdeurs héréditaires qui étaient sans pitié avec moi, et, dès que possible, m'éloigner d'elle, panser mes blessures et la laisser grandir tranquille jusqu'à ce que je sois guérie, car la vie en exil est dure pour les enfants, quand on part brisée et qu'on perd en chemin l'estime de soi.

Ce fut un vendredi de décembre, vers midi, que la magie, qui prend parfois d'étranges apparences, vint me rendre visite.

Cette magie-là était fragile et rondelette, et s'appelait Mari Carmen.

Certains signes envoyés de Miami par mon ami Osvaldo la précédaient. Mais j'avais l'amitié méfiante depuis que j'avais été immortalisée en body noir sur papier glacé, style petite sirène de Copenhague, entourée de gamins aux pieds nus, et parlant, en légende, du prix de la viande de chat au marché noir.

Quand je vis émerger Mari Carmen du taxi-tourisme échoué non loin de la fosse septique, je sus que quelque chose d'important se préparait et que ma vie allait bientôt être bouleversée.

Un énorme sac du Corte Inglés [1] trahissait sa provenance. J'allai l'attendre dans l'escalier pour lui faire le signe du silence obligatoire, avec cette discrétion que l'on acquiert lorsque l'on a été longtemps soumis à une surveillance systématique.

Je l'invitai à s'asseoir sur le balcon et nous commençâmes à parler de tout et de rien à l'intention des caméras et des micros.

— Je t'apporte quelques babioles de la part d'Osvaldo.

— Ah oui! Un appareil pour l'asthme, il me l'avait promis. Et un best-seller.

— C'est un des meilleurs livres récemment publiés en Espagne. Au fait, l'Espagne appartient maintenant à la Communauté économique européenne...

Pour moi, c'était de l'espéranto.

Et nous continuâmes sur ce ton jusqu'à ce que je l'invite à nous rendre dans la maison où régnait ma grand-mère Natica.

— C'est une institution, lui dis-je. Et elle adore Osvaldo...

Nous traversâmes la rue, nous nous assîmes dans la cui-

1. Galeries Lafayettes espagnoles.

241

sine, je montai le volume de la radio et nous ouvrîmes le feu.

– Quel est le plan ? demandai-je.

– Je dois faire des photos de toi pour le passeport...

– Bon. Mais j'aimerais bien connaître le plan et savoir qui d'autre est derrière tout ça.

– Le plan est une idée d'Osvaldo et de Fernando. Il est soutenu par Armando Valladares, Mari Paz et Mme Amos.

Armando était ce prisonnier qui avait passé son adolescence dans une prison politique de l'île. Mari Paz était une Espagnole qui avait contribué à l'évasion de dissidents. Et Mme Amos était une Cubaine exilée qui avait aidé le pilote Lorenzo à retrouver sa femme et ses enfants lors d'une opération risquée, un an plus tôt.

– Ceci est l'Opération Cousine. Pour la fille qui va te prêter son passeport, tu es la cousine d'Osvaldo.

Je formulai un argument baroque sur l'idée de fuir à quarante ans en abandonnant ma fille, après avoir gâché ma vie.

– Ce qui est fait est fait. Tu ne peux pas revenir en arrière. Tu as maintenant l'occasion de faire quelque chose pour ta fille.

– Il n'y a personne d'autre derrière tout ça ?

Il n'y avait personne ni rien de plus que le temps qu'avait passé Osvaldo à trouver de l'argent et des appuis.

Mari Carmen n'est pas de verre ni de fer ; elle a un cœur et elle est faite de chair. J'ai été plus proche d'elle que je ne le serai de personne. Elle risquait sa vie par solidarité et moi j'assistai à mon premier miracle.

– Je dois emporter le passeport à Mexico mardi. Je te le rapporte vendredi. Ton avion décolle dimanche soir. Quand tu seras en vol, la fille qui sera avec moi signalera la perte de son passeport et de son portefeuille à la police. Comme l'ambassade tardera à lui établir un sauf-conduit, on a pensé demander un changement de vol pour le mercredi.

Un journaliste de *Paris Match* serait témoin de l'opération. Le dernier jour, il me fixerait un rendez-vous où il me remettrait le billet, le passeport et les bagages. Nous arriverions ensemble à l'aéroport.

242

– Crois-tu que la nouvelle va rester secrète du dimanche jusqu'à votre départ, le mercredi?

- *Paris Match* l'a promis.

Le journaliste et notre trajet jusqu'à l'aéroport ne me plaisaient pas, car tout journaliste qui entre à Cuba est immédiatement fiché. Le ministère des Relations extérieures qui délivre les visas d'entrée a un dossier sur chacun d'eux, avec ses tendances politiques, voire ses goûts sexuels.

Mari Carmen me dit qu'elle avait toute liberté pour modifier les plans.

Mumín entrait et sortait de la cuisine avec son regard sage et cet air lumineux qui fait fondre le cœur.

Nous retournâmes à l'appartement pour faire les photos.

Je suspendis des draps et des lampes dans la pièce la mieux éclairée. Je sortis la perruque de la poche du Corte Inglés et je passai plus d'une heure à me maquiller. C'est alors que je découvris que jouer comme figurante dans la filmographie cubano-espagnole et supporter quatre ans de malveillance et d'humiliations à La Maison n'avaient pas été vains : je connaissais parfaitement mon visage. Je pouvais me transformer en me maquillant; comme sur un tableau, je pouvais ajouter à ma guise lumière et forme, ombre et relief.

Nous prîmes congé en bas de l'immeuble.

– Samedi prochain, c'est l'anniversaire de la petite... Tu viendras? demandai-je.

– Je serai là.

Je ne voulais pas gâcher la fête de ma fille avec cette intrigue digne de James Bond, bien plus compliquée que les déguisements pour visiter les prisons politiques, l'achat de dollars ou l'envoi de sang hors de l'île. Ma fille avait vécu soumise aux pressions des matriarches et aux miennes. Elle avait grandi dans ce placard où circulaient les messages urgents d'une légion d'opprimés et de gens dans la difficulté. Pour la première fois, je lui cachais un secret.

A partir de la visite de Mari Carmen, Mumín dormit avec moi toutes les nuits. Nous nous endormions main dans la main en un nœud d'amour absolu, et je savais qu'elle savait tout. Le jour de ses quinze ans, elle voulut être baptisée, et le soir de la fête une bande d'adolescents, eux aussi récemment convertis, dansaient dans le garage de la maison de maman, avant la coupure de courant rituelle.

Nous nous écroulâmes épuisées sur le lit et quand nous fûmes dans les bras l'une de l'autre, je lui dis :

– Je pars demain, Mumín. Je ne te l'ai pas dit avant pour ne pas te gâcher la fête. Mais je te jure qu'avant quinze jours nous serons de nouveau ensemble.

– Je le savais.

Mumín croit en moi sans réserve. Elle dormit d'un sommeil inquiet et fatigué qui aurait été celui du roi Arthur s'il avait découvert la signification cachée du Saint Graal.

Je la chargeai un peu inconsidérément de dissimuler ma fuite. Elle devait faire croire aux voisins que j'étais toujours là et endormir la curiosité maladive de ma mère.

Je me levai silencieuse et m'assis pour m'entraîner à imiter la signature de mon prête-nom et bien assimiler son identité, car j'étais déterminée à jouer le jeu jusqu'au bout au cours des interminables interrogatoires qui risquaient de m'attendre à l'aéroport.

J'avais préparé mon départ depuis des jours : avec ce qui me restait de *La Femme Cheval* je fis le tour des magasins pour diplomates, car je voulais tromper la vigilance de la police secrète et il n'était pas question que je quitte Cuba en tennis et tee-shirt, déguisée en touriste. C'était la faute de la perruque : cette tignasse hirsute était plus antinaturelle que des raisins tropicaux. J'avais besoin d'une casquette pour la dissimuler. Une casquette qui fasse jeu avec l'imperméable marron qu'Osvaldo m'avait envoyé. J'avais une casquette Chanel en satin beige que la biographe intempérante, Jackie Kennedy *bis*, m'avait donnée dans un de ses rares gestes de générosité. Et pour parfaire le tout, il me fallait des bottines marron clair.

Je demandai à une amie les clés de son appartement.

– J'ai fait la connaissance d'un journaliste et je ne veux pas qu'on le renvoie dans les airs avant de lui avoir donné une liste de noms de prisonniers.

Tel fut le honteux prétexte de ma demande.

Le lendemain, à onze heures du matin, nous étions Mumín et moi dans le garage de la maison de ma mère, en

244

pleine coupure de courant, en train de débloquer une porte électrique datant de 1954. Juchée sur le toit de la voiture, je faisais sauter vis et écrous à coups de marteau. Ma fille me tenait stoïquement les jambes et guettait l'apparition des curieux.

Quelques jours plus tôt j'avais chargé le coffre de la Lada de tout ce qui était indispensable pour mon déguisement. L'appartement prêté faisait partie d'un détour sur un parcours plus compliqué que le labyrinthe du Minotaure. Nous nous garâmes à bonne distance et nous nous faufilâmes dans les couloirs et les escaliers de l'immeuble de mon amie. J'étais en train de me maquiller et Mumín de réciter le chapelet quand arriva le journaliste de *Paris-Match*.

Un masque kabuki alla à sa rencontre en bredouillant un français approximatif :

– *Etes-vous mon compagnon ?*

– *Oui...*

L'homme était blanc de peur et son haleine était chargée d'alcool. Il portait une mallette dans une main et dans l'autre des papiers froissés et une bouteille de rhum.

La mallette était mon bagage de rechange et les vieux papiers mon billet d'avion. La bouteille, son indispensable stimulant.

Quand je le vis, je fus certaine que si je me présentais avec lui à l'aéroport tout était perdu.

– Partez seul, lui dis-je. Arrivez un quart d'heure après moi et si vous me voyez à l'aéroport, ne vous approchez pas de moi, mais ouvrez l'œil. Dans l'avion, si j'y arrive, restez loin de moi. Ne vous approchez que trois heures plus tard, quand nous survolerons les eaux internationales.

L'homme avait hâte d'en finir et partit.

Je parachevai mon maquillage. Je m'étais fait une bouche pulpeuse de cinéma ! Chanel Passion. Je demandai à Mumín qu'elle appelle un taxi-tourisme pour me conduire à l'aéroport. Elle dut sortir de l'immeuble et se débrouiller comme elle put, car tous les téléphones étaient cassés.

Quand le taxi arriva, elle vint me chercher.

Elle m'accompagna jusqu'à la voiture. Je donnai mes bagages au chauffeur et dit à Mumín en prenant l'accent le plus espagnol qu'on ait jamais entendu :

– Allez, petite sœur, ne te mets pas dans cet état, *hombre*! Arrête de pleurer! Avant la fin de l'année, je t'envoie chercher avec bourse et tout!

Et je serrai très fort ma fille dans mes bras en essayant de lui transmettre toute la force de mon amour.

Peu avant d'arriver à l'aéroport, je sortis de mon sac ma dernière carte : un flacon de Chanel n° 19 qui allait rendre sourds, aveugles et sans odorat tous les agents de la Sécurité qui surveillaient l'aéroport.

Le premier à réagir fut le chauffeur : il en resta sans voix et cessa de me demander comment on faisait pour aller de Madrid à Vigo.

– En train! C'est comme aller de La Havane à cette plage merveilleuse de Varadero! lui lançai-je, moi qui n'avais pas regardé une carte depuis l'enfance...

Un généreux pourboire en dollars le convainquit de me déposer devant le comptoir d'Iberia. je n'avais aucune idée de la disposition des lieux.

Mon chauffeur entra dans la salle d'attente en criant :
– Où est la queue pour Iberia?

Mon entrée causa un choc instantané. Les agents de la Sécurité virent passer devant eux – et sentirent – une belle fille outrageusement parfumée.

En attirant l'attention, je passais inaperçue.

Mari Carmen faisait les cent pas, incapable de repartir tranquillement avant de me voir monter dans l'avion.

J'entrai dans « l'aquarium » avec un livre d'Henry Miller et m'assis dans la salle d'attente de l'embarquement.

Une heure plus tard j'étais libre.

Je pus encore distinguer la silhouette de Mari Carmen à travers le hublot. Je lui fis adieu de la main.

Quelques minutes plus tard, l'avion décollait. J'avais laissé ma fille dans une île consumée par l'abandon et par le temps. J'étais une Cendrillon de quarante ans fendant les airs dans un avion d'Iberia. Mon cocher était un pilote et mon carrosse un siège en section fumeurs...

TABLE

Cet ouvrage a été composé par la
SOCIÉTÉ NOUVELLE FIRMIN-DIDOT (Mesnil-sur-l'Estrée)
pour le compte de LA LIBRAIRIE PLON

Achevé d'imprimer en mars 1998